Ethnologie de la chambre à coucher

DU MÊME AUTEUR

TRADITION DE BOURGOGNE, Marabout, 1978.
LE VILLAGE RETROUVÉ, Grasset, 1979.
LA GRANDE ENCYCLOPÉDIE MIAM-MIAM DE LA DÉCOUPE,
Le couteau dans la plaie, 1984.
LES DÉCOUPEURS DE MONDES, Grasset, 1985.
LES PIEDS SUR TERRE (avec A. G. Haudricourt), coll. Traversées,
A.-M. Métailié, 1987.
LA TRIBU SACRÉE, Grasset, 1990.

PASCAL DIBIE

Ethnologie
de la
chambre à coucher

GRASSET

N'importe quel objet, si vous l'étudiez correctement, toute la société vient avec.

André-Georges HAUDRICOURT.

Cardiaques esclaves des étoiles
Nous pensons avoir conquis le monde sans même avoir bougé
    de nos lits;
Mais nous nous réveillons, et il est opaque,
Nous nous levons, et voici qu'il est étranger,
Nous sortons de nos maisons, et nous nous trouvons en face
    de la terre entière
Avec, en plus, le système solaire, la Voie lactée et l'indéfi-
    nissable.

                          Fernando PESSOA,
                                  Tabacaria.

I

VERTICALE

I

NOS PREMIÈRES COUCHES

L'essentiel est de rassembler les éléments qui permettront d'interroger l'homme avec une pertinence progressivement accrue et de savoir laisser, du moins provisoirement, des trous dans le tissu des hypothèses.

André Leroi-Gourhan,
Le Fil du temps.

Non, la première chambre à coucher n'était pas une grotte, ni « un trou creusé dans le sable dur au flanc d'une montagne avec un toit de branchage tressé », telle que « Kaar-oh-line-au-rouge-nez, belle-mère du père de la mère du Barbu, immortel chasseur d'Hothobus [*sic*] » la décrivait, comme je l'ai cru jusqu'à l'âge de neuf ans. Bien que cette vérité fût plus proche que celle que je découvrais, adolescent, dans la nuit des âges toujours terrible et belliqueuse des romans préhistoriques de J.H. Rosny Aîné, où les Oulhamr attendaient avec angoisse les départs du soleil, « tassés dans l'ombre d'une caverne ou le surplomb d'un roc, les armes toujours prêtes pour l'ours ou le loup de retour, le corps couvert des cicatrices de combats nocturnes! »

Comment dormaient Augustine, cette néandertalienne d'Arcy-sur-Cure, son époux chasseur et ses enfants, il y a une glaciation et demie? André Leroi-Gourhan nous a mis en garde contre les idées toutes faites concernant les hommes préhistoriques, et notamment celles que nous nous sommes forgées de leur vie quotidienne. Les meilleurs sites ont été découverts dans des grottes; mais, en réalité, les habitations à l'air libre furent beaucoup plus nombreuses que les installations en grotte. Depuis quelques années, on s'est aperçu que la caverne ou le surplomb rocheux jouaient le rôle de double toit pour des habitations de plein air, construites sur le parvis ou sous le surplomb rocheux de la grotte, quand celle-ci était bien exposée ou assurait une bonne protection contre les fauves et les éléments.

Ce sont justement ces vestiges d'habitations, mieux protégés donc mieux conservés que ceux du plein air, qui ont fourni aux préhistoriens des précisions sur la technique des constructeurs. Des archanthropiens (*Homo erectus*), dont nous n'avons que peu de vestiges (pithécanthrope de Java, sinanthrope des environs de Pékin, atlanthrope d'Algérie, pour ne citer que ces « très anciens membres de la famille des hommes » âgés de cinq cent mille ans et plus), nous savons qu'ils connaissaient l'usage du feu et qu'ils fabriquaient des outils, mais pas comment ils dormaient ni où. L'homme de Neandertal retrouvé couché sur un lit de fleurs à Shanidar, en Irak, est le premier à nous livrer un témoignage émouvant sur ce qui fut sûrement son lit de mort, et à nous fournir les preuves du souci qu'avaient ces hommes du repos, fût-il éternel.

L'habitation dite de l'homme de Lazaret, fouillée par Henry de Lumley, apparaît « comme une grande construction déjà fortement différenciée »; elle date du paléolithique inférieur, soit environ cent trente mille ans. Longue de onze mètres et large de trois mètres cinquante, elle est composée d'une armature de bois faite de poteaux verticaux et de lattes horizontales calées contre les murs de la caverne. Sur cette structure étaient sans doute disposées des peaux retombant jusqu'au sol et bloquées par de grosses pierres. A l'intérieur, les aires d'activités étaient délimitées. L'une de celles-ci contenait des restes que l'on a identifiés comme matériel de couchage : varech séché et litière recouverte de peaux de bêtes sur laquelle reposaient et dormaient les hommes de Lazaret.

A Arcy-sur-Cure, dans l'Yonne, à l'abri du surplomb de la grotte du Renne, les châtelperroniens ont édifié et reconstruit pendant au moins cinq mille ans des huttes d'environ trois mètres de diamètre au sol, revêtues de plaques de pierre sommairement ajustées. Plantées dans des trous, des défenses de mammouth participaient à la charpente de ces constructions couvertes de peaux, de plaques d'écorce ou de mottes de terre. Ces habitations sont fort différentes de celles de Russie et d'Ukraine, dont l'édification exigeait des parties du squelette de près de cent cinquante mammouths. Empilées en cercles, les mandibules servaient de fondation à des crânes dressés dépourvus de leurs défenses, qui, elles, étaient utilisées pour maintenir la couverture, comportant aussi des omoplates et des bassins. A vrai dire, on est encore loin de connaître tous les types de constructions qui se succédèrent pendant les quelque trente mille années que dura le paléolithique supérieur.

Les chasseurs de Pincevent.

En ce qui concerne le paléolithique récent tardif, on ne dispose pour l'Occident comme témoin de l'habitation plein air que du site de Pincevent, en Seine-et-Marne, auquel ont été appliquées les méthodes de la topographie « exhaustive ». A Pincevent, on a déjà étudié plus d'une demi-douzaine d'habitations bien conservées; les conditions écologiques favorables en ont fait un point de résidence prolongée pour une communauté de chasseurs de rennes de plusieurs dizaines de familles qui s'y sont succédé pendant des siècles.

Ces unités d'habitation dont l'espace couvert est de sept à neuf mètres carrés, semblent individuellement correspondre à des unités familiales restreintes : le couple et sa descendance immédiate, c'est-à-dire deux à cinq ou six individus pour chacune des tentes. Ces tentes étaient coniques, légèrement ovales, avec un foyer proche de l'entrée et, en arrière, en demi-cercle, derrière un espace d'activité au sol jonché d'outils, la zone de repos où l'on a découvert, après disparition, des « empreintes vides » de peaux de couchage.

Les silex taillés du paléolithique indiquent que l'homme savait façonner les fourrures des animaux qu'il chassait. Les longues lames à faces parallèles que l'on peut voir au musée préhistorique du Grand-Pressigny (Indre-et-Loire) ressemblent étrangement aux outils encore utilisés dans les usines de délainage pour séparer la toison du cuir des peaux de moutons abattus. Quant à la propension naturelle des fibres de laine à s'enlacer, elle a certainement conduit très tôt, et sans le chercher, au feutre, première étoffe non tissée, dont on sait que les pasteurs nomades de Mésopotamie et d'Asie centrale usaient très largement dès le néolithique.

Chauffage et éclairage magdaléniens

Les magdaléniens de Pincevent, dont on peut imaginer la vie matérielle et une partie de la vie sociale, neuf mille ans environ avant notre ère, sont apparus à André Leroi-Gourhan comme remarquablement adaptés à leur territoire par un calendrier de rotation. La meilleure partie de l'année, été et automne, se passait sur la rive gauche de la Seine. Mais on ignore où ils séjournaient durant l'hiver et le printemps. Peut-être très loin de là, dans une grotte aménagée où, pour éviter l'humidité, ils étalaient une couche de pierres, arrivant parfois à édifier une sorte de dallage. La vie se concentrait à l'entrée de la grotte, la partie habitée dépassant rarement l'entrée de plus d'une trentaine de mètres. C'est dans cette zone qu'étaient établis les foyers, alimentés par des os de renne brisés et vidés de leur moelle, foyers ouverts qui, le plus souvent, n'excédaient pas la surface d'une serviette de table; les archéologues sont en mesure de dire qu'en plus de la cuisine et de l'éclairage, ils pourvoyaient aussi à un chauffage très central à l'aide d'un dispositif ingénieux : lorsque les braises étaient encore ardentes, on recouvrait le foyer d'un tas de galets ou de cailloux qui emmagasinaient la chaleur et constituaient un véritable calorifère. Système qui rappelle les poêles des régions froides de l'Europe et les saunas finlandais. Pour l'éclairage, il faut citer, outre la flamme du foyer, les lampes magdaléniennes bien connues, semblables à celles de certains Esquimaux : pierres plus ou moins creuses, garnies de graisse dans laquelle brûle une mèche. Dans les grottes on se servait aussi de torches de genévrier, dont on a retrouvé les traces aux endroits où elles furent frottées contre la muraille pour être mouchées ou éteintes. C'est ce matériel d'éclairage qui servait pour les randonnées au fond des cavernes et dans les recoins où les artistes préhistoriques exécutèrent leurs magnifiques fresques, qui nous servent aujourd'hui de documents pour tenter de comprendre quel fut leur quotidien.

La sexualité de nos ancêtres

Nous passerons sur les représentations animales pour tenter de comprendre la mentalité de ces chasseurs à partir de leurs obsessions ou de leur religion – s'ils en eurent. En ce qui concerne la couche, à défaut de chambre et de lit bien définis, c'est en interrogeant ce que nous croyons être la représentation de la sexualité que nous pouvons affirmer que ces hommes de l'âge du renne n'étaient pas des « hommes bestiaux et insouciants », des « sauvages », l'envers de nous-mêmes qui nous sommes baptisés un peu vite *Homo sapiens sapiens*, « hommes totalement sages » (?). Les préoccupations de ceux qui furent *habilis, erectus, sapiens neandertalensis* dépassaient largement le strict minimum matériel. Reflet de l'image que l'homme se faisait des rapports entre les acteurs de son univers, l'art pariétal apparaît comme le témoin d'un cadre sacré à l'intérieur duquel s'inscrivaient des pratiques, bien qu'il soit difficile de définir ce qui se trouvait exprimé par ces figures. Les parois décorées n'évoquent pas seulement des animaux, mais aussi des figures d'hommes et de femmes, soit leurs symboles réalistes, soit des « signes » de formes variées dont l'origine est à rechercher dans les représentations sexuelles masculines et féminines. L'écrasante majorité des silhouettes féminines vont de l'expression très simplifiée des vulves triangulaires, scutiformes, ovales et claviformes à des évocations plus sensibles, comme les statuettes polymorphes de Montpazier, celle dite Vénus de Willendorf ou la Vénus de Laussel, femmes stéatopyges – la largeur du bassin est d'environ la moitié de la hauteur d'un corps épais – devenues Vénus non pour leur beauté, mais pour leur féminité et leur nudité étalée...

Les figurations viriles : phallus, signes en rameau, en bâtonnet, en double ligne, en série de points, se retrouvent souvent associées à des figurations animales, mais dans tout l'art pariétal occidental les représentations en pied (corps et sexe) sont assez rares. Les plus connues sont : le « Sorcier » de Saint-Cirq, un personnage au visage plus ou moins zoomorphe, celle figurant sur la rondelle osseuse du Mas-d'Azil en Ariège et une silhouette gravée sur une plaquette calcaire, au dos fortement arqué et, elle aussi, nettement sexuée. Au total, la liste des personnages sexués pariétaux ou mobiliers ne dépasse pas quinze, soit 0,8 p. 100 des figures recensées. C'est dire si la sexualité dans l'art pariétal occidental est faiblement présente.

L'éveil de la tendresse

Ce qui, du point de vue de la chambre à coucher, nous intéresse plus directement, ce sont les premiers éveils de la tendresse, ces « tête-à-tête », pour reprendre une expression de Louis-René Nougier, disciple de l'abbé Breuil, rêvant sur le face à face d'Adam et Eve de Rouffignac, idylle sur laquelle Leroi-Gourhan est plutôt réservé. Mais nous frappe surtout l'apparition presque simultanée de la représentation de la tendresse animale et celle des premiers accouplements humains. Le bison de la grotte de la Madeleine se léchant, les rennes affrontés de Font-de-Gaume où le mâle debout veille paisiblement sur sa femelle couchée, les oiseaux amoureux du Mas-d'Azil en sont les témoins. L'accouplement d'Enlène, ceux de Péri-Nas en Carélie soviétique et de Bardal en Scandinavie sont tous du même mode : l'homme derrière la femme penchée en avant. Mais ce sont les peintures du Tassili-N-Adjer, d'une chronologie légèrement plus ancienne (milieu du IVe millénaire), qui nous fournissent les exemples les plus remarquables d'accouplement humain avec d'évidentes manifestations de tendresse. A l'attitude naturelle de la position dite « en levrette » attestée dès le XIᵉ millénaire (accouplement d'Enlène) font place, au milieu du IVᵉ millénaire, des scènes plus intimistes, allant des attouchements – qui apparaissent en même temps que le préaccouplement dans le monde animal – à l'accouplement étendu et face à face, jusqu'à l'érotisme des scènes relevées par Henri Lhote où l'homme du Tassili s'amuse avec sa partenaire assise sur ses genoux et enserrant sa taille... C'est de cette époque aussi que date la représentation d'un couple faisant l'amour dans l'intimité; suggérée par une large courbe au-dessus du couple, la case familiale leur permet de se dérober pudiquement aux regards. La position dans laquelle ils se trouvent, la femme allongée sur le dos et l'homme au-dessus, sera dès lors considérée comme étant la seule « naturelle » jusqu'au XVIIIᵉ siècle au moins.

Le lit de mort

A quoi rêvaient Augustine d'Arcy-sur-Cure et son époux, la tendre tempête passée? L'existence d'une pensée religieuse, ou tout au moins d'un comportement positif à l'égard de ce qui, pour nous, est le « surnaturel », ne fait, d'après les préhistoriens, aucun doute pour les derniers cinquante mille ans de l'histoire humaine. Certitude qui ne nie nullement l'existence d'une pensée religieuse au paléolithique ancien (de 1 000 000 à 200 000 ans) ni au paléolithique moyen (environ 200 000 jusque vers 50 000 ans), moment où apparaissent les premiers *Homo sapiens* auxquels l'homme de Neandertal sert en quelque sorte de symbole. Les documents se référant aux soins des morts offrent un recul plus sensible que les témoignages esthétiques. Le fait de traiter de manière particulière le corps des membres du groupe après leur mort peut constituer, dit Leroi-Gourhan, sinon une preuve de sentiment religieux, du moins de l'affectivité des proches. Plus que par la position du corps, qui est souvent la plus compatible avec l'économie du creusement de la fosse, les préhistoriens ont été frappés depuis longtemps par la découverte fréquente d'ocre rouge dans les sépultures du paléolithique supérieur. La matière colorante se présente tantôt comme un lit sur lequel repose le squelette, tantôt comme une tache dans la région de la tête, tantôt enfin diffuse dans le sédiment enrobant les vestiges. La valeur symbolique de l'ocre est ici certaine et son témoignage implique l'existence d'un système d'images dans lequel on peut insérer une pensée religieuse. Apparues au moins depuis l'homme de Neandertal, les pratiques funéraires attestent les soubassements d'un comportement religieux et supposent le développement, très lent, d'une métaphysique de l'inquiétude qui ne semble pas inconciliable avec des stades de l'évolution humaine antérieurs au nôtre. Le choix du lieu de ces pratiques, les abris élaborés où l'on en trouve les traces, tient assurément à des réactions affectives très profondes dans les rapports des vivants aux morts, où la valeur des rêves s'exprime sans confusion.

Un nouveau mobilier

Il est paradoxal de constater que l'art paléolithique tant pariétal que mobilier disparaît assez brutalement, entre 9000 et 8000 avant notre ère, du fait de l'amélioration des conditions climatiques. Après un dernier sursaut du froid, prend fin, vers 8300, la grande glaciation du Würm. Le front de glace recule devant la montée vers le nord d'un climat doux et humide, la toundra et la steppe le suivent, alors que, remontant du sud, la forêt se développe, envahissant les plateaux et les fonds de vallée délivrés des glaces. Ce bouleversement du milieu naturel a des répercussions, indirectes mais capitales, sur l'avenir de la chambre à coucher – et son confort! La faune, (renne, mammouth, rhinocéros laineux), suit dans leur retraite les steppes nourricières; les grands troupeaux d'herbivores, aurochs et bisons, en font autant ou se réfugient en altitude, bientôt remplacés par les hôtes de la forêt, cervidés et sangliers. Cette révolution climatique est fondamentale puisqu'elle fait passer l'homme de l' « âge du renne » à l' « âge du cerf » : chasser des lapins et des rongeurs, collecter des escargots ou des mollusques du littoral n'a plus rien à voir avec la chasse au rhinocéros laineux dont la mystique inspira le grand art pariétal.

Il était inévitable que ces bouleversements, dit Jean Abélanet, entraînent un effondrement des bases de référence de la mentalité et des conceptions religieuses et artistiques des hommes de la préhistoire. Face à des animaux plus petits, l'outillage et le mobilier se miniaturisèrent; dans les huttes de bois, les peaux de biche et de lapin servirent de couches et, cousues entre elles, d'habits et de couvertures : l'art du confort faisait irruption dans la chaîne prodigieusement longue des êtres qui ont peuplé les neuf dixièmes du temps humain que nous connaissons.

Une urbanisation spontanée en Mésopotamie

Une civilisation comme celle de la Mésopotamie, dont les annales remontent plus loin qu'aucune autre, devrait constituer un terrain parfait pour étudier sinon l'habitat, du moins le phénomène d'urbanisation, grâce au grand nombre de textes cunéiformes dont on dispose. Toutefois, on ne peut expliquer pourquoi le centre de l'urbanisation se situe dans la basse Mésopotamie, même si les spécialistes affirment, sans pouvoir en fournir aucune preuve conventionnelle, que c'est là et là seulement dans tout le Proche-Orient ancien que se produisit une urbanisation spontanée.

L'attitude élémentaire de la civilisation mésopotamienne – dont la situation d'« entre-deux » (fleuves) qui est la sienne semble être une des particularités principales – est l'acceptation inconditionnelle de la ville comme unique organisme communal, sans qu'il y ait de vestige ou même de souvenir d'une organisation tribale telle celle qui laissa son empreinte indubitable sur les cités musulmanes. Dans les documents cunéiformes, on ne trouve pas trace de cet antagonisme entre habitants des villes et des campagnes qui caractérise si souvent les civilisations urbaines. Seuls des envahisseurs nomades et les habitants considérés comme « arriérés » des monts Zagros sont parfois l'objet de mépris. Ils le sont parce que dépourvus de ce que les Babyloniens considèrent comme les qualités essentielles d'un peuple civilisé : le comportement individuel, les soins donnés aux morts et la volonté de se soumettre à un gouvernement organisé.

Même si l'objet de notre étude n'est pas les institutions sociales et politiques, il nous faut noter quand même que, de la même façon que la *polis* grecque, l'*ourou* mésopotamien représente un cas unique dans la variété des types de villes créées par l'urbanisation.

La ville sumérienne comprenait trois parties : d'abord la cité proprement dite, souvent appelée en akkadien *libbi ali* ou *gabalti ali* : ceinte de murailles, elle renfermait le ou les temples, le palais, les résidences des officiers royaux et les maisons des citoyens; ensuite les « portes », où se réunissait l'assemblée des citoyens et où le maire exerçait ses fonctions (à chaque porte correspondait un quartier), et enfin la « banlieue » – en sumérien *ouroubar-ra*, la ville extérieure –, dans laquelle on trouvait des agglomérations de maisons, des parcs à bestiaux et des jardins qui fournissaient à la ville sa nourriture. Nous ne savons pas jusqu'où s'étendaient ces faubourgs ni exactement comment ils étaient protégés (murailles secondaires ou postes avancés?), mais au IIIe millénaire avant J.-C. Lagash, capitale d'un Etat de 3 000 km², groupait en une sorte de conurbation dix-sept villes et huit chefs-lieux totalisant une population évaluée à cent mille habitants. A titre de comparaison, Ur, métropole d'un vaste empire, atteignait au début du IIe millénaire le double, voire le triple : deux à trois cent mille habitants!

Un mobilier dépouillé

Ces villes ne jouissaient en fait que d'une maigre prospérité sauf, et cela sur des périodes courtes, lorsqu'elles abritaient le palais d'un roi victorieux. Alors, butins de guerre, tributs des cités subjuguées et dons de voisins intimidés rehaussaient le niveau de vie de la communauté tout entière.

De cette époque, on a trouvé sur le site d'Eśnuna, à l'extrémité du bâtiment royal, l'emplacement qu'occupaient les toilettes. Mais c'est sur le site de Tello qu'ont été mises au jour des maisons équipées de toilettes et de salles de bain en appareillage de brique cuite. En ce qui concernait le mobilier de la chambre à coucher, pour les intérieurs les plus simples, il était peu important : des coffres, des paniers en tiges de roseau et un lit au cadre assez bas, garni de vannerie, qui constituait le sommier. Il ne reste que très peu de chose du mobilier royal : en Babylonie les sièges étaient en forme d'escabeau et recouverts de coussins, en Assyrie les chaises étaient à hauts dossiers, mais le lit le plus célèbre de l'Antiquité est bien celui d'Assurbanipal, révélé par un bas-relief provenant de Ninive et conservé au British Museum. On y voit le roi étendu sur un lit ressemblant au lit de repos des Egyptiens et des Romains, buvant une coupe face à la reine assise dans un fauteuil.

Caractéristique des villes de la Mésopotamie, de l'abondance, elles retombaient très vite dans une existence terne et misérable : les gens vivaient dans des ruines, les sanctuaires étaient dilapidés, les murailles s'écroulaient et les habitants constituaient une proie facile pour des envahisseurs... Pourtant, même après la destruction d'une ville ou en face d'une désolation totale, ce qui restait de la population s'accrochait aux ruines, s'efforçant de maintenir au moins le nom de leur cité. Ce fut le cas de Babylone, qui, mille ans après sa destruction, n'avait pas encore été complètement abandonnée.

La maison type égyptienne

A partir du Moyen Empire, la disposition des maisons égyptiennes particulières commence à nous être connue d'une façon précise. Très peu de chose a subsisté des villes de l'époque la plus ancienne, à cause des générations successives établies pendant des siècles et même des millénaires aux mêmes endroits. Ces problèmes d'identification sont toujours actuels, villes et villages d'aujourd'hui s'élevant pour la plupart sur des emplacements habités de toute antiquité, les fouilles restent sinon impossibles à faire, du moins difficiles. On peut toutefois avoir une idée approximative de l'aspect que pouvaient présenter les maisons particulières les plus anciennes : des huttes en clayonnage de palmes et de joncs entrecroisés, remplacées dès l'époque préhistorique par des maisons rectangulaires en limon du Nil moulé en forme de briques que l'on liait par un mortier de boue liquide, le faîte soutenu par des poutres en bois de palmier.

A ces constructions légères rapidement montées et parfaitement adaptées au climat de l'Egypte faisaient pendant de très rares maisons en pierre, généralement érigées par de riches propriétaires sur des plans imitant ou rappelant les temples et les palais.

Pour revenir au Moyen Empire (2052-1570 environ),

grâce à un certain nombre de modèles en argile de maisons modestes retrouvés dans les tombes, on peut se faire une idée assez précise de ce que fut une habitation type et sûrement citadine en Egypte. Le plus souvent, le bas de la maison se compose d'une salle à colonnes avec, au fond, quelques petites pièces. Un escalier étroit, raide et sans rampe, conduit à un étage qui débouche soit sur une seconde série de pièces précédées d'une galerie à colonnes, soit sur une pièce unique que la présence d'un lit ou d'une natte et d'un chevet désigne comme étant la chambre. Bien que l'on n'ait presque rien retrouvé de l'ameublement intérieur des maisons du site d'al-Amarna ou de celui de Kahoun, les tombes du Nouvel Empire (1570-715) nous livrent des renseignements sur le mobilier.

Le lit d'Hétephérès

Le lit constitue, à n'en pas douter, un des meubles les plus importants de la maison. Dans un inventaire d'une habitation privée de la VIe dynastie est mentionné comme pièce unique un « lit du meilleur bois de pin ». De cette époque, s'il ne subsiste que peu de chose des précieux lits en ivoire trouvés dans les tombeaux royaux de la Ire dynastie, des lits plaqués d'argent et d'or aux formes élégantes nous donnent une idée de ce que furent les lits royaux. Dans la tombe de la reine Hétephérès (IVe dynastie), la mère de Chéops, on a entre autres choses retrouvé un baldaquin en bois doré qui devait abriter un lit incliné extrêmement simple, le fauteuil et un chevet, ensemble que l'on peut admirer au très riche musée du Caire. Le lit était fait de solides bandes de toile entrecroisées, tendues sur un cadre de bois supporté par des pieds le plus souvent sculptés en forme de pied de taureau, de lion, ou modelés à partir d'une des divinités protectrices des dormeurs : Bès barbu, aux jambes tortes, et Thouéris, représentée sous la forme d'un hippopotame. La richesse du rembourrage des lits de ce genre les rendait parfois si hauts qu'on devait se servir d'un marchepied à plusieurs degrés pour y monter. Peut-être est-ce la raison pour laquelle on a retrouvé près d'eux des petits escabeaux.

Sur ces couches si douillettement rembourrées (privilège des rois et des reines, évidemment), il fallait faire tenir sous la tête un *oual* (que l'on traduit par chevet, appui-tête en hémicycle, reposoir ou, plus précisément, repose-cou) sur lequel le dormeur ou la dormeuse faisait porter son cou afin de ne pas affaisser ou emmêler une coiffure souvent fort compliquée. Le chevet est l'objet le plus courant du mobilier funéraire, ainsi qu'on en peut juger dans presque tous les musées recelant des collections de l'Antiquité classique. Sur la base est souvent gravée une des divinités nocturnes déjà présente sur les pieds du lit, Sékab, dieu résidant au fond du puits des damnés qu'il est chargé de torturer ou Seth, dieu des Ténèbres. Cet ancêtre de l'oreiller, dont la dureté était souvent corrigée par l'interposition entre l'hémicycle et le cou d'un coussin, obligeait son utilisateur à dormir sur le dos. Il était, pour les plus riches, taillé dans l'albâtre et incrusté d'ivoire et, pour les classes moyennes, en sycomore, bois très commun alors en Egypte, et dénué d'ornement. La chambre contenait encore des armoires en bois enrichi d'incrustations où l'on rangeait le linge et les vêtements ainsi que des ustensiles de toilette : miroirs, peignes, épingles de tête, onguents, parfums, qui prenaient place dans de petits coffrets plus ou moins précieux qui l'on rangeait avec l'indispensable escabeau sous le lit.

Dans la haute société, les époux faisaient chambre à part la nuit. Sur le site d'al-Amarna, la maison du « directeur des troupeaux de bœufs au temple d'Aton », rappelant tout à fait celle des modèles en argile précédemment décrits, nous donne une idée de la disposition des pièces. Cet hôtel de maître est un ensemble carré en brique d'environ soixante-dix mètres de côté. Après une porte monumentale, on franchit une cour spacieuse, puis une seconde porte, pour arriver à un large perron adossé au mur nord de la maison. Par une antichambre on accède à la salle de réception, où quatre colonnes de bois peintes en rouge, reposant sur des bases de pierre, supportent le plafond. Derrière se trouve la salle à manger et, de là, à côté de deux pièces plus petites, part un escalier conduisant à l'étage supérieur. Au sud, se groupent les appartements réservés avec, à l'ouest, la chambre à coucher du maître, reconnaissable à l'alcôve construite pour recevoir le lit, souvent fermé par un rideau dont le rôle, plutôt que de dissimuler le dormeur, était celui d'une moustiquaire. Hérodote montre que se garder des moustiques était une préoccupation commune à tout Egyptien : « Aux environs des marais les habitants passent la nuit en haut de tours suffisamment hautes pour que les moucherons ne puissent y accéder ou que le vent les en empêche. Dans la région des marais où il n'y a pas de tours, chaque homme possède son propre filet. Le jour il lui sert à attraper du poisson, la nuit il l'étend sur le lit où il se repose et, protégé, s'endort dessous. Les moucherons, s'il s'enroule dans ses propres vêtements ou dans une pièce de mousseline, sont sûrs de le mordre à travers ce genre de couverture, pas à travers le filet. »

Salles de bain

A l'est, adossée à deux petites pièces, une salle carrée était probablement le lieu de séjour habituel du *harîm* (harem) où séjournaient femmes et enfants. Entre les deux, donnant sur un corridor, on rencontre une double installation de salles de bain et de cabinets d'aisances. Cette précision est une preuve intéressante des changements intervenus entre la XIIe et la XVIIIe dynastie (1991-1786 à 1570-715); sur le site plus ancien de Kahoun, dans le Fayoum, il n'est pas possible d'établir l'existence d'une salle de bain, même dans la classe aristocratique, alors qu'à al-Amarna, un simple surveillant ou un chef d'équipe ne semble pas s'être passé de ce luxe. Il faut toutefois préciser que l'usage que nous faisons de nos baignoires était inconnu des Egyptiens, usage qu'ils auraient jugé malpropre, trouvant, tout comme les fellahs d'aujourd'hui, l'habitude de se laver dans une eau stagnante étrangère aux règles élémentaires de l'hygiène. Le bain consistait en affusions qu'exécutaient des serviteurs, auxquelles succédaient des frictions ou des massages. Pendant que l'on procédait à sa toilette, l'homme portait sa petite tenue du matin : tête nue et pagne court, qu'il gardait parfois pour sortir.

Effusions royales

Sur les ostraca, comme celui de Deir el-Medineh, sont souvent figurées des scènes de gynécée. On y voit des femmes et des petits enfants : une femme est allongée sur un lit, vêtue d'une robe transparente, une autre assise, occupée à sa toilette avec l'aide d'une servante, et une troisième allaite son bébé. Hommes et femmes sont rarement représentés ensemble, si ce n'est pour les portraits de famille dont les artistes égyptiens nous ont laissé des images harmonieuses datant du règne d'Akhenaton. Ici l'on peut voir les effusions du couple royal et, bien évidemment plus chastes, les peintures tombales. Si dans les récits l'homme et la femme se rejoignent la nuit pour « concevoir », dans les contes les histoires d'amour sont nombreuses où sont suggérés les « flairements » du « frère » et de la « sœur » – entendre « amant » et « amante » (comme cela existe toujours dans de nombreuses civilisations traditionnelles). Les Egyptiens donnaient un baiser avec le nez, ils le feront avec la bouche par imitation des Grecs à partir de la Basse Epoque (715-332), mais il est très rarement question du mariage, le transfert de la jeune fille avec sa dot de la maison paternelle à la maison du fiancé, dont le cortège ne devait pas manquer de pittoresque, constituant l'essentiel de la cérémonie.

Par Horus, demeure...

Avec la nuit venaient les songes et leurs présages, dont on sait qu'ils préoccupaient beaucoup les Egyptiens, qu'ils fussent pharaon ou simple fellah. La différence est de taille et pose une question qui dépasse la physiologie : l'homme a-t-il une réelle égalité dans le sommeil? Dans un cas, celui des rois et des puissants, les interprètes identifient des rêves comme celui-ci : pendant la nuit, le roi voit deux serpents, l'un à sa droite, l'autre à sa gauche. Au réveil les serpents ont bien entendu disparu puisque ce n'était qu'un rêve. Mais un rêve de roi est marqué du sceau du destin et les interprètes discernent qu'un brillant avenir est réservé au rêveur qui, tenant déjà la Haute-Egypte, va bientôt conquérir l'Egypte du Nord et faire paraître sur sa tête le vautour, symbole du Sud, et le cobra, symbole du Nord.

Les particuliers lettrés qui n'avaient pas d'interprète attitré pouvaient, à l'époque ramesside, consulter un ouvrage ressemblant à celui qui couvre le papyrus *Chester*

Beatty III. Divisé en deux parties, ce document, visible aujourd'hui au Metropolitan Museum, comprend dans sa première partie les songes et leur interprétation, ce qu'en psychanalyse nous appellerions des écoles. Celle de l'élite égyptienne : les « suivants d'Horus » qui, sous les Ramsès, s'opposent à la « nouvelle école des Séthiens », issue de la famille royale, descendant en droite ligne du dieu Seth. La troisième école est celle des « fidèles d'Amon », dont le collège des prêtres a continuellement résisté aux tendances monothéistes du Nouvel Empire; elle sortit victorieuse de la guerre des tendances...

L'image d'Horus orne invariablement les sanctuaires égyptiens sous la forme d'un disque solaire ailé afin d'éloigner de l'édifice sacré les ennemis impurs. Laissons aux Séthiens qui, morts, « ne deviendront pas des habitants de l'Ouest mais resteront dans le désert comme des proies pour les rapaces », leurs interprétations (incomplètes) des songes dans la seconde section du *Chester Beatty* pour tenter de découvrir à quoi rêvaient les Egyptiens et comment l'école des « suivants d'Horus » interprétaient leurs songes. La liste est longue et l'énonciation laconique; les procédés analogiques l'emportent sur le reste : « [...] il n'est pas bon de rêver que l'on boit de la bière chaude, des biens sont enlevés; si l'on se pique avec une épine, c'est signe de mensonge. Si on a les ongles arrachés, on sera frustré du travail de ses bras; les dents qui tombent, c'est la mort de quelqu'un de proche; monter à un mât, c'est le dieu qui fait s'élever; plonger dans le Nil, on est lavé de ses péchés », etc.

Ni Freud, ni Lacan n'ont innové dans le domaine de l'interprétation des rêves. Les Egyptiens connaissaient déjà les associations et les jeux de mots, et pour celui qui rêvait qu'il mangeait de la viande d'âne, « âne » et « grand » étant homonymes, l'interprète se laissait aller à ces explications. Par contre, si le rêveur recevait une « herbe » qui se disait *boinée*, cela était annonciateur de mauvaises choses,

« mauvais » se disant *bin* en égyptien. Quant aux rêves obscènes, très fréquents semble-t-il, les prêtres ne les voyaient pas de bon augure...

La maison d'éternité

On ne peut quitter la chambre et ses rêves sans faire allusion à ce qui préoccupait, avec beaucoup de fierté mais souvent sans joie, les Egyptiens fortunés : la maison d'éternité. Les rois s'y sont toujours pris de très bonne heure, car la construction d'un tel édifice, même moyen, n'était pas une mince affaire. Pour les particuliers, convaincus, comme le pharaon, qu'après la mort l'homme continue de vivre, il s'agissait de préserver son *Ka*, cet être immatériel que l'on peut rapprocher de ce que nous appelons l' « âme », et qui a sa personnalité propre. Il faut conserver le corps afin que le *Ka* puisse en reprendre possession aussi souvent qu'il lui convient et pour cela garder dans un endroit sûr une statue, une image ou une représentation du mort incarnant les traits individuels que le cadavre a perdus. Raison pour laquelle il faut donner au mort mobilier et nourriture afin qu'il puisse continuer dans la tombe la vie qu'il a menée sur terre.

La richesse et la variété du mobilier dépendaient naturellement des moyens de chacun. Celui de Tout Ankh Amon est sans doute, à l'heure actuelle, le plus riche que l'on ait jamais découvert : des lits d'apparat décorés des dieux de la maison, incrustés d'ivoire, d'ébène, d'or, d'autres dorés, aux côtés ciselés en forme de lion, d'hippopotame ou de crocodile, des lits de repos pliables en bois léger avec des charnières en bronze; des appuis-tête en faïence incrustés de lapis-lazuli, en ivoire, en verre bleu; des armoires, des chaises, des tabourets, des coffrets, des cannes, des objets de parure, des armes, des jeux, de la vaisselle, des objets liturgiques, etc.

Avant de quitter les Egyptiens, nous nous devons de parler de ceux qui furent leurs voisins, leurs « cousins » par Joseph et, enfin, leurs victimes : les Hébreux. A l'Egypte ils empruntèrent durant leur long séjour beaucoup de techniques, dont celle du lit. L'Ancien Testament, lorsqu'il veut bien mettre de côté ces thèmes favoris concernant nos proches ancêtres : indolence, adultère, inceste et meurtre, lâche quelques petites informations, comme dans la brève rencontre de Judith et Holopherne où l'on apprend que le corps de ce dernier repose sur un lit et sa tête, jusqu'à la visite de Judith, sur un oreiller...

Le premier Livre des Rois donne aux chapitres VI et VII une description du temple bâti par Salomon qui est un véritable cours d'architecture; son plan rappelle beaucoup les maquettes égyptiennes de terre cuite décrites plus haut, avec un luxe de détails : « Au-dedans tout était de cèdre; la pierre ne se voyait pas », et le lit, dont il eut tant besoin puisqu'il aima « sept cents princesses et trois cents concubines étrangères », était, comme il est dit dans le Cantique des Cantiques (IV, 7-8), « une litière en bois du Liban. Il en a fait les piliers d'argent, le dossier d'or, le siège d'écarlate, et le dedans un tissu d'amour des filles de Jérusalem ». Cette fille de Jérusalem, l'Eglise, à la recherche de l'union mystique avec Christ, cherche « durant les nuits sur ma couche celui qu'aime mon âme » et rêve « que sa main gauche soit sous ma tête, et que sa droite m'embrasse ».

Le Livre d'Esther n'est pas en reste dans les descriptions des lieux royaux. Ainsi au palais du roi à Suse, lors d'un festin qui dura sept jours, « des tentures blanches, vertes et pourpres, étaient retenues par des cordons de fin lin et d'écarlate à des anneaux d'argent et à des colonnes de marbre blanc. Les lits étaient d'or et d'argent sur un pavé de porphyre, de marbre blanc, de nacre et de marbre tacheté ». On sait que ce festin tourna mal, que le roi Assuérus ne supporta pas le refus de la reine Vasthi devant ses avances. Première grande contestation féminine dans l'histoire, elle troubla tant les hommes que, sur les conseils du sage Mémucan, ils déclarèrent : « Ce que la reine a fait parviendra à la connaissance de toutes femmes et leur fera mépriser leurs maris [...]. » Un édit fut envoyé par tout le royaume « afin que chacun fût maître en sa maison », et ce fut l'invention officielle du *harem* (II, 2-4)...

La « loi sur la jalousie », véritable ordalie, au chapitre V des Nombres, le quatrième livre hébreu, est, cette fois, au détriment de la femme juive. L'absorption de « l'eau de jalousie », composée d'« un dixième d'éphra de farine d'orge » et d'un peu de poussière du sol du Tabernacle, dont l'auguste législateur reçut la recette de l'Eternel, doit, au cas où les soupçons du mari jaloux se confirment, faire « flétrir la cuisse » et « enfler le ventre » de la femme inique !

Pour en revenir au mobilier biblique, le seul lit dont nous ayons la description précise est celui de Og, roi de Basan, « seul demeuré de reste des Rephraïm [géants] », battu par les Hébreux. Dans le Deutéronome (III, 11) nous sont même données les mensurations de ce lit de fer, « sa longueur est de neuf coudées, et sa largeur de quatre coudées, de coudée d'homme » (1 coudée = 50 cm), c'est-à-dire 4,50 m sur 2 m, ce qui est tout à fait plausible pour un « lit royal », lit que les vainqueurs transportèrent et exhibèrent comme trophée.

Le mobilier du Nouveau Testament

Le Nouveau Testament est moins riche en détails que l'Ancien, mais il nous donne des objets du quotidien, ou plutôt de ceux du peuple, quelques idées. Jésus n'est pas né dans une chambre royale mais dans la mangeoire d'une étable, couche dont il nous faut, pour la saison, reconnaître l'évident confort; grâce soit rendue à l'ingéniosité de Joseph d'avoir installé Marie sous un chauffage nasal... L'Evangile selon saint Marc (II, 3 à 12), rapporte l'exemple du paralytique porté par quatre hommes qui, ne pouvant accéder à la maison où était Jésus, « découvrirent le toit de la maison où il était, et l'ayant percé, descendirent le lit du paralytique ». Le miracle qui suivit est depuis devenu une des paraboles les plus célèbres, formule sur laquelle Jésus lui-même hésita, puisqu'il se demanda : « Lequel est plus aisé de dire à ce paralytique : " Tes péchés te sont pardonnés "; ou de lui dire : " Lève-toi, et emporte ton lit, et marche "? [...] Je te dis : " Lève-toi et emporte ton lit, et t'en va en ta maison. " » L'histoire n'a retenu que le miracle et son expression lapidaire : « Lève-toi et marche », qui a dû donner plusieurs dizaines de titres de livres, mais pour nous, technologue, la suite nous intéresse plus spécialement : « Et aussitôt il se leva, et s'étant chargé de son lit, il sortit en la présence de tout le monde. » Plusieurs hypothèses se présentent : le lit était-il pliable, démontable ou tout simplement suffisamment léger pour qu'un seul homme, ex-paralytique, puisse le porter? Les Romains connaissant la civière (en latin populaire *cibaria*), l'on pourrait penser que l'ex-paralytique l'avait roulée et prise sur l'épaule, mais, si le lit était pliable, il n'y avait aucune raison de démonter le toit pour le faire pénétrer dans la maison; on peut donc imaginer qu'il s'agissait plutôt d'un lit de campagne à quatre pieds et au châssis lacé qu'un homme pouvait effectivement porter seul en le posant sur son dos.

L'autre miracle des Saintes Ecritures tient à ce que le héros ne s'assoupit qu'une ou deux fois dans toute son existence. Jésus Eternel Eveillé veille à ce que s'accomplisse son rêve : une humanité idéale. Ne pas dormir n'est pas seulement triompher de la fatigue physique, c'est surtout faire preuve de force spirituelle : rester éveillé, être pleinement conscient signifie au fond « être présent au monde de l'esprit », et Jésus n'a pas cessé d'enjoindre à ses disciples de veiller, comme lors de cette fameuse nuit de Gethsémani qui tourna au tragique à cause de leur incapacité à veiller avec lui (Matthieu, XXVI, 36 à 46). Or, on le sait depuis l'aventure de Gilgamesh, vaincre le sommeil, rester « éveillé » constitue la plus dure épreuve initiatique, celle qui vise à la transmutation de la condition profane, à la conquête de l'immortalité, et cet échec des disciples, avoir succombé à la tentation de dormir, « car l'esprit est prompt, mais la chair est faible » (Matthieu, XXVI, 41), deviendra un modèle exemplaire pour la majorité des chrétiens... La tradition gnostique opposera au sommeil, qui, comme l'ignorance, est exprimé en terme d'« ivresse », le « réveil », impliquant l'*anamnèse*, la redécouverte de la vraie identité de l'âme et de son origine céleste. Dans la tradition mandéenne, c'est le messager céleste qui, après l'avoir sorti de son sommeil profond, s'adresse à Adam : « Ne sommeille plus ni ne dors, n'oublie pas ce dont le Seigneur t'a chargé. »

II

LES CIVILISATIONS DU LIT

> *Contestus totus virilis est : non sunt circa flosculos occupati*[1].

SÉNÈQUE,
Lettre 33.

Dans l'intimité d'Aristophane

C'est au grec, en passant par le latin et l'italien, que l'on doit le terme générique de chambre *(kamara)* et qui désigne toute pièce destinée au repos, autrement dit la chambre à coucher. Cette chambre se trouvait souvent au fond de la maison, quelquefois à l'étage, auquel on accédait par un escalier extérieur en bois, elle possédait parfois une petite ouverture que l'on obstruait le plus souvent pour se prévenir de la chaleur et du soleil ou des frimas de l'hiver. Les murs, quand ils n'étaient pas de roc comme les pauvres logis creusés sous les remparts de l'antique Athènes, étaient en bois, en brique crue ou en torchis, dont la fragilité inspirait, semble-t-il, les voleurs. Ces derniers, plutôt que de se donner la peine de forcer la porte,

---

1. Leur discours est tissu de beautés viriles : ils ne perdent pas leur temps à des fleurettes.

préféraient faire un trou dans le mur pour pénétrer dans la maison, d'où le nom de *toïchorychoï*, qui veut dire littéralement « perce-muraille ».

Mais plutôt que de suivre pas à pas les découvertes archéologiques, prenons comme guide Aristophane. Né à Athènes il y a environ vingt-quatre siècles, son goût des détails et des expressions vulgaires employées par le peuple fait, mieux qu'Homère, Hésiode ou Hérodote, pénétrer dans l'intimité du *thalamos* (chambre conjugale ou gynécée) de l'*oïkos*, cette petite cellule sociale et religieuse que constitue le foyer. Dans *Les Guêpes*, satire des mœurs judiciaires du temps (la pièce fut jouée en 422 avant J.-C.), on apprend quelques détails techniques intéressants sur les maisons : Bdélycléon, tenant son père Philocléon enfermé, craint que ce dernier ne s'enfuie, d'abord par « l'évent de la salle de bain » (chose peu probable puisqu'il s'agit d'une bouche d'air relativement étroite, mais qui nous prouve qu'il y avait des salles de bain chauffées au Ve siècle à Athènes), puis par la cheminée; Philocléon tentant de s'échapper se fait passer pour « Lafumée », ce à quoi Bdélycléon rétorque :

« – Lafumée? Voyons voir cela? Et de quel bois?

« – De bois de justice!

« – Bon Dieu! il n'y a pas de fumée plus âcre que celle-là. Vas-tu te résorber? *(Bdélycléon repousse énergiquement Philocléon.)* Où donc est le *clapet*? Allez, refoule! que je te montre de quel bois je me chauffe! Et maintenant cherche un autre truc... C'est égal, il n'y a pas plus malheureux que moi sur terre, on va m'appeler Fils de Fumiste! »

On a effectivement découvert dans les ruines d'Olynthe une tuile de toiture percée d'un orifice elliptique de 47 cm sur 23 cm par où un homme aurait pu aisément se glisser sur le toit, chose qui n'était peut-être pas si rare à en juger par ce que dit Démosthène dans son *Contre Conon* où un débiteur insolvable s'enfuit discrètement par le toit pour échapper à ses créanciers.

Avant de revenir sur la vie de l'*oïkos*, arrêtons-nous sur son mobilier, par exemple celui dont parle Plutarque dans *Alcibiade*; il semble avoir appartenu à un homme dont le luxe privé est à l'échelle du train de vie modeste des Athéniens du Ve siècle; mobilier minutieusement détaillé, la pièce la plus riche étant un « ensemble pour salle à manger » de quatre tables et douze lits d'une valeur totale de cent vingt drachmes environ. Ces lits, Aristophane nous les décrit dans *Lysistrata* où Cinésias, le mari de Myrrhine, qui, comme les autres femmes de la cité, s'est mise en grève de l'amour, retarde l'instant crucial en apportant un à un les éléments : un cadre de bois équipé de sangles, une natte de jonc, un oreiller et une couverture... Au passage, il nous est donné de savoir que la nuit on enlève son manteau, la ceinture de sa tunique pour les hommes, le soutien-gorge pour les femmes, mais que, sauf lorsque l'on fait l'amour « élevant au plancher ses persiques » ou « posant en lionne sur une râpe à fromage » (*Lysistrata*, vers 230), il est d'usage de garder cette tunique qui sert de chemise de nuit ou peut-être de l'enfiler lorsque, comme le dit une des rebelles, les femmes portent leurs « tuniques safranées sur le dos, bien attifées avec des cimbériques [robes longues sans ceinture] tombant droit et des péribarides [chaussures élégantes de femme] ». *Lysistrata* nous donne d'autres détails sur les toilettes féminines, l'art de la séduction et ses ruses dans cette guerre menée contre les hommes : « Si nous nous tenions chez nous, fardées, et si dans nos petites tuniques d'Amorgos [chemises transparentes] nous entrions nues le delta épilé devant nos maris brûlant de désir et qu'au lieu de les satisfaire nous nous refusions, ils feraient bien vite la paix, j'en suis sûre » (vers 150).

A ce jeu usés, Athéniens et Spartiates se réconcilièrent et rejoignirent en toute urgence leurs féminins vainqueurs...

Hélas, les femmes libres d'Aristophane expriment un

souhait plus qu'une réalité; les Athéniennes du Vᵉ siècle, tout comme les esclaves, n'avaient aucun droit politique ni juridique et étaient confinées dans la maison même si elles gouvernaient celle-ci avec autorité en tenant, selon la coutume, leurs filles à l'écart du regard des hommes dans le gynécée; gynécée toujours bien séparé de l'andron.

Avant le mariage

C'est une éducation de jeune fille bien différente de celle de Sparte qu'Euripide dénonce dans *Andromaque* : « en dehors des maisons, avec les jeunes gens, allant les jambes nues et la robe flottante » (vers 597-598). Xénophon loue, par l'intermédiaire d'un de ses personnages, Ischomaque, dans l'*Economique*, la coutume du *kyrios* pour la jeune fille : le père, ou à défaut le frère, ou un grand-père, ou son tuteur légal, choisit et décide pour elle du mari qu'il lui faut : « As-tu compris maintenant pourquoi je t'ai épousée et pourquoi tes parents t'ont donnée à moi? C'est sans difficulté que nous aurions trouvé une autre personne pour partager mon lit; tu le vois parfaitement, j'en suis sûr. Mais c'est après avoir réfléchi, moi pour mon propre compte et tes parents pour le tien, au meilleur des associés que nous pourrions nous adjoindre pour s'occuper de notre maison et de nos enfants, que je t'ai choisie, toi, comme tes parents m'ont choisi, moi, probablement parmi d'autres partis possibles. »

Le principe de l'endogamie (mariage à l'intérieur d'un même groupe social) fait que l'union entre proches était sinon recommandée, au moins autorisée. L'inceste, à Athènes, n'était pas interdit par une loi de la cité, mais plutôt par la religion qui réprouvait l'union entre frère et sœur nés de la même mère ou entre ascendant et descendant, mais il n'était pas rare qu'un demi-frère épouse sa sœur née du même père que lui.

À Sparte, le transfert de la fiancée vers sa nouvelle maison prenait les apparences d'un rapt. La jeune fille enlevée était remise aux mains d'une femme spécialisée dans les cérémonies du mariage, appelée *nympheutria*, qui lui coupait les cheveux à ras, l'affublait d'un costume et de chaussures d'homme et la couchait sur une paillasse, seule et sans lumière. Le fiancé, après avoir pris comme d'habitude son repas avec ses compagnons, entrait dans la pièce, « lui déliait la ceinture », la prenait dans ses bras, la portait sur son lit. Après avoir passé un bref moment avec elle, il retournait dormir auprès de ses camarades.

Comment « s'arrangent » les hommes

De tous les rites du mariage que nous connaissons, aucun ne semble destiné à consacrer de manière sensible la réunion des conjoints; tout tend à la prospérité de l'*oïkos* et à la procréation. À Athènes, il est recommandé à un homme de se marier vers trente ans et d'épouser une jeune fille de seize ans. Un citoyen se mariait avant tout pour avoir un enfant mâle qui pourrait perpétuer la descendance de sa famille et assurer le culte aux ancêtres que lui-même célébrait, indispensable au bonheur des défunts.

Il semble qu'à partir du IVe siècle beaucoup d'Athéniens aient eu une concubine, sans pour autant renvoyer leur femme légitime. Les mots d'un plaideur devant le tribunal nous donnent l'occasion d'apprendre comment s' « arrangeaient » les hommes : « Nous avons les courtisanes en vue du plaisir, les concubines pour nous fournir les soins journaliers, les épouses pour qu'elles nous donnent des enfants légitimes et soient les gardiennes fidèles de notre intérieur. »

Les hommes étant très souvent éloignés de leurs femmes et de leurs foyers, la tradition philosophique favorable à l'amour masculin était aussi très forte et faisait partie des

« arrangements ». Les Grecs n'étaient guère féconds, par crainte de voir le patrimoine familial s'amenuiser lors de l'héritage, si les héritiers étaient trop nombreux. « Puisses-tu n'avoir qu'un fils unique, écrit Hésiode dans *Les Travaux et les Jours* (vers 376-377), pour nourrir le patrimoine! C'est ainsi que la richesse croît dans les maisons. » « Un garçon et une fille », écrit Platon dans *Les Lois*.

Par souci d'eugénisme, afin d'éviter une famille trop nombreuse, on pratique l'avortement et, au cas où cela n'a pas réussi, l'exposition des nouveau-nés – surtout des filles –, car si on ne peut le ou la tuer une fois né(e), rien n'empêche que l'enfant meure... Inversement, à Sparte, la législation relative à la famille allait jusqu'à permettre à un mari trop vieux pour remplir ses devoirs conjugaux d'introduire dans la couche de sa femme un homme jeune afin qu'elle ait des enfants sains et vigoureux.

La dispute de l'éducation

L'opposition la plus radicale entre les « modes de vie » pratiqués à Athènes et à Lacédémone se manifeste dans le domaine de l'éducation des enfants. La jeune fille, future mère de famille, doit être robuste, vigoureuse, douée de qualités viriles et, pour cela, « écartée de la mollesse d'une éducation casanière et trop douce » (sous-entendu : « comme celle de la jeune Athénienne »). Quant au garçon, il n'est laissé à sa famille que jusqu'à l'âge de sept ans et dès sa plus tendre enfance soumis à des nourrices laconiennes, soigneuses et expertes, dont Plutarque nous dit dans *Lycurgue* : « Au lieu d'emmailloter les bébés qu'elles élevaient, elles laissaient entièrement libres leurs membres et tout le corps; elles les habituaient à n'être point difficiles ni délicats sur la nourriture, à ne pas s'effrayer des ténèbres, à ne pas craindre la solitude, à s'abstenir des caprices vulgaires, des larmes et des cris. » Un système

éducatif qui ne semblait pas déplaire aux familles aristo-
cratiques d'Athènes qui avaient coutume de recruter à
Sparte les « nurses » pour leur progéniture.

A sept ans révolus, le jeune Spartiate est pris en main
directement par l'Etat, auquel il ne cessera plus d'apparte-
nir jusqu'à sa mort. D'abord sous la surveillance d'un
pédonome, il est embrigadé jusqu'à l'âge de onze ans chez
les « petits-gars » puis chez les « garçons », d'où il sort à
seize ans *irénê*, éphèbe, prenant alors la responsabilité de
s'occuper d'un plus jeune que lui avec qui il partagera
totalement sa vie. Ils couchent tous en dortoirs, sur des
paillasses de roseaux et, à partir de la douzième année,
sont autorisées, entre les enfants et les adultes, des relations amoureuses sinon sensuelles. Le plus vieux servait au
plus jeune à la fois de tuteur et de modèle; les liens créés
entre les deux jeunes hommes servaient à développer la
valeur guerrière lors d'exercices très fréquents de « préparation militaire ».

Le petit Athénien est au tout premier âge beaucoup
moins libre de ses membres que son alter ego de Sparte.
L'usage d'envelopper les nourrissons dans une bande
d'étoffe enroulée en spirale et étroitement serrée, et de les
maintenir dans un berceau, n'est pas forcément meilleur
que de les laisser aller nus et libres. Les berceaux, tels
qu'on les voit figurer sur des vases peints, sont dans la
plupart des cas des corbeilles d'osier ou des sortes d'auges
en bois. Quant à l'habitude des « câlins » et de bercer les
enfants, elle est constante à Athènes. Pour les occuper, on
leur donnait un jouet, une crécelle ou des babioles afin
qu'ils ne brisent rien dans la maison, les enfants ne
pouvant rester un seul instant en repos; enfin, pour les
endormir, mère ou nourrice leur chantait une cantilène ou
une berceuse.

Le dieu Sommeil

Chose singulière, il n'y avait pas en Grèce de culte d'Hypnos, à l'exception de celui signalé par Pausanias dans la ville de Trézène où l'on vénérait le dieu du sommeil en compagnie de ses amies les Muses. Cette absence de culte à l'intention d'Hypnos est sans doute due au fait qu'avant le repas nocturne, les hommages allaient plutôt à Hermès, considéré comme dispensateur du sommeil et des rêves. Dans les textes homériques, Hypnos, le sommeil, est montré sous un double aspect : il est avant tout le repos périodique des organes des sens et du mouvement pendant lequel le corps répare ses forces. Mais il apparaît aussi aux côtés de son frère Thanatos, la mort, sous les traits d'un ensevelisseur accomplissant sa besogne funèbre.

Le respect des vieillards, particulièrement affirmé à Sparte, est général dans toute la Grèce antique, les devoirs du ou des fils étant, sous peine de prison – mesure très grave à l'égard d'un homme libre –, de veiller sur les vieux jours de leurs parents et de les enterrer selon les rites.

Les lits d'Ulysse

L'*Odyssée* est pleine de lits et de délits : le lit où Télémaque rêve toute la nuit au voyage qu'Athéna lui inspire, le lit de Circé d'où Ulysse ne peut s'échapper, les lits très doux de Calypso et de Nausicaa, le lit mouvant, ouvert sur l'horizon, du bateau qui le porte, le lit sauvage du naufragé et surtout celui qui brille au fond de sa mémoire, le lit du bon sommeil : le lit d'olivier : « Au sommet de la crête, il alla se glisser sous la double cépée d'un olivier greffé et d'un olivier franc qui, nés du même tronc, ne laissaient pénétrer ni les vents les plus forts ni les brumes humides; jamais la pluie ne les perçait de part en

42

part, tant leurs branches serrées les mêlaient l'un à l'autre. Ulysse y pénétra; à pleines mains, il s'entassa un vaste lit, car les feuilles jonchaient le sol en telle couche que deux ou trois dormeurs auraient pu s'en couvrir, même au temps où l'hiver est le plus rigoureux. A la vue de ce lit, quelle joie eut au cœur le héros d'endurance! S'allongeant dans le tas, cet Ulysse divin ramena sur son corps une brassée de feuilles... Au fond de la campagne, où l'on est sans voisins, on cache le tison sous la cendre et la braise, afin de conserver la semence du feu, qu'on n'aura plus à s'en aller chercher au loin. Sous ses feuilles Ulysse était ainsi caché, et, versant sur ses yeux le sommeil, Athéna, pour chasser au plus tôt l'épuisante fatigue, lui fermait les paupières. »

Avant tout homme du lit merveilleux, Ulysse le bâtit de ses mains, de son amour et de ses songes. De tous les lits de la mythologie, celui d'Ulysse est le plus symbolique : enraciné dans le sol de sa patrie, meuble immobile, intransportable, c'est le lit de la dernière ruse qui, plus unique encore que son arc, sauvera Ulysse. Ce lit, c'est aussi l'expression la plus complète d'une intimité partagée, non pas uniquement celle de l'amour, mais celle de la chambre; c'est aux gestes du quotidien, ultime test de Pénélope pour reconnaître son époux, qu'Ulysse retrouve sa légitimité. En ordonnant que l'on prépare devant lui le lit conjugal et en en donnant sciemment une fausse description, Pénélope déclenche la fureur d'Ulysse : « O femme, as-tu bien dit ce mot qui me torture?... Qui donc a déplacé mon lit? Le plus habile n'aurait pas réussi sans le secours d'un dieu qui, rien qu'à le vouloir, l'aurait changé de place. Mais il n'est homme en vie, fût-il plein de jeunesse, qui l'eût roulé sans peine. La façon de ce lit, c'était mon grand secret! C'est moi seul, qui l'avais fabriqué sans une aide. Au milieu de l'enceinte, un rejet d'olivier éployait son feuillage; il était vigoureux et son gros fût avait l'épaisseur d'un pilier : je construisis, autour, en blocs appareillés, les murs de notre chambre; je la couvris d'un toit et, quand je l'eus munie d'une porte aux panneaux de bois plein, sans fissure, c'est alors seulement que, de cet olivier coupant la frondaison, je donnai tous mes soins à équarrir le fût jusques à la racine, puis, l'ayant bien poli et dressé au cordeau, je le pris pour montant où cheviller le reste; à ce premier montant, j'appuyai tout le lit dont j'achevais le cadre : quand je l'eus incrusté d'or, d'argent et d'ivoire, j'y tendis des courroies d'un cuir rouge éclatant... Voilà notre secret!... la preuve te suffit?... Je voudrais donc savoir, femme, si notre lit est toujours en sa place, ou si, pour le tirer ailleurs, on a coupé le tronc de l'olivier. » Et le poème s'achève ainsi : « [...] la nourrice Euryclée, aidée d'Euryonomé, leur préparait le lit à la lueur des torches. Quand leurs soins diligents eurent garni de doux tissus les bois du cadre, la nourrice rentra chez elle pour dormir; mais, leur servant de chambrière, Euryonomé revenait, torche à la main, pour leur ouvrir la marche. Elle les conduisit dans leur chambre et revint, les laissant au bonheur de retrouver leur couche et ses droits d'autrefois. »

Le dernier lit

Après la toilette funèbre, le mort, habillé de vêtements blancs, est entouré de bandelettes et enveloppé d'un linceul d'où seul émerge son visage. Exposé sur un lit d'apparat, les pieds tournés vers la porte de sa maison pendant un jour ou deux, le défunt est veillé par les femmes de la famille aux cheveux défaits saupoudrés de cendres, se déchirant les joues, se frappant la poitrine en se lamentant et poussant des vociférations rituelles (que la loi cherche à réprimer). Le mort reçoit des offrandes, le plus souvent des vases peints, que l'on place sous son lit. L'enterrement à Athènes se fait en pleine nuit car les Grecs craignent de souiller par la mort les rayons mêmes du soleil. Le mort est emporté sur le lit même où il était exposé dans sa maison, porté par des parents et des esclaves ou transporté sur un char traîné par des chevaux ou des mulets. Au cimetière, le corps est inhumé ou brûlé sur un bûcher, ses cendres recueillies et placées dans une urne. Des libations sont adressées au défunt, après quoi la famille se purifie, chacun se lavant entièrement le corps, ainsi que la maison du mort, avec de l'eau de mer et de l'hysope. Viennent ensuite banquets et sacrifices qui se renouvellent le troisième jour, le neuvième et le trentième après les funérailles, ainsi qu'aux jours anniversaires : c'est le commencement du culte rendu aux morts.

Urbs

Comme pour l'Egypte et la Grèce, tenter de surprendre les habitudes domestiques et l'intimité des Romains n'a de sens que si l'on décide de choisir une ou des périodes bien précises. Si la différence entre la rustique république et le luxe raffiné de l'époque impériale est un lieu commun, en revanche les différences de la morale civique et de la morale du couple s'opérèrent au tout début et constituèrent un tournant dans l'histoire de l'intimité en modifiant légèrement les « habitus » de la chambre à coucher (la philosophie se cache toujours sous l'oreiller).

L'omniprésence, dans ce qui fut l'Empire romain, de restes d'*urbs* et de *villae* restaurées nous dispense de la description, d'autant que les styles, du nord au sud et de l'est à l'ouest, étaient aussi variés que le furent, jusqu'au XIXᵉ siècle, les styles régionaux que nous connaissons. Moins connu est le vocabulaire que, sans trop y penser, nous avons emprunté au latin, « relatif à la chambre à coucher » *(cubiculum)*, dans lequel *(cubile)* on retrouve l'idée de niche, de tanière, ou de gîte.

D'une façon générale, les habitations de la cité impériale

– qui s'étendait sur plus de deux mille hectares dont il faut soustraire les espaces occupés par les édifices publics, les sanctuaires, et ceux, nombreux, des parcs et des jardins privés – avaient du mal à contenir et à donner toutes leurs aises aux un million deux cent mille habitants qui s'y pressaient.

Les *insulae*, constructions verticales, divisées en logements séparés et distincts tels qu'ils sont presque fidèlement reproduits dans *Le Domaine des dieux* où se déroule un épisode des aventures d'Astérix, sont probablement nées dans le courant du IVe siècle avant J.-C. devant la nécessité d'héberger une population en progression continue. Ces « blocs » se ressemblaient plus ou moins, tournant vers la rue leurs façades symétriques à larges baies, et nous donnent aujourd'hui une réelle impression de modernité. Mais vivre à l'étage à cette époque n'était pas sans risque, comme le montrent les craintes, même si elles sont satiriques, de Juvénal prêt à déserter Rome : « Ah! quand pourrai-je vivre dans un endroit où il n'y ait pas le feu, où les nuits soient sans alarmes. » La quasi-absence de meubles dans la majorité de ces intérieurs permettait « au cas où » aux habitants de décamper rapidement.

La culture du lit

Le mobilier consistait essentiellement en lits sur lesquels les Romains dormaient, lisaient, écrivaient, mangeaient et recevaient; lits de toutes sortes dont les plus courants n'étaient que des grabats en maçonnerie adhérant aux murs et recouverts de paillasses. C'est surtout dans la *domus* du type pompéien que l'on trouve étalée et disposée selon un ordre très précis une extraordinaire variété de lits. La plus grande partie sont les *lectuli*, petits lits à une place, et, plus spécialement pour les repas, des lits à trois places *(triclinium)*, quelquefois six chez ceux qui cherchaient à étaler leur fortune, lits dont était responsable avec les tables attenantes un domestique spécialisé : le *lectisterniacor*.

Avant de passer à la chambre à coucher, les Romains ayant hérité de l'usage grec de s'allonger pour manger, il nous faut dire un mot de ce *triclinium*, pièce spéciale adaptée à la présence de trois lits disposés en U et recevant chacun trois convives qui appuient leur coude *(cubitum)* gauche sur un coussin à cet effet *(cubital)*, et prennent place selon leur rang. Les préséances de table étaient rigoureusement observées dans la distribution des lits autour des guéridons de la table qui portait les plateaux de mets, la place d'honneur étant le lit du centre. Il faut noter que même chez les Romains les plus pauvres on ne pouvait imaginer un festin sans lit : la position assise (sur un lit ?) n'étant prise que pour les repas très ordinaires. L'été, les Pompéiens dînaient en plein air, *in propatulo*, et l'on tirait les lits sous le péristyle ou dans le jardin, si l'on n'y trouvait pas des lits déjà maçonnés.

A proximité du *triclinium*, un petit autel servait à faire les libations nécessaires à chaque plat, rites domestiques sur lesquels nous reviendrons.

A ces lits il faut ajouter ceux pour le repos et les siestes du jour, les lits de conversation dans les salons et d'autres pour la lecture dans les bibliothèques. A tous ces lits étaient adjointes, comme dans le *triclinium*, des tables de marbre, de bronze, de métal ou de bois. Le nécessaire consistait en un matelas de plume *(culcita plumae)*, en lirette ou en tapis, recouvert d'une housse et des fameux coussins dits *cubitalis*, faits pour soutenir le coude, afin de permettre au *cubator*, littéralement celui qui repose, d'être bien. La fameuse réplique de Corneille : « Prends un siège, Cinna », n'est pas fausse au regard de Rome puisque l'auteur s'est inspiré du récit de Sénèque, et fait allusion à un meuble tout à fait exceptionnel dans le cadre de la vie privée.

On dénombre aussi des bancs ou des petits escabeaux, des candélabres, des braseros, des coffres et de la vaisselle.

Cette culture du lit, pour ne pas dire ce culte, va franchir les murs de la *domus* et de l'*insula* le jour où les riches malades qui se faisaient transporter dans leurs lits par leurs esclaves vont être imités par les Romains « bien-portants » et suffisamment riches pour avoir une *lectica* portée par six ou huit esclaves syriens.

Il faut imaginer les rues de la Rome impériale surpeuplées et ces immenses litières cloisonnées de « pierres spéculaires » – minces plaques de *lapis specularis*, morceaux de vitre plus ou moins épais et opaques qui obturaient parfois aussi l'alcôve de la chambre à coucher. Au fond de ces litières, fendant la foule, se prélassait un homme amusé ou désabusé par le spectacle de la rue. Les matrones ou leurs maris avaient coutume pour faire leurs visites d'utiliser la chaise à porteurs, *sella*, dans laquelle ils étaient bien calés et pouvaient lire ou écrire pendant qu'ils se déplaçaient. Ce mode de transport évolua, ou plutôt ses « moteurs animés » furent remplacés grâce à l'invention du bât; la litière sur brancards put être attelée, soutenue par les bâts, et le véhicule porté par deux animaux, chevaux ou mulets, l'un devant et l'autre derrière.

Cette évolution technologique est capitale puisque d'elle découle la *sellette*, petit bât, qui permit de soutenir les brancards des voitures qui firent leur apparition en Europe au début du Moyen Age.

Des chambres de pénombre

Les pièces situées autour du péristyle dans la *domus* pompéienne ont une destination précise; moins hautes que les autres, ces chambres appartiennent au maître de maison qui, en fonction de leur exposition, dispose d'une chambre d'hiver et d'une chambre d'été. La place du lit y est souvent indiquée par une légère surélévation du sol et par une voûte au-dessus de cette surface, à moins que l'alcôve ne soit marquée sur un sol de mosaïque par des cubes blancs en marbre ou en pierre. L'éclairage, ou plutôt les ouvertures que nécessite l'éclairage sont réduites au minimum, la protection contre le froid en hiver, la chaleur en été, et même contre la tramontane est un souci majeur dans un pays relativement tempéré. Les habitants, s'ils n'avaient des toiles, des peaux huilées, des vitres épaisses et opaques pour les plus riches, des volets ou de simples vantaux de bois, n'hésitaient pas à vivre, comme c'était souvent le cas à Rome dans les taudis, entre des murs entièrement aveugles. La pénombre était donc l'ambiance dans laquelle baignait une villa romaine, pénombre qui faisait contraste avec l'activité et le bruit qui l'envahissaient chaque matin.

Elucubrer

Le lever était d'ailleurs rapide; entre le saut du lit et la sortie de la maison s'écoulait très peu de temps. Il faut avouer que la chambre à coucher, *cubiculum*, avec ses dimensions habituellement réduites et son obscurité permanente, n'avait pas grand-chose qui pût retenir ses hôtes, d'autant que le risque de passer pour un oisif, et même un « mou », était rarement couru par un *pater familias*.

« Le pli, dit Jérôme Carcopino, était si bien pris du

lever dès l'aurore que, même si quelqu'un restait couché après elle, il continuait de s'éveiller avant elle et de renouer dans son lit le fil de ses occupations, à la lueur relative et vacillante de la mèche d'étoupe de cire qu'on appelait *lucubrum*, d'où viennent les mots de *lucubratio* et de *lucubrare* dont on a fait " élucubration " et " élucubrer ". De Cicéron à Horace et de Pline à Marc Aurèle, les Romains n'ont, en hiver, pas cessé d' " élucubrer " le plus normalement du monde! »

Faire chambre à part

Il était de bon ton dans la haute société de faire chambre à part, le *lectus genialis* étant laissé, sauf exception, aux petites gens et aux simples bourgeois (qui n'ont guère la place de faire autrement). La matrone, qu'elle eût dormi dans la chambre conjugale ou dans une chambre indivi- duelle, en attendant l'heure du bain, procédait à une toilette aussi expéditive que celle de son mari; comme lui, elle avait gardé pour dormir ses vêtements de dessous; son pagne, son soutien-gorge, sa ou ses tuniques et quelquefois même son manteau, et n'avait plus en se levant qu'à chausser ses sandales et se draper dans l'*amictus* de son choix.

Tonsor, pour l'époux, *ornatrix*, pour la femme, dont les descriptions satiriques ne manquent pas, intervenaient après et s'occupaient alors du « paraître » de leurs maîtres...

Les dieux domestiques

Pour comprendre le quotidien des Romains, il faut exposer les relations qu'ils entretenaient dans la vie privée avec leurs divinités; ces relations étant analogues à celles qu'ils pouvaient avoir avec les hommes puissants et les patrons, le premier devoir était de saluer les dieux de la main lorsque l'on passait devant leur image. La famille latine, fixée au sol, protégeait au moins depuis l'occupation étrusque (Vᵉ siècle avant J.-C.) son foyer, sa porte, son seuil et les montants de sa maison par des charmes ou des précautions magiques; sa *religion* domestique ne s'adressait qu'aux Lares, aux Génies et aux Pénates et n'avait comme lieu de culte que le foyer de la maison, et le carrefour où le domaine familial rejoint ceux des voisins.

Pénates, Lares et Génies sont foncièrement latins et si intégrés à la vie de la maison qu'en 392 après J.-C. encore, un édit de Théodose dut en proscrire le culte clandestin. Si aux provisions de bouche *(penus)* veillent les Pénates auxquels à chaque repas le chef de famille-célébrant sacrifie quelques bouchées, les Lares à Pompéi encadrent souvent le *Genius*. Sous la figure d'un homme en toge est évoqué le « démon personnel » du maître de maison, qui naît et meurt avec lui et représente pour ainsi dire la conscience divine qu'un vivant a de soi-même.

La grande fête du *Genius* a lieu lors de l'anniversaire du *pater familias*. Mais originellement le *Genius* est bien autre chose; principe de fécondité génétique comme l'indique son nom, il assure par l'individu auquel il est attaché la perpétuation des générations. On ne s'étonnera pas qu'à un Génie soit consacré le lit nuptial, *lectus genialis*, et que, plus tardivement, analogue à celle que le *Genius* assurait à l'homme, une protection soit assurée à la femme, *Juno Lucina*, la déesse du mariage et des accouchements. Une naissance ouvre une période d'impureté et de danger tels qu'aussitôt après l'accouchement, trois hommes armés d'une hache, d'un pilon et d'un balai interdisent en gesticulant sur le seuil de la maison l'entrée au démon des bois sauvages, *Silvanus*, en invoquant des « esprits » familiers comme *Picumnus* et *Pilumnus*, pour qui était dressé dans l'atrium un lit (de table?), les appelant à la vigilance pendant cette redoutable semaine (« esprits » qui furent officiellement remplacés par Junon et Hercule à l'âge classique, couple hétérogène d'une déesse conjugale et d'un héros qui écartait le mal); *Intercidona* et *Deverra*, la Tueuse et la Balayeuse, étaient aussi évoquées.

Chaque progrès de l'enfant se faisait forcément avec l'aide de forces surhumaines : *Vaticanus* et *Fabulinus* aidaient le bébé d'apord à vagir puis à parler, *Cuba* à se coucher, *Educa* et *Potina* à le faire manger et boire, *Abcona, Adeona, Iterduca* et *Domiduca* lui apprenaient à marcher, à s'éloigner et à revenir à la maison. Enfin, au cas où toute cette assistance n'eût pas suffi, l'enfant était protégé contre les perfides influences par la bordure rouge de son vêtement et la « bulle » d'or ou de cuir qu'il portait au cou. Ce vêtement d'enfance bordé de rouge, la jeune fille le quittera à ses fiançailles, elle se couchera alors en *tunica recta* ou *regilla*, les cheveux pris dans un filet ou un bonnet jaune qui deviendra rouge à son mariage *(flam-meum)*, et, sur sa tunique, on ajoutera une ceinture nouée de façon spéciale, le *nodus Herculeus.*

Le lit conjugal

La cérémonie religieuse comportait la prise des auspices à l'aube, la jonction des mains des époux par un prêtre, l'invocation des divinités du sol de la maison, quelques libations et sacrifices et le partage d'un gâteau d'épeautre. Le soir, le mari, après avoir jeté des noix, portait son épouse pour franchir le seuil et, après qu'elle avait oint et garni de laine les montants de la porte, il lui communiquait le feu et l'eau dans l'atrium, puis elle priait devant le futur *lectis genialis* où elle allait monter après s'être assise sur l'image d'un membre viril recelant la force fécondante de *Mutunus Tutum* et avoir « acheté » la faveur des dieux de la maison en présentant une monnaie à son mari (dans ce cas peut-être l'image vivante du *Genius*?), au *lare familiaris* sur le foyer et à celui du carrefour voisin.

Il ne faut pas s'imaginer que cette piété tenait à une foi particulière; la multiplication de ces pratiques, pour ne pas parler de ces « superstitions » que les Romains entendaient par peur des dieux, *deisidaimonia*, relevait peut-être plus d'une idée de contrat qu'ils passaient avec eux. Le sentiment d'être en relation constante avec les dieux leur apportait la tranquillité. Dans ces conditions, chaque petit acte du quotidien était une bonne occasion pour se rappeler à eux et leur prouver que l'équilibre donnant-donnant était maintenu... jusqu'à ce qu'il soit rompu. Le génie ou le dieu rompait alors aussi le contrat et les Romains faisaient appel à un autre; pratique que rappellent les cultes populaires des saints au Moyen Age et celle de « mettre des cierges » dans certaines églises de nos jours.

La nuit de noces se déroulait comme un viol légal et l'épouse en sortait « offensée contre son mari »; formule qui mérite un éclaircissement : la coutume voulait que, la première nuit, le nouvel époux s'abstienne par égard de déflorer sa femme et se contente de la sodomiser, dérivatif que Martial et Sénèque le Père disent proverbialement et que confirme la *Casina*. Toutefois, les ébats conjugaux étaient légitimes et les invités n'hésitaient pas, le jour des noces, à y faire allusion et se vanter gaillardement de leurs aventures personnelles. Un poète va même jusqu'à promettre à de nouveaux époux, hardiesse pardonnable le lendemain des noces, un après-midi d'amour; paroles osées, faire l'amour autrement que la nuit étant considéré comme un libertinage éhonté.

Devoir d'homme libre, acte de civisme, le mariage n'est pas la « fondation d'un foyer », mais un des actes d'une vie et l'épouse un élément de la maisonnée qui comprend aussi les fils, les affranchis, les clients et les esclaves. Une femme est un grand enfant qu'on est obligé de ménager à cause de sa dot et de son noble père, dont il faut s'occuper, mais rien de plus étranger aux Romains que le sens biblique de l'appropriation d'une chair. Quant aux femmes, si n'avoir connu qu'un seul homme dans sa vie passait pour méritoire, cela ne deviendrait un devoir que pour les premiers chrétiens, qui tenteront d'interdire aux veuves le remariage.

L'amour conjugal n'était ni le fondement du mariage, ni la condition du couple et les moralistes (masculins) disaient qu'en apprenant à supporter les défauts et les humeurs d'une épouse, on se formait à affronter les ennuis de ce monde. Aussi, à n'être pas obligatoire, le mérite n'en est que plus grand de bien traiter sa femme, d'être « bon voisin, hôte aimable, doux envers son épouse et clément envers son esclave », écrit Horace.

Nous sommes là à un tournant de l'histoire des mentalités; c'est cette morale que nous devons comprendre. On exalte l'entente où on la constate, mais on ne la pose pas comme une norme dont la réalisation est présupposée par l'institution. Ce qui va être le cas dans la nouvelle morale, apparentée au stoïcisme, où l'idéal du couple devient un devoir, avec sa conséquence théorique : la place accordée à l'épouse n'est plus la même, elle est élevée au même pied d'égalité que les amis, dont on sait l'importance dans la vie sociale gréco-romaine. Qu'il en soit résulté des conséquences pratiques, c'est une autre histoire que nous envisagerons quelques siècles plus tard...

Promiscuité

On peut imaginer qu'exceptionnellement, pendant la nuit de noces, la chambre conjugale était désertée par les esclaves et les servantes qui dorment habituellement à côté du lit et qu'ils allaient rejoindre ceux qui dormaient devant la porte pour y monter la garde.

On raconte, à propos de la promiscuité qui régnait dans

les demeures romaines qu'un jour, un amant surpris dans la chambre conjugale expliqua au mari, arrivé subrepticement, qu'il était en fait là pour la petite servante dormant à côté du lit. La chose parut tout à fait plausible. On dit aussi que « lorsque Andromaque chevauchait Hector, les esclaves, l'oreille collée à la porte, se masturbaient ».

Pline le Jeune, dans sa villa laurentine, pour éviter ce genre d'indiscrétion et surtout le « bruit constant de ses gens », prit la précaution d'interposer le silence d'un couloir de séparation entre sa chambre et les autres pièces.

Il est certain que l'omniprésence des esclaves équivalait à une surveillance constante des faits et gestes des maîtres, même s'ils ne comptaient guère plus que du mobilier. Aussi, lorsque l'on désirait avoir une soirée sans témoin, on leur faisait transporter leurs grabats à l'écart de la chambre, à moins que les amants ne se fissent prêter une maison par un ami complaisant, qui prenait le risque d'être accusé de complicité d'adultère, ou qu'ils louassent la chambrette d'un sacristain que son caractère sacré obligeait à un loyal silence.

Une reproduction faible

« D'après ce que nous savons aujourd'hui du pouvoir multiplicateur de l'espèce humaine, écrit Alfred Sauvy, spécialiste de la démographie, la population de l'Empire romain aurait dû se multiplier beaucoup plus et déborder ses limites. »

Il est certain que la reproduction naturelle des Romains de l'Empire, à la mentalité très peu naturaliste, était compensée par les adoptions et la montée sociale de certains esclaves affranchis. Mais elle est restée relativement faible, d'autant que le recours à des méthodes de contraception, que l'on ne peut séparer des avortements, était pratiqué dans toutes les classes de la société.

Ce sont les moralistes comme saint Augustin qui, tout en condamnant ces pratiques, nous en donnent une idée puisque celui-ci parle comme d'une chose qui n'était pas rare d'« étreintes où l'on évite la conception » et qu'il distingue contraception, stérilisation au moyen de drogues et avortement. Plaute, Cicéron et Ovide nous apportent par leurs écrits des détails supplémentaires faisant allusion à la coutume païenne du lavage après l'amour; pratique qui semble avoir été rituelle ainsi que le montre un vase à relief trouvé et exposé au musée de la Civilisation gallo-romaine de Lyon : un porteur de broc accourt vers un couple perché sur un lit, encore très occupé... Peu importait à Rome le moment biologique où une mère se débarrassait d'un futur fils qu'elle ne souhaitait pas avoir et la condamnation de saint Jérôme, (lettre XXII), de ces jeunes filles « qui dégustent à l'avance leur stérilité et tuent l'être humain avant qu'il ne soit même semé » fait allusion à une drogue spermicide; le sperme une fois émis était considéré par les polémistes chrétiens comme déjà un enfant !

En attendant, tous ces procédés sont à la charge de la femme et aucune allusion n'est faite au *coïtus interruptus*.

Si la loi accordait un privilège aux mères de trois enfants, nombre canonique s'il en est, il y avait deux moyens d'avoir des enfants : en engendrer en justes noces ou en adopter. La fréquence des adoptions est un autre exemple du peu de naturalisme de la « famille » romaine et, visiblement, on donnait un enfant en adoption comme on donnait sa fille en mariage. L'adoption pouvait être un moyen d'empêcher l'extinction d'une lignée et aussi celui d'acquérir la qualité de « père de famille » que la loi exigeait des candidats aux honneurs publics et aux gouvernements de province. De même qu'un testateur faisait son continuateur de celui qu'il instituait héritier, en adoptant un jeune homme bien choisi, on élisait un successeur digne de soi.

Contre la mollesse

De l'éducation de l'enfant, qu'il soit mâle ou femelle, nous retiendrons que, sous l'Empire, dès sa naissance il est confié à une nourrice qui fait bien plus que de lui donner le sein. Le garçonnet est alors confié jusqu'à la puberté à un « pédagogue », appelé aussi « nourricier » *(nutritor)*, qui est chargé de lui éviter la « mollesse » d'une éducation familiale et de lui inculquer l'*industria*, l'activité, qui fortifie et trempe le caractère. Pourtant, malgré la moralité ambiante des « bonnes familles » qui consiste à aimer la vertu ou à en prendre l'habitude pour avoir, dans cette Rome décadente, l'énergie de résister au vice, dès la puberté, à peine revêtu le vêtement d'homme, le premier soin d'un adolescent est d'acheter les faveurs d'une servante ou de se précipiter à Suburre, le mauvais quartier de Rome, à moins qu'une dame de la haute société n'ait le caprice de le déniaiser.

C'est du moins ce qui se passait jusqu'à ce que, au IIᵉ siècle de notre ère, une moralité neuve qui se préparait dans les « condamnations » énoncées plus haut fasse irruption; une morale confortée par des légendes médicales qui entreprend d'enfermer l'amour dans le mariage, même pour les garçons, et incite les parents à les conserver vierges jusqu'au jour de leurs noces. L'amour n'est pas encore considéré comme un péché et reste toujours un plaisir, mais, à la façon de l'alcool, les plaisirs sont un danger. Il faut donc, pour la santé, en limiter l'usage et le plus prudent est encore de s'abstenir. Ce n'est pas du puritanisme, c'est de l'hygiène! Il s'agit de développer la nouvelle clef de voûte de l'individu : la force de résistance; un jeune homme qui a abusé de l'indulgence que l'on a pour ses plaisirs aura perdu l'occasion, qui ne se retrouvera plus, de se tremper le caractère et se marier jeune est un certificat de jeunesse non dévergondée. « Il faut désormais se garder jusqu'au mariage des plaisirs de l'amour, ne pas faire trop tôt acte de virilité, conseille Marc Aurèle, n'avoir touché ni à son esclave ni à sa servante et éviter la masturbation, non qu'à proprement parler elle épuise les forces, mais elle fait mûrir trop précocement une puberté qui risque d'être un fruit imparfait. »

On reconnaît un vrai libertin à ce qu'il viole trois interdits : il fait l'amour avant que la nuit ne soit tombée sans établir l'obscurité; il fait l'amour avec une partenaire complètement nue – seules des « femmes perdues » aimaient sans leur soutien-gorge et, dans les peintures des bordels de Pompéi, les prostituées ont conservé cet ultime voile –; il se permet des caresses de la main droite alors que les attouchements ne devaient se faire que de la main gauche, ignorée de la droite.

Pour un honnête homme, la seule chance d'apercevoir un peu de nudité de sa femme était que la lune passe devant une fenêtre ouverte au bon moment. Ce puritanisme est aussi un esclavagisme qui recouvre un léger sadisme et surtout, nœud central de la sexualité gréco-romaine, un évident virilisme : être actif, quel que soit le sexe du partenaire passif, c'est être un mâle! Il était donc trois infamies suprêmes : la pratique du cunnilingus où le mâle poussait la mollesse servile jusqu'à mettre sa bouche au plaisir d'une femme; celle de la fellation, comble de l'abaissement où l'on prend passivement son plaisir à en donner à autrui et où l'on refuse servilement à l'autre la possession d'aucune partie du corps, que Tertullien assimile à l'anthropophagie (le sperme est pour lui déjà un enfant); enfin l'homme libre qui pousse la passivité *(impudicitia)* jusqu'à se laisser « sabrer ».

Cette société ne passait pas son temps à se demander si les gens étaient homosexuels ou non; les outils sexuels, femmes ou garçons, étaient à ce point considérés comme des outils passifs qu'on proposait carrément de l'argent et qu'une honnête matrone ou un bon jeune homme, si on lui offrait un prix pour ses faveurs, ne devait pas en conclure qu'on le tenait pour vénal; faire sa cour à Rome consistait surtout à offrir une somme. La pédérastie n'était qu'un péché mignon tant qu'elle était la relation active d'un homme libre avec un esclave ou un homme de peu.

En revanche, on prêtait une attention démesurée à d'infimes détails de toilette, de prononciation, de gestes, de démarche, pour poursuivre de son mépris ceux qui trahissaient un manque de virilité quels que fussent leurs goûts sexuels.

Prendre du plaisir virilement ou en donner servilement, tout est là. Comme l'a si bien montré Paul Veyne, Rome, comme tant d'autres, est une société « machiste »; la femme est au service de l'homme, attend son désir, y prend du plaisir si elle peut – ce qui est moralement suspect. Ce virilisme tient à la patrie cachée de l'iceberg politique des sociétés antiques, la haine de la « mollesse » dans les groupes militaristes ou dans les sociétés de pionniers qui se sentent au milieu d'un environnement dangereux. (Par analogie, aux USA patrie de pionniers sectaires et d'hommes « durs », un Etat n'a-t-il pas récemment interdit cunnilingus et fellation, lui aussi?)

Rome est aussi une société esclavagiste où le maître exerce le droit de cuissage, avec sa suite logique, nécessité faisant loi : « Il n'y a pas de honte à faire ce que commande le maître. »

Victoire du mou énergique

Esclavagisme viriliste et refus de l'esclavage passionnel sont les frontières de l'amour romain. S'il y a beaucoup à dire des débauches d'Héliogabale, de Néron, de Tibère ou de Messaline, nous n'avons guère de belles histoires d'alcôve à raconter, Rome ayant refusé la tradition d'amour courtois des passions éphébiques grecques, y voyant une exaltation de la passion pure; un Romain amoureux est un homme perdu, moralement tombé en esclavage. Pour clore ce chapitre, ajoutons que les Romains ne connaissaient qu'une variété d'individualisme, qui confirma la règle en semblant la nier : le paradoxe du « mou énergique », secrète délectation qui allie une mollesse détestable dans le privé à la plus grande énergie dans la vie publique et qui qualifie des grands hommes comme Scipion, Sylla, César, Pétrone, Catilina, pour ne citer que ceux-là.

Le néant

Quant à l'au-delà, l'immortalité de l'âme y est absente. La secte épicurienne n'y croyait pas, le stoïcisme guère plus et la religion ne s'en préoccupait pour ainsi dire pas. L'opinion la plus répandue, y compris dans le peuple, était que la mort était un néant, un sommeil éternel, et l'idée de la survivance des ombres, mis à part des petites sectes, une fable. Aucune doctrine généralement reçue n'enseignait qu'il y eût dans la mort autre chose que le cadavre, le « démon personnel » ayant été déjà suffisamment lourd à supporter pendant sa vie.

En revanche, les rites funéraires et l'art des tombeaux servaient à réduire l'angoisse, tout humaine, qui anticipe le moment de mourir, et sans y croire vraiment, mais cela rassurait, on appréciait l'impression de consolation que cela produisait.

Né au lit, vivant au lit, se déplaçant au lit, mort dans un lit, rien d'étonnant à ce que l'immortelle image qu'il nous reste du Romain soit celle du défunt allongé sur un lit, calé sur le coude gauche, se reposant d'une vie bien étendue...

III

A L'OMBRE DES DONJONS

...
La belle si tu voulais
Nous dormirions ensemble
Dans un grand lit carré
Couvert de toiles blanches
Aux quatre coins du lit
Un bouquet de pervenches
Dans le mitan du lit
La rivière est profonde
Tous les chevaux du roi
Y viennent boire ensemble
Et là nous dormirions
Jusqu'à la fin du monde

« Aux marches du Palais. »

Chambrier et chambellans

Placée entre deux événements parfaitement datés – l'avènement de Clovis en 482 et celui de Pépin le Bref en 751, l'époque mérovingienne (de Merowis, Mérovée, nom d'une tribu de Francs saliens) n'est pas cette « nuit barbare » frappée à tort par les historiens, mais une période de transition qui devait préparer le Moyen Age.

La fusion du civilisé et du barbare, encore qu'il ne faille pas exagérer leur antinomie, a, en fait, produit une civilisation profondément originale. Parmi les innovations les plus importantes, celle du *Rex Francorum* affirme qu'au-dessus des différents lots territoriaux et des maires du palais existe une unité. Le roi, quelque peu nomade, s'entoure d'un palais réunissant les services et les grands officiers de la Couronne avec lesquels il se déplace.

Entre le *sénéchal* qui s'occupe de la table et le *bouteiller* qui s'occupe de la cave, nous ne retiendrons que le *chambrier*, assisté de chambellans (du francique *kamerling*), au départ simple domestique chargé de la chambre à coucher du roi. Vivant à proximité du souverain, cet officier prit de plus en plus d'importance, délégua même les charges du lit pour s'occuper des archives et du trésor royal, si bien que la charge de chambrier sera recherchée par les plus illustres familles. Cette fonction deviendra honorifique à partir du XIIIe siècle.

A Mons au début du XIIIe siècle, le « chambrier mineur », subordonné d'un *camerarius*, lui-même subordonné du grand chambrier du Hainaut, devait surveiller la chambre et les choses précieuses qui s'y trouvaient enfermées; chargé par conséquent des « robes », du textile, il devait aussi dresser les lits « pour toute la cour », lesquels, pour la plupart, étaient dépliés chaque soir dans la salle; il fournissait l'eau que son supérieur présentait au comte et à la comtesse tandis que lui-même donnait de quoi se laver avant le repas aux clercs et aux chevaliers; enfin, sous le contrôle du chambrier en titre, qui sans doute se réservait le maniement des deniers, le chambrier mineur fabriquait les chandelles et les répartissait, notamment celles, qui, fichées dans un pain, éclairaient le comte, la comtesse et le sénéchal, et eux seuls, lorsqu'ils étaient à table.

Au XIVe siècle, le Premier Chambellan, prenant le titre de « Grand Chambellan », portait comme insigne de sa dignité deux clefs d'or et avait le privilège au réveil de présenter au roi la chemise, celui d'inspecter la chambre, la garde-robe, et avait droit au manteau du vassal, venu rendre hommage à son maître, le « droit de chambellage ».

La fonction de chambrier fut supprimée en 1545 après la mort du dernier chambrier, Charles de France, duc d'Orléans, fonction qui sera remplacée par « les quatre gentilshommes de la chambre »; celle de chambellan disparut à la Révolution et fut rétablie sous le Premier Empire – Napoléon avait donné à Talleyrand le titre de Grand Chambellan –, le Second Empire et sous la Restauration.

Vivent les rois fainéants

Pour revenir aux Mérovingiens, je me dois de partager avec vous la douleur de l'effondrement d'un mythe que nous portions tous, à entendre les descriptions que l'on nous en fit dans le primaire, celles d'une tare nationale, j'ai nommé les « rois fainéants ».

La paresse étant pour moi sinon un modèle à suivre, du moins une philosophie, j'ai toujours admiré secrètement ces « mauvais exemples » de notre histoire de France et je peux aujourd'hui, grâce aux travaux d'Henri Pirenne, les réhabiliter aux yeux de dizaines et de dizaines de générations... C'est par une note sur un passage d'Eginhard, biographe et auteur d'une *Vie de Charlemagne*, que Pirenne intitula « Le char à bœufs des derniers Mérovingiens », que nous découvrons d'où découle l'épithète malsonnante de « rois fainéants ». Ce qualificatif fut injustement appliqué par les historiens modernes aux derniers rois mérovingiens à cause du chapitre I de l'ouvrage d'Eginhard où il en fait la description.

Ils y apparaissent en effet comme dépouillés de tout pouvoir par les maires du palais et, qui plus est, comme réduits à la misère et dégradés au point de mener l'existence rustique des petits propriétaires agricoles.

Fustel de Coulanges, dans son *Histoire des institutions*

politiques de l'ancienne France (« Les transformations de la royauté », p. 181), a remarqué l'inexactitude et les exagérations de ce passage, mais sans observer qu'elles sont voulues et amenées par son caractère nettement satirique. Il est évident qu'Eginhard se moque des pauvres souverains dépossédés par la glorieuse dynastie de Charlemagne et les dépeint comme des grotesques. Au vrai, il en fait une caricature assez réussie. Il s'amuse à leurs dépens et non sans esprit quand il nous les montre inertes sur le trône, répondant aux ambassadeurs ce que leur souffle le maire du palais, ridicules par leur pauvreté, plus ridicules encore avec leur barbe inculte et leurs longs cheveux mal peignés et si oublieux de toute majesté qu'ils ne craignent pas de se faire véhiculer aux assemblées du peuple dans ces grossiers chariots à bœufs conduits par un valet d'étable... Chars à bœufs qui étaient d'ailleurs d'usage courant, même pour des gens de condition plus relevée, à la fin de l'époque mérovingienne. Vers 700, une dame nommée Ermintrude lègue à une église la *carruca in qua sedere consueri, cum boves et betaria, cum omni stratura sua* et une autre *carruca cum boves et omni stratura sua* à une seconde église (Tardif, *Monuments historiques,* 40, p. 33).

C'est faute d'avoir saisi le ton de ce morceau que d'illustres érudits, l'interprétant à contresens sous l'empire d'une idée préconçue, se sont doctement laissé leurrer par les plaisanteries d'Eginhard. « On ne peut s'empêcher de sourire, écrit Pirenne, en les voyant alléguer notre texte comme une preuve du caractère germanique de la royauté mérovingienne. »

Le quiproquo remonte à Jacob Grimm (in *Deutsche Rechtsalterthünder*, 3e éd., p. 262), qui avait un fâcheux penchant à découvrir des survivances de la mythologie germanique dans des textes qui n'ont rien à faire avec elle (cf. Marc Bloch, *Les Rois thaumaturges*, p. 61). Pour lui, le chariot à bœufs sur lequel Eginhard juche ses rois fantoches provient directement de l'antiquité germanique la plus reculée.

Mais l'autorité de l'auteur du contresens a consacré celui-ci, et les historiens allemands comme Waitz, puis Brunner ont fait de cette histoire de bœufs et de rois une conjecture chez le premier et une certitude chez le second.

Il n'est pas douteux que l'esprit manifestement malveillant et satirique qui a inspiré le biographe de Charlemagne enlève toute valeur à sa description des derniers Mérovingiens. Il voulait tout simplement, en les montrant sur leurs chariots à bœufs, faire ressortir la rusticité de leurs mœurs.

Lits collectifs

Sur cette dernière observation d'Eginhard, il semble qu'il n'y ait guère de différence entre les Gallo-Romains et les Francs, ce qui peut se traduire par plus de raffinement que ne le laisse sournoisement entendre le biographe de la nouvelle dynastie carolingienne, dont les origines germaniques et les restes de coutumes « barbares » ne devaient guère être éloignés de ceux des Mérovingiens. Les lits richement décorés et les tissus précieux de l'art somptuaire propre à ces derniers s'incrivaient dans un confort hérité de la période gallo-romaine, auquel s'ajoutaient quelques raffinements venus du Nord. Confort réservé aux rois et aux grands car la grande maison-halle recouverte de chaume, dans laquelle le lit est commun aux parents, aux oncles, aux tantes, aux cousins, aux cousines, aux enfants, aux esclaves et aux serviteurs, souvent plus d'une dizaine de personnes, où tout le monde dort pêle-mêle et nu, reste à cette époque, au grand dam de l'Eglise, la réalité de la majorité de la population. Et l'Eglise supporte mal tous ces « nus » dans un même lit. Depuis l'édiction de la règle de saint Benoît, elle recommandait à ses moines de coucher tout habillés dans un lit invididuel. A l'heure où l'on rhabille le Christ, la nudité n'est plus l'expression de la vérité, elle est regardée désormais comme une manifestation sexuelle et génitale qui risque de détourner de l'*honesta copulatio*, de l'amour que l'on veut conjugal et fécond.

Eginhard est d'ailleurs le représentant typique de cette nouvelle mentalité où on exalte le sentiment amoureux et réservé qui habite corps et cœur. Dans une lettre à l'abbé de Ferrières, qu'il écrit après la mort de sa femme en 836, il révèle dans un accent de dilection rare à cette époque que douleur, chagrin, mélancolie l'assaillent avec la perte de celle qui fut à la fois sa femme, sa sœur et sa compagne. Le cas d'Eginhard est exceptionnel, certes, mais cette exception sera bientôt confirmée par la règle : le lit sera commun à l'homme et à la femme qui s'aiment d'affection, et dans ce lit on ne fera que chastement procréer.

Potions magiques

A cette évolution reste un ennemi que les hommes de l'époque ne vont pas cesser de traquer, de brider et d'enfermer : la femme. Gros progrès pourtant, cet être ne fait plus partie du mobilier; devenue un être humain, trop humain, elle devient dangereuse et même tabou. Pour la combattre ou bénéficier de son charme, ces ex-païens, soumis encore au poids de la violence et récemment culpabilisés par la peur du sexe et de la mort, se sont inventé des potions magiques. Ces recettes sont pour la chambre, ou plutôt pour une anti-chambre, si l'on peut dire, « nouer l'aiguillette » étant la plus fréquente. Outre les paroles et un ruban malignement attaché à chaque vêtement des deux amants, la femme qui voulait provoquer à coup sûr une incapacité se mettait nue, s'enduisait de miel et se roulait sur un tas de blé. Cela fait, elle recueillait soigneusement les grains ainsi récoltés puis les passait dans un moulin à bras qu'elle tournait en sens inverse de la normale, de la gauche vers la droite, et pétrissait un pain de cette farine qu'elle donnait à manger à celui qu'elle désirait littéralement châtrer. La fabrication « normale » de ce même pain, mais pétri sur les fesses de la femme, provoque l'effet inverse. Autre procédé aphrodisiaque : introduire dans son vagin un poisson vivant jusqu'à ce qu'il meure, le faire cuire, l'assaisonner et le donner à manger à son mari (recette qui vaut pour empêcher que son homme ne s'attache à une autre femme).

Du philtre d'amour qui unit malgré eux Tristan et Yseut, nous n'en avons pas le secret et je laisse au lecteur le soin de le trouver, sachant que « ce n'était pas du vin : c'était la passion, c'était l'âpre joie et l'angoisse sans fin, et la mort. »

Le nouvel ordre de la chambre

Comment christianiser ces foules qui pratiquaient en plus de la magie une convivialité festive ? Comment faire surgir dans ce contexte une mentalité chrétienne ? En modifiant les comportements de la vie privée, en faisant pénétrer un nouvel ordre dans la chambre à coucher. Si le paganisme accuse la femme d'être le seul auteur du désir passionnel, le christianisme l'attribue indifféremment à l'homme et à la femme. Or, pour faire passer ce message, existent deux obstacles majeurs : la noblesse et la langue.

Les conciles carolingiens ont eu beau proclamer « une seule loi pour les hommes et pour les femmes », il manqua les mots pour convaincre. Michel Rouche rapporte qu'au synode de Mâcon en 585, un évêque « se leva pour dire qu'une femme ne pouvait être appelée homme *(homo)* », ce à quoi les autres lui répondirent que dans l'Ancien

Testament il est dit que Dieu créa le Masculin et le Féminin, « il leur donna comme nom Adam, qui signifie homme, *homo*, fait de terre ». Ainsi, cela désigne en même temps la femme Euva (Eve, la vivante). « Il dit que tous les deux sont hommes. »

Ce texte, à l'origine de la légende du concile qui aurait nié l'existence de l'âme chez les femmes, révèle en réalité une mutation linguistique profonde. L'évêque qui posa la question entendait en fait le terme *homo* au sens de *vir*, c'est-à-dire de l'homme comme être masculin et non comme terme générique. Sa question était donc parfaitement logique, mais son latin était déjà du français, *vir* avait disparu et manque aujourd'hui dans notre langue, au contraire de l'anglais et de l'allemand qui ont un mot pour désigner l'homme au sens masculin. Du coup, le double sens de l'homme ne peut que perpétuer la conviction de sa supériorité sur la femme, le signifiant occulte le signifié du texte biblique.

L'égalité des sexes

Le résultat de cette égalité des sexes difficilement retrouvée ne se fit sentir dans les sociétés mérovingienne et carolingienne que par la négative, c'est-à-dire dans l'égalité des péchés; la lutte contre les vices donnait des exemples repérables, hiérarchisables et quantifiables pour former des laïcs à l'intériorité et pouvoir pénétrer jusqu'au mitan du lit désormais contrôlé par la confession auriculaire. On dit naïvement au prêtre ce qui n'était alors pas ou peu réprouvé par le paganisme : « bestialité », souvent assimilée à la sodomie, rapports oraux, inceste au sens large, séparation d'une épouse stérile, homosexualité féminine, masturbation et position autre que le face à face. A cela, très progressivement, l'Eglise répondit d'abord par des conseils d'abstinence sexuelle qui aboutirent au VIᵉ siècle à plus de cent cinquante jours de chasteté, ne laissant aux époux et aux seuls époux que deux cents jours où il leur était « loisible de s'unir », restriction faite, bien sûr, des pratiques érotiques et des rapports oraux, considérés avilissants, non plus, comme à Rome, à cause du plaisir recherché, mais parce que « ce que la femme fait à son mari, elle le fait afin qu'il l'aime par ses agissements diaboliques ».

A la décharge de l'Eglise, nous devons reconnaître qu'à partir du IXe siècle l'homme rejoint la femme dans... l'infamie de l'adultère. La pénitence, de supérieure qu'elle était pour la femme adultère, devient égale pour le conjoint qui la trompe. Le but de cette « dévaluation » tient à la volonté du clergé d'imposer l'institution de base de son Eglise : le mariage d'amour avec, à la clef, la seule procréation, nécessaire à la survie de l'espèce ; mariage qui ne peut être réussi qu'à la condition d'une totale et réciproque pureté des époux.

L'irruption du privé

Georges Duby, dans sa récente *Histoire de la vie privée*, montre que le Moyen Age, que nous connaissons mieux aujourd'hui pour ce qui concerne les formes de cette vie privée, est une époque de « continuelle renaissance », due à un certain nombre de facteurs. L'ouverture progressive sur d'autres cultures éloignées ou oubliées : Byzance, Islam, Rome antique, et l'usage qui se généralise de la monnaie ne sont pas sans modifier les manières de se comporter et la conception de l'avoir personnel. La représentation nouvelle de ce qui est à soi et à soi seulement, les manières exotiques poussent à la fois à s'éloigner de la grégarité ambiante pour découvrir l'individualisme et à rechercher l'intériorisation sinon l'introspection, qui demande au sein de l'espace domestique un espace plus privé, plus retiré. A cela il faut ajouter la hausse constante du niveau d'existence, l'inégal partage des fruits de l'expansion au sein du mode de production seigneurial et la différenciation des rôles sociaux qui avive les contrastes entre villes et campagnes, entre maisonnées riches et maisonnées pauvres, entre le masculin et le féminin, tandis que, inversement, la circulation des idées et des modes s'accélérant, s'estompent les particularismes régionaux et se propagent des modèles uniformes de comportement d'un bout à l'autre de l'Occident.

Le privé, *privatus*, s'oppose au festif, et en arrive à désigner ce qui se trouve en retrait; glissement qui n'aura guère de mal à s'opérer vers l'intime, vers le secret. L'enceinte devient alors nécessaire pour circonscrire cet abri où les hommes se retirent pour dormir et serrer ce qu'ils ont de plus précieux; *res privatae* et *res familiares*, c'est-à-dire biens meubles, réserves de nourriture, parures, bétail et tous les êtres humains qui en font partie : mâles jeunes, femmes, et non libres des deux sexes forment le « mesnage », la « maisnie », la « masnade », en bref le domestique. Inévitablement, le privé envahit le public et, si le palais tendait à ressembler à une maison de particulier, la maison des comtes ou de tout homme détenant une parcelle de pouvoir régalien prend l'aspect d'un palais. Dans les décennies qui précèdent l'an mille, le processus de féodalisation s'accélère et, par une série de ruptures le long de la chaîne des pouvoirs, peut-être aussi du fait de la presque sédentarisation du roi, des palais locaux acquièrent leur autonomie et l'image mentale renforcée du « privé » achève d'assimiler l'idée de l'Etat à un organisme familial, et les délégations reçues par le roi à une histoire de famille propre à la parenté qui règne sur place. Le château, bien protégé par une double enceinte entourant l'ancienne motte, parfois elle-même assise sur d'anciens *oppida* gallo-romains et sur les vestiges du *castra*, abandonne le bois pour la pierre et domine son village et ses gens. Tous les êtres humains qui, dans l'aire où s'étend la puissance du seigneur des lieux, sont ses choses, sont contraints, eux aussi, de se « confier » à lui.

Droit de cuissage

Les droits de « gîte », d'« albergue », de « recet », de réception faisaient de l'hospitalité des pauvres à l'égard des puissants une obligation. Pour le manant, point de vie privée : lorsque la maisonnée de son seigneur venait camper dans son courtil, il se devait d'offrir sa table et son lit, comme en famille. Les paysans réputés « libres » devaient aussi prendre dans leur cellier du vin, dans leur huche du pain, dans leur coffre des deniers et, selon un droit de « couette à court », « apporter aussi des couettes lorsque le sire et sa suite venaient coucher au village; il leur était quelquefois consenti de garder la leur ».

Le « droit de cuissage », que dans certaines régions on appelait « droit de marquette » – marquette faisant allusion au sang de la défloration –, était celui que s'arrogeait le seigneur de glisser symboliquement une jambe dans le lit de la mariée le soir des noces et parfois de passer cette première nuit avec elle.

Ainsi, paradoxalement, au fur et à mesure que la société se féodalisait, il y avait de moins en moins de vie privée parce que toute puissance était devenue de plus en plus privée.

A l'abri de la chemise

Dans le château, bien à l'abri de la « chemise », enceinte disposée en demi-cercle séparant le corps noble du reste du château, perché dans le *dominium*, ou donjon, symbole de la puissance lignagère, vivait le seigneur avec ses chevaliers. S'il était suffisamment riche, il possédait un logis distinct, une *aula*. Mais, entre *aula* et donjon, on frise parfois l'indistinction. Ajouter des contreforts et murer la porte d'en bas d'une *aula* donne vite un donjon, inversement, percer des fenêtres à l'étage, aménager des escaliers et baisser un peu la hauteur fait du donjon une *aula*. La tendance à la fin du XIIe siècle, serait plutôt à « endonjonner » l'*aula* carolingienne et à « résidentialiser » des donjons militairement périmés.

A l'étage haut, lieu de « privance », au-dessus de la grande salle d'apparat, par un escalier creusé dans le mur on gagne la ou les chambres du seigneur et de son épouse avant d'accéder à celles des enfants et des hôtes. L'archéologie ne nous donne, hélas, pas suffisamment de renseignements sur les espaces privés aujourd'hui disparus et nous sommes obligés, pour faire la description du mobilier, des fonctions et des gestes, d'interroger les écrits. Le témoignage que rapporte Georges Duby dans l'*Histoire des comtes de Guines* décrit par le menu ce qui nous intéresse.

D'une demeure de bois reconstruite vers 1120 par le seigneur d'Arares, dont il ne subsiste aujourd'hui que la motte, une de ces dix mille mottes recensées par l'archéologue Camille Enlart, nous savons qu'au premier étage, celui de l'« habitation », la salle était flanquée de réduits à l'usage du panetier et de l'échanson puis, après, au-dessus (?) « venait la grande chambre où dormaient le sire et sa femme; une pièce fermée lui était adjointe, servant de dortoir aux servantes et aux enfants; dans une partie de la grande chambre se situait un espace isolé où l'on faisait du feu à l'aube, ou bien le soir, pour les malades, ou les saignées, ou pour réchauffer les servantes et les enfants ». Surplombant la chambre du maître, « on avait aménagé des chambres hautes; dans l'une couchaient les fils du seigneur, quand ils le voulaient; dans l'autre, nécessairement ses filles », à côté la cabane des guetteurs.

Salle ou chambre?

Dans les textes salle et chambre semblent souvent confondues; comment passait-on de l'*herilis camera* à la simple *camera*? L'étude des grandes salles de palais laisse entrevoir la possibilité de séparations internes, soit par des cloisons de bois, soit par des tentures. Ainsi à Troyes, signale Dominique Barthélemy, cette disposition est attestée en 1177 dans le palais des comtes de Champagne; d'un côté s'adosse au mur de séparation une estrade d'où le prince préside au banquet, de l'autre côté le *thalamus comitis*, « lit », ou « chambre » conjugale. A chaque étage du donjon peut être adopté ce type de division de l'espace.

On connaît, par Guillaume de Saint-Pathus, confesseur de la reine Marguerite, beaucoup de choses sur la vie privée de saint Louis et sur les différents lieux de réception qui correspondaient à une hiérarchisation des relations : « assez privé » par exemple était Joinville, mais « moult privé » étaient ses chambellans qui avaient accès à sa chambre. Un seul serviteur, semble-t-il, avait accès à la « garde-robe » du roi, ce lieu isolé à l'intérieur de la chambre où il dormait, mais aussi où il se retirait pour prier et où il lava les pieds de trois pauvres, acte secret de piété qu'il déroba aux regards des proches présents dans la chambre. C'est là aussi qu'il s'habillait et se déshabillait, s'il est vrai qu'un chambellan n'a pas « en vingt ans de service, vu sa jambe plus haut que le gras de la cuisse ». C'est dans la chambre par contre que Louis IX reçut seize pauvres, touchait des écrouelles et recevait ses chevaliers devant un grand feu.

Ainsi, la différence entre la chambre et la salle, outre les dimensions, semble s'être exprimée dans le degré du contenu « privé » des réceptions; cet espace hiérarchisé de l'hôtel du roi, réalité sociologique, se déplaçait bien sûr avec le roi et même si l'espace, selon qu'il était à Vincennes, à Noyon, ou à Compiègne, changeait, la structure ne variait pas.

L'escalier

On sait par le confesseur de la reine Marguerite que les débuts de sa vie commune avec Louis IX furent assez particuliers. Agé alors de dix-neuf ans, sa femme en ayant douze, le roi, bien que totalement séduit par elle, tint à ce que la consommation du mariage fût précédée d'une veillée de prières de trois nuits. Joinville nous dit que le jeune homme se montra tout de suite très amoureux de son épouse (réputée, comme les autres filles du comte de Provence Raymond Béranger, pour sa beauté), au point que la reine mère en prit ombrage. Elle s'ingénia à limiter les moments d'intimité du couple, si bien que, avec la complicité des domestiques, celui-ci s'efforçait de les multiplier à son insu. La petite scène que narre le chroniqueur de la vie de Saint Louis est, en ce qui concerne la disposition des chambres, pleine d'enseignements : au château de Pontoise, leurs chambres étaient situées l'une au-dessus de l'autre et réunies par un escalier ménagé à l'intérieur de la muraille qui leur permettait de se rejoindre sans que Blanche de Castille le sût. Et si jamais elle arrivait à l'improviste dans la journée, les huissiers, complices des amoureux, frappaient de leurs bâtons soit contre la porte de la chambre du roi, soit contre celle de la jeune reine et l'escalier leur permettait alors de s'échapper.

C'est essentiellement au XIIᵉ siècle qu'apparaît le vocabulaire concernant le lit; vocabulaire technique et types de lits sur lesquels nous nous étendrons à plusieurs reprises, mais à des époques différentes.

L'ameublement des chambres reste plutôt austère jusqu'au XIVᵉ siècle; les ornements déployés sur les corps, les murs et les tables pour les fêtes étaient la plupart du temps remisés comme trésor seigneurial dans des bancs-coffres souvent serrés dans la fameuse garde-robe où, hormis un prie-Dieu à l'intérieur duquel étaient parfois rangés quelques livres de prières, se trouvait le lit.

Un « lit complet » et idéal tel qu'il est représenté dans un grand nombre de peintures du Moyen Age, est avant tout composé d'un bois de lit ou *châlit*, le plus souvent en chêne ou en hêtre, garni d'un fond de planches, qui connaîtra, au début du XIVᵉ siècle et surtout au XVᵉ siècle, l'amorce d'une aventure esthétique sur laquelle nous reviendrons.

A côté de ce châlit « bordé », existait, considéré comme plus simple, le châlit « cordé », dont la technique existe toujours en Inde; nattiers ou cordiers entrecroisaient et tendaient, en fonction du confort désiré, les cordes passées dans le cadre du lit. Ces châlits étaient en règle générale suffisamment élevés pour que l'on puisse glisser dessous divers objets, urinal et petits coffres, quand ce n'était pas un *sourlict*, une *chariolle*, une *couchette roullonée,* une *couchette rouleresse* ou un *charliz roulerez*, c'est-à-dire une couchette basse avec des roulettes en bois que l'on poussait sous le lit et que l'on pouvait aussi déplacer dans une autre pièce pendant la journée; lit bas et roulant tiré de dessous le lit du maître sur lequel dormait une *meschine* ou un valet. Le terme de *lit gigogne* n'apparaîtra qu'en 1659, rappelant la Mère Cigogne, personnage de théâtre créé en

1602, femme géante des jupes de laquelle sortait une foule d'enfants.

Un bon lit se composait à l'époque d'une paillasse (vers 1250), appelée parfois *chutrin*, grand sac garni de paille ou de feuilles sèches. A la paillasse, posée au fond du lit, s'ajoutait parfois le *materas*, mot apparu au XIIIᵉ siècle qui vient de l'arabe *matrah*, « chose jetée à terre », matelas garni de laine et de coton sur lequel était disposé le lit de plume, dit *couste, coute, coite, couette* – du latin *culcita plumea*, « matelas de plumes », coussin que fabriquait et vendait le *culcitarius*. Sur ce lit était posé un drap que, d'après Bloch et Wartbuch, on a appelé jusqu'au XVIIᵉ siècle *lincel, linceul*, du latin *linteolum*, diminutif de *linteum*, « toile de lin », dont on retrouve les traces jusqu'au XIXᵉ siècle, entre autres dans le Massif central, le Jura et les Alpes du Nord, sous la forme de *leso, len swol, la soe, lasé* (en italien : *lenzuolo*). *Drap*, apparu au XIIᵉ siècle, dérive du latin *drappus*, « morceau d'étoffe », peut-être un mot gaulois, et, d'après le *Dictionnaire de l'ancien français*, utilisé pour signifier un vêtement, un habit. Le drap ou la paire de draps, était de qualité variable : en lin ou en chanvre pour les plus fins, voire d'étoupe ou de toile grossière : drap de *brin* et de *réparon*.

Pour poser la tête, il y avait le *chevecel* ou *chevecier*, diminutif de *chevece*, du latin *capicia, caput*, « la tête », qui a donné *chevez* au XIIIᵉ siècle et *chevet* au XIVᵉ siècle, que Furetière définit comme « tout ce qui élève la tête en quelqu'endroit qu'on soit couché ». Trévise précise : « Partie du lit où l'on pose la tête, tête de lit. » *Chevet* sera utilisé jusqu'à Montaigne, n'en déplaise à Pascal qui, le citant, a remplacé ce mot par *oreiller :* « Il [Montaigne] montre [...] que l'ignorance et l'incuriosité sont deux oreillers pour une tête bien faite! » (*Essais,* III,13.)

Quant à *tête d'oreiller*, J. Boisson (p. 145) note que c'est un belgicisme pour « taie d'oreiller ». *Taie*, du latin *theca*, grec *thékê*, étui, fourreau, est apparu aux XIIᵉ et XIIIᵉ siècles sous la forme de *teie* ou *toie,* en même temps que *coutil* ou *keutié* (dérivé de *coute*), une toile serrée destinée à recouvrir un *traverslit, traversier* ou *traversain* (XIIᵉ), terme technique apparu en 1368, plutôt utilisé dans la construction navale ou dans la tonnellerie, long coussin de chevet tenant toute la largeur du lit que l'on voit représenté sur presque toutes les peintures du Moyen Age où se trouve un lit.

Les origines des coussins que l'on glisse sous la tête ou les épaules viennent de plus bas... Il est assez curieux de constater que ce mot est dérivé de *coxa*, « cuisse », et qu'avant d'atteindre le lit, « le coussin est destiné d'abord aux chaises et aux bancs » (Bloch Warturg) pour le confort de notre derrière. On retrouve la même étymologie en allemand dans *Kissen,* qui veut dire aussi « hanche », c'est-à-dire cuisse.

Enfin, posée sur le lit et apparemment débordant de chaque côté, recouvrant parfois le « drap de dessus » quand c'était nécessaire, il y avait une couverture de drap qui pouvait être doublée de fourrure et un *lodier* ou *courtepointe,* du latin *culcita puncta,* couverture ouatée et piquée (*courte,* ancienne forme altérée de *coute,* « couette »; *pointe,* participe passé de *poindre,* dans le sens de « piquer »).

Dernier raffinement pour cette literie exemplaire du XIIᵉ siècle que Furetière signale dans son dictionnaire : « On fait aussi des *oreillers* ou petits sachets de senteur, que l'on place sur la courtepointe pour servir d'ornement au lit ou pour y conserver quelque bonne odeur. » Ces *coissines* ou *coussines,* que les femmes plaçaient aussi au milieu du linge, dégageaient des odeurs de musc, d'ambre et de safran; lavande et violette ne furent recherchées et estimées qu'à partir du XVᵉ siècle.

A côté des couchettes relativement étroites, les lits étaient d'énormes dimensions et pouvaient mesurer douze pieds sur onze, c'est-à-dire environ 4 m sur 3,50 m; ils étaient « élevés sur une ou deux marches qui les dépassaient d'environ deux pieds en tous sens ». (1 pied = 0,324 m, ancienne unité de mesure de longueur apparue dès 1080.) Difficiles à faire, les servantes utilisaient pour tendre les draps et la courtepointe un bâton spécial, dit *bâton de lit*.

Lit de justice

L'amour sincère de la justice qui anima Saint Louis et lui permit sans le vouloir expressément de renforcer le pouvoir royal face au Parlement aboutit à l'instauration des fameux *lits de justice*, dont nous ne retiendrons que les apparences. Louis d'Orléans en a donné une description sur la fin du XV⁵ siècle, indiquant que « le lit est préparé au-dessous d'un couvert, ciel ou dais, de drap d'or ou de velours; il est formé d'oreillers et il est paré d'un autre grand drap de velours ajouré, semé de fleurs de lys d'or, qui sert de dossier au trône royal et, coulant par-dessous les oreillers où le roi sied, vient à descendre par les degrés et s'avance bien avant dans le parquet et fait une magnifique apparence de siège, à l'exemple des lits ordinaires qui se composent de ciel, dossiers et oreillers ». « Trône du tribunal royal » se tenant au Palais de Justice, le lit de justice était placé dans le coin de la « Grand'Chambre », également appelée « chambre des plaidoyers », parce qu'elle était la seule où l'on plaidait et que l'on nommait parfois la « grand'voûte » ou « chambre dorée », à cause des culs-de-lampe dorés dont Louis XII avait fait orner le plafond.

Pour rejoindre sa chambre ou sa garde-robe, le seigneur réclamait ses *tortis*, deux cierges tordus en spirale que des valets portaient, ainsi qu'un hanap de vin chaud pour favoriser le sommeil. Le seigneur se faisait alors apporter les clefs du château, un lourd et bruyant trousseau, s'assurait que le pont-levis était bien remonté, que le guetteur était dans la guette du donjon et, précédé de ses serviteurs, suivi par la châtelaine entourée de ses *meschines,* il montait se coucher. Parvenu dans la chambre ou à la garde-robe (?), le chambrier, plus souvent un simple valet de confiance, l'aidait à se déshabiller et disposait ses habits sur la perche tendue non loin du mur, comme le voulaient les exigences de la civilité : « Vous devez étendre sur la perche vos vêtements de drap et vos fourrures. Votre chemise et vos braies auront leur place sous le traversin. Et le matin, en vous levant, vous passerez d'abord votre chemise. » Puis il faisait sa toilette, qui consistait le plus souvent à se laver les pieds, se couvrait la tête d'un bonnet ou d'une étoffe fine et se couchait, quoi qu'en dît ou plutôt que désirât l'Eglise, nu.

Du XIIᵉ au XVᵉ siècle, la chemise fut un vêtement de jour que l'on retirait en se mettant au lit, car c'eût été faire injure à une femme avec qui l'on partageait sa couche de garder sa chemise. Il était normal de coucher « nu à nue », comme le rappelle une expression fréquente chez les trouvères. Lorsque l'on voulait prouver à une femme le peu d'affection ou de respect qu'elle inspirait, on gardait sa chemise. Chrétien de Troyes, dans *Le Chevalier à la charrette*, à la fin du XIIᵉ siècle, décrit à un moment Lancelot obligé de coucher chez une femme qui ne possédait qu'un lit. Cette femme était tombée amoureuse de son hôte, mais le chevalier ne partageait pas le même sentiment et, pour le dire, se coucha en ayant soin de garder sa chemise. Il n'en fallut pas plus pour que l'hôtesse comprenne et s'éloigne de la couche.

Réserves et audace

La châtelaine, derrière les *courtines* (fin du XIIe siècle, du bas latin *cortina*, « tenture »), était aidée de ses *meschines* (de l'arabe *miskin*, « pauvre », passé par l'italien *meschino*, apparu au XIIe siècle, désigne plutôt des jeunes servantes et donnera *mesquin* en 1611) pour enlever sa *cotte-hardie*, longue robe serrée au cou, à la taille et aux poignets qui descendait jusqu'aux talons, parfois recouverte d'une *sur-cotte*, sorte de large fourreau à manches. Ce vêtement d'abord féminin se généralisa et permit soit d'avoir des manches amovibles, soit de laisser sortir les manches dont on commandait plusieurs paires de couleur et de forme différentes et que l'on laçait au costume. Ces manches s'offraient comme gage d'amour ou comme récompense à un tournoi et sont à l'origine de l'expression : « C'est une autre paire de manches. »

Pendant le déshabillage de sa dame, l'époux et sans doute les chevaliers, sinon visibles du moins audibles à travers de minces cloisons ou des tentures, font des *gabs*, des devinettes, à moins qu'une pucelle comme Hélissande, étendue en quelque lit de la chambre, ne tire de sa parfaite éducation, mélange de réserve et d'audace, une chanson directement adressée à celui dont elle rêve, le comte Amiles, qui n'est peut-être qu'à une portée d'oreille. Cette chanson dont les paroles ne firent rougir ni l'auteur ni les auditeurs, habitués à la hardiesse, ou plus précisément à l'absence de pruderie des jeunes filles disait :

> *Le comte Amiles gît la nuit en la salle*
> *En un grand lit brodé et de cristal.*
> *Devant le comte brûle un grand candélabre*

Et la pucelle de sa chambre regarde.
Ah! Dieu, dit-elle, bon Père charitable,
Vit-on jamais homme de si fier vasselage,
De telle prouesse et de tel baronnage
Qui ne me daigne aimer, ni me regarde.
Mais par Jésus, le Père charitable,
J'accomplirai ce que je veux de grâce.
Je chasserai si bien les autres femmes,
Que chaque nuit en son lit m'en irai.
Je coucherai dessus les peaux de martre.
Il ne me chaut que le siècle me regarde,
Ou que mon père me fasse chaque jour battre,
Il est trop bel homme!

Elle exécuta son projet avec le secours de « Jésus, le Père charitable ». Ces pucelles du temps de Philippe Auguste, des jeunes filles de treize, quatorze ans, n'étaient guère bégueules avec les chevaliers qui, fatigués par une longue course, arrivaient au château. Avec les autres damoiselles, elles déshabillaient, baignaient et massaient le nouvel arrivant pour lui rendre toute sa vigueur et sa superbe, ne dépassant jamais certaines limites, sachant très bien contenir les entreprises d'un chevalier un peu trop ardent et préserver leur pureté.

Une vie onirique

Mais, une fois de plus, revenons à notre chambre, où quelques plaisanteries plus ou moins salées vont encore fuser de la bouche des uns et des autres dormant alentour jusqu'à ce que l'inspiration et les forces de chacun s'épuisent. La nuit ouvre ses portes aux *Clés des songes* et à la vie onirique, contre laquelle personne ne peut rien.

Le rêve est conçu comme un monde en soi et un moyen qu'utilisent les héros inspirés et « visités » des fictions médiévales. Dans *La Chanson de Roland*, *La Quête du Saint-Graal*, *Le Roman de la Rose*, *Le Songe du vieil pèlerin*, *Le Songe du vergier*, l'incertitude d'un vrai sommeil ou d'une fausse veille se glisse dans les brumes de la nuit où l'illusion peut s'imposer au dormeur. Joies d'amour ou peines de cœur, signes, fantasmes, la temporalité du sommeil se superpose à celle d'une conscience fictive mais bien éveillée qui est celle des héros dormant. Il faut lire ou entendre raconter le rêve de Roland, de Lancelot, de Perceval ou de Guillaume de Lorris, dans *Le Roman de la Rose*, qui refait les gestes de tous pour notre plus grand bonheur : « Une nuit j'allai me coucher comme à l'habitude, or, tandis que je dormais profondément, j'eus un songe qui était très beau et le plus fort [...]. Je rêvai, une nuit, que j'étais en ce temps ravissant où toute créature est poussée par le désir d'aimer. Alors il me sembla, tandis que je dormais, que l'on était au petit matin ; de mon lit aussitôt je me levai, je mis mes chausses et me lavai les mains. » La littérature courtoise présente le don du rêve comme le don de l'amour, pour des individus totalement soumis au contrôle social lignagier personnifié par « Mal Bouche [la médisance], Honte, Peur ou Jalousie » et les murs élevés autour du jardin des Roses. Le rêve exemplaire, celui que l'on fait tout éveillé, est un moyen de s'échapper des contraintes, de la promiscuité domestique et de la tour qui vous retient prisonnier.

Certes l'utilisation du rêve n'est pas toujours aussi rationnelle, celui d'un moine qui voit défiler pendant son sommeil une série de sexes de femmes et qui, tendant la main pour tenter d'en saisir un, se pique sur un fagot d'épines est bien un rêve facétieux du Moyen Age et n'a rien de ces états de *dorveille* parfaitement maîtrisés.

Dans *Flamenca*, la recette est donnée pour plonger en soi-même et faire venir l'élue de son cœur : « Vous, vous ! Vous, Dame, je vous dirai ma Dame toujours, tant que je serai éveillé. Si mes yeux se ferment, au-dehors, je veux qu'intérieurement mon cœur veille avec vous; oui, avec vous, ma Dame, oui, avec vous! » Et l'auteur ajoute : « Il ne put dire l's de noces, il était déjà endormi, et il contemplait sa dame à loisir et sans que rien n'y fît obstacle. Et du reste, il arrive ordinairement qu'on voie en songe ce que l'on désire, qu'on s'endort sur cette pensée. »

Au matin, le rêveur racontait, utilisant la formule consacrée : « Il me faut advis... », et entraînait avec lui, dans un langage codé, ses compagnes et ses compagnons pour une évasion elle aussi codée.

La femme

Or, dans la forêt profonde, comme dans le mitan du lit, le chevalier affronte seul un être inquiétant : la femme. Prouesses d'armes, prouesses d'amour, ces jeux se jouent selon des règles précises en apparence avec, comme toujours, ce qui fait que la vie est vraie, les exceptions qui confirment la règle. Veuve et séparée de son mari parti en guerre ou en croisade, la dame restée au logis n'était pas toujours une virago du type Frédégonde, la femme de Chilpéric. Béatrice de Planissoles, la dame de Montaillou, avoua devant l'inquisiteur l'inavouable : « Avoir été violée de jour, du vivant de son premier mari, mais dans sa chambre et à l'abri de la cloison; veuve et libre dans son château avoir été surprise à la nuit tombante dans son lit par son majordome qui l'attendait caché sous le lit et qui, les feux éteints, se glissa dans sa couche tandis qu'elle mettait de l'ordre dans sa maison. Elle cria, appela ses servantes qui " couchaient près d'elle en d'autres lits, dans sa chambre ". Remariée, elle avoue avoir cédé à un prêtre, de jour mais dans la cave, une servante faisant le guet; de nouveau veuve, avoir attiré chez elle un autre prêtre, s'être donnée à lui dans l'entrée, près de la porte. » Elle recommença de jour mais attendit que ses filles et ses servantes se soient éloignées.

Dans la biographie de Robert le Pieux, écrite par le moine Helgaud au début du XIe siècle, on trouve une anecdote également significative : Hugues Capet, passant de jour d'une pièce à l'autre, y découvrit un couple qui forniquait entre deux portes, et jeta son manteau dessus. L'acte sexuel, l'acte le plus privé de tous, devait être dissimulé aux regards et devenait scandaleux s'il se pratiquait de jour.

Ainsi en allait-il de la fornication dans ces grandes demeures surpeuplées que la pénombre servait bien. Quant à l'*Histoire du petit Jehan de Saintré*, elle est le récit type d'une châtelaine délaissée et mélancolique qui se console avec un jeune page. L'important dans le fond, et quels que soient les recommandations et l'enfermement des femmes, est pour le seigneur et la lignée qu'elles ne quittent pas l'espace domestique, qu'elles ne fassent pas comme Tristan et Yseut qui « fous d'amour se sont enfuis dans l'espace de la déraison, dans un pays étranger ».

L'homme courtois, généreux et hardi demande à la femme « une contenance belle et simple ». Les moralistes vont un peu plus loin. Robert de Blois a choisi de veiller sur les pucelles et leur recommande de « se bien conduire dans le monde. Dames doivent savoir parler avec grâce quand elles sont en société mais ne point trop bavarder non plus, car elles passeraient pour pédantes et irréfléchies, tandis que les silencieuses sont jugées sottes. A l'égard des hommes, il leur faut être à la fois avenantes et réservées : point trop de prévenance si elles ne veulent pas être taxées d'effronterie ». A ces conseils il ajoute qu'elles se gardent néanmoins d'une excessive pudeur au risque de passer pour fières. On semble donc aimer la femme hardie, qualité recherchée, pour qu'elle puisse au départ du seigneur diriger un château, mais, à moins qu'elle ne se destine au couvent, « il est bon qu'une femme ne sache ni lire, ni écrire ». « On ne pourra ainsi lui communiquer bien des galanteries que l'on hésiterait à lui dire en face; sans compter que le diable est si malin qu'il inspirerait parfois aux plus sages d'entre elles le désir de répondre », note Suzanne Comte.

Des gestes intimes

Suit une série de recommandations négatives qui nous livrent, bien entendu, quelques renseignements sur des gestes intimes et sans doute courants entre mari et femme : « Ne vous laissez pas mettre la main au sein sinon par votre mari », geste représenté sur la très belle et très réaliste console du XIVᵉ siècle, dans le transept sud de la cathédrale Saint-Etienne d'Auxerre; « ne vous laissez pas baiser sur la bouche [...] sinon par celui à qui vous êtes toute » (qui n'est pas fatalement l'époux, puisque le moraliste ne précise pas). N'imitez pas les coquettes dont

> Certaines laissent défermée
> Leur poitrine pour que l'on voie
> Combien leurs seins sont beaux et droits.
> Une autre laisse tout de gré
> Sa chair apparaître au côté
> Sa jambe toute découverte.

Coquetteries qui ne semblent pas déplaire aux jeunes chevaliers, mais qui choquent les prud'hommes et les gens d'âge pour qui cela est signe de *puterie*. Le conseil le plus souvent prodigué est de ne pas regarder les hommes « comme l'épervier qui fond sur une alouette ».

Quelle que soit l'apparente liberté des gestes et des paroles des jeunes pucelles, le contrôle du père ou du mari est total sur cette tour réputée imprenable qu'est la femme. A la dame, il ne reste qu'à émettre de muets mais éloquents signaux, à délivrer ses messages d'amour par le regard. Expression de la parole intérieure développée par le genre romanesque, les corps parlent dans la clandestinité et les émetteurs en sont de petits gestes, la façon d'arranger son vêtement, des senteurs et surtout des regards. Que de pesants silences et d'aveux contenus, de cœurs gonflés et de visages « mélancoliques » devant un « blanc chevalier » ou le « chevalier à la charrette », qui, dissimulé derrière le ventail de son heaume, conquiert les « regards » des dames tout en s'en protégeant.

Des regards

Le Moyen Age se plaît à créer, à décrypter les signes et, face à ces regards intenses, voit l'émergence de l'image qui peut surgir d'un objet, d'un intermédiaire ou être tout simplement un portrait, comme cette « douce image », cette « douce semblance » que Guillaume de Machaut avait reçue de sa dame : « Je m'en allai, dit-il, à vive allure, tout seul, sans nulle compagnie, et m'enfermai dans ma chambre. » Il plaça « l'image plaisante et pure, qui était représentée par la peinture » au-dessus de son lit, afin de la contempler, de la parer et de la toucher...

La fonction charnelle du regard et, par miroir, l'image palliait peut-être la morale officielle du corps dont le principe repose sur le respect. Un corps qu'il faut soigner parce qu'il est le trône de l'esprit et chérir, comme dit saint Paul; chérir comme les maris doivent chérir leurs femmes : garder la distance, se méfier, car le corps comme la femme est tentateur, il porte les autres au désir et, surtout, il porte à se désirer soi-même! L'idéologie ecclésiastique émerge du nuage de l'amour courtois; elle réapparaît là où elle peut, lorsque les corps sont « nu à nue ». Les moralistes n'aiment pas l'eau; ils n'aiment pas les soins indiscrets qui dévoilent les attraits du corps, ils n'aiment pas les étuves et les bains où les hommes se baignent en compagnie des femmes. L'idéal serait de cacher et de renoncer à ce corps, de boucher ces organes par où pénètrent le goût du monde et le péché, en poussant l'ascétisme jusqu'à les abandonner à la vermine.

La lutte est âpre entre la société ecclésiastique et la société laïque où la culture et la mode citadine poussent à plus d'ouverture, à un corps plus présent, comme le montre la brusque métamorphose du XIVe siècle où l'on passe d'un extrême à l'autre : les longs et amples vêtements en faveur depuis le règne de Philippe Auguste sont tout à coup détrônés par des habits courts, collants et étriqués, qui exposent le corps et ses attributs, tant masculin que féminin. Dans les églises, les sculpteurs exposent des corps non plus torturés par le mal, mais radieux et invitants, comme l'*Eros* d'Auxerre, non loin de la console du couple se caressant dont j'ai parlé plus haut, femme nue chevauchant un bouc. Satan s'attaque à la *pudenda*, pudeur que l'Eglise aurait pourtant voulu voir régner!

Au seuil du XIVe siècle, écrit Henri de Mondeville, s'achevait une longue période de progrès continu, au cours de laquelle il semble bien que le corps – dans le reflux de l'idéologie du mépris pour le charnel et avant que ne s'appesantisse sur le christianisme occidental la chape de la culpabilité sexuelle – ait été lentement, irrésistiblement réhabilité. C'est dans ce courant qui rétablit la personne, l'identité personnelle, que l'idée du beau s'affirme au sein du collectif et du privé.

IV

LE TEMPS DES SENTIMENTS

Et quand je suis quasi toute cassée
Et que me suis mise en mon lit lassée
Crier me faut mon mal toute la nuit.

Louise LABÉ,
Sonnets.

La bourgeoisie fait sécession

Beauté et confort, pour ne pas dire luxe, firent leur apparition dans cette bourgeoisie qui, pour reprendre le mot de Philippe Ariès, « fait sécession ». Elle se retire de la vaste société polymorphe dont elle ne supporte plus ni la pression, ni la multitude, pour « s'organiser à part, en milieu homogène, en familles closes, dans des logements prévus pour l'intimité, dans des quartiers neufs, gardés de toute contamination populaire ».

Contrairement à l'ancienne société, dont la caractéristique domestique était de concentrer le maximum de genres de vie dans le minimum d'espace et de juxtaposer, de faire se frôler les extrêmes, la bourgeoisie, exaspérée par les riches et honteuse des pauvres, se ferme sur elle-même. Sa nouvelle intimité implique un besoin de confort, confort qui accentue encore les inégalités et implique qu'à chaque mode de vie correspond un espace réservé qui lui est propre. Cette société propose un modèle conventionnel idéal, dont les membres ne peuvent s'extraire sous peine d'excommunication : « Le sentiment de la famille, le sentiment de classe et peut-être ailleurs le sentiment de race apparaissent, écrit Ariès, comme les manifestations de la même intolérance à la diversité, d'un même souci d'uniformité. »

Les maisons s'ouvrent

Les maisons fortes et crénelées dépourvues d'espace et de confort qui abritaient la bourgeoisie aisée du XIIIᵉ siècle cèdent la place à des demeures plus ouvertes, plus spacieuses, construites en brique ou en pierre. Des détails sur la façade les enjolivent, comme ces « palais » de Toscane où l'on voit apparaître des colonnettes de marbre aux fenêtres, des lanternes, des ferronneries diverses, des frises au bord des toits suggérant une évidente aisance.

C'est en ville que la disparité des logements, comme des fortunes, est la plus grande. Pour les gens pauvres ou mal insérés dans la vie sociale, habiter en ville, c'est devoir se contenter d'un logis très sommaire en bois et en torchis relégué sur la cour, la façade sur la rue étant réservée aux habitants plus aisés. Comme le remarque Charles de La Roncière, dans le portrait qu'il a brossé de la vie privée des notables toscans, l'habitation bourgeoise se caractérise par l'importance et la diffusion d'éléments nouveaux, tant par leur ampleur que par leur simultanéité; l'usage privé, et non plus commercial, du rez-de-chaussée et la démultiplication des salles et des chambres. L'élargissement sur deux étages de la vie du ménage, l'attribution spécifique de lieux privés : chambres des parents, des enfants, des domestiques, des différents couples, et la mise en valeur de la cour comme centre esthétique et festif de la demeure, tout en respectant le tissu urbain, sont un des changements incontestables de l'habitat au XVe siècle. Les vrais palais qui, à partir de 1440, se mettent en place çà et là dans les villes, sur des pâtés de maisons entièrement arasés et aménagés en superbes jardins clos de murs, se différencient, certes, des demeures bourgeoises par leur magnificence, mais sont bien, à une échelle plus grande, cet écrin fastueux et protecteur du sentiment tout neuf et survalorisé de la famille conjugale et de l'individu supérieur qu'elle y façonne.

Dans les douze, quatorze, vingt ou trente pièces que l'on peut dénombrer dans ces palais, le plus souvent aménagés dans de vieilles maisons restaurées, la famille large de l'aristocratie florentine, pour ne citer que celle-là, poursuit sa carrière luxueuse dans un cadre aménagé à ses goûts et proportionné à ses moyens.

Le superflu entre dans la chambre

Le confort du mobilier est un privilège urbain et le symbole de la réussite. L'inventaire d'Antonio, peaussier florentin, profession peu considérée, comporte, en 1393, cinq cent cinquante-trois numéros correspondant aux objets répertoriés dans les huit pièces de sa maison, dont quatre chambres. Il dispose entre autres de neuf lits, dont cinq sont entièrement garnis. La veuve d'un fourreur détient dans sa chambre une dizaine de coffres, qui vont des grosses *cassapanche*, entourant le lit et servant de bancs, aux *cassoni* – coffres ouvragés ayant contenu son trousseau –, aux *forzieri*, coffrets renforcés de métal, et aux *cassoncelli* – autre variété de *cassone* – ou à la simple boîte peinte (les armoires sont rarement citées au XVe siècle).

Cette vogue des coffres est liée au besoin naissant de ranger biens et effets, devenus plus nombreux depuis la hausse générale du niveau de vie. Cette hausse est la conséquence de la grande peste noire qui s'abattit sur l'Europe de 1348 à 1350, de la dépopulation qui s'ensuivit, mais surtout de la mutation en quelques décennies de la manière de vivre et de penser dans l'ensemble du monde occidental. Ce changement tient aussi au déplacement en Europe des pôles de développement, qui étaient auparavant situés dans la moitié nord de la France et qui ont glissé vers l'est et vers le sud pour s'établir en Italie, accessoirement en Espagne et dans l'Allemagne du Nord.

Tout à coup, pour les aristocrates rescapés de la peste, pour la classe bourgeoise qui se découvre, la nature des choses matérielles n'est plus à négliger; le mépris du monde et des apparences des chevaliers éthérés et des intellectuels ascètes n'est plus, dans cette vie si courte que hante le spectre de la pestulance, le modèle à suivre. Les biens de ce monde sont à prendre tout de suite et à consommer sur place. Et si les meubles sont encore assez rares dans les salles et autres lieux communs, les chambres, pour les plus riches, se meublent de plus en plus (des inventaires des années 1380-1420 à Venise dénombrent jusqu'à trois cents objets dans une seule chambre) et deviennent le centre de la vie où s'exprime cette nouvelle chaleur.

La chambre, tout en conservant l'usage de la pièce réservée par excellence au repos et au sommeil, connaît un emploi diurne constant et multiple qui est nouveau : on y travaille, on y prie, on y lit et on y reçoit beaucoup pour deux raisons; d'une part parce que c'est le seul endroit vraiment confortable de la maison et d'autre part parce que c'est ici que l'on amasse, que l'on montre et surtout que l'on surveille ses trésors. Bijoux, vaisselle, linge de table, vêtements (pliés et rangés et non plus suspendus), papiers personnels, livres, etc. Tout est serré dans des coffres, très peu d'objets et peu de bibelots sont exposés. Au milieu de la chambre trône le lit, faste paisible, non volatil, symbole massif de l'harmonie conjugale et familiale.

La chambre des secrets

C'est au sein de l'âme palpitante et chaude de la chambre à coucher que l'on file, converse, dorlote les enfants, cause des bons usages à leur donner, du patrimoine et que, du bavardage, on passe aux jeux de société et aux jeux de mots. A moins qu'on ne s'y isole pour des raisons sentimentales, comme Madonna Fiammetta, séparée de celui qu'elle aime : « Plus volontiers seule qu'accompagnée [...] ouvrant un coffret [...] je reprenais ses innombrables lettres et ressentais à les relire un réconfort semblable à celui que j'aurais eu à lui parler. » On s'y livre aussi avec une couturière à l'essayage secret d'une robe ou, en bonne matrone, on s'y retire pour rédiger du courrier et faire la comptabilité des dépenses du ménage. L'épouse, à la fin du XVe siècle, est coresponsable avec son mari, sinon maîtresse totale, reine d'intérieur, de la marche de la maison; elle découvre aussi, avec la pénétration des goûts humanistes et du mobilier qui les accompagne, livres et pupitres, un rôle et une activité intellectuelle qui ne vont pas cesser de croître jusqu'au XVIIIe siècle.

Advient le luxe

« Une chambre de satayns bleus ovrée de bordure a.v. compas aux armes de Mademoiselle d'Osteriche, garnie de plain ciel, de dossier, de quarte pointe, de courtines de cendal, de X carreaux de mesmes, ovrés de bordure aux armes de madicte damoiselle, et aussi garnie lacdicte chambre d'une couverture de lit d'ouvraige de haute liche, de III tapis pour tendre par les paroys, d'une couverture de couche, d'un bouquier et carreaux de laine, armoyez comme dessus et de III marchepieds [descente de lit] à mettre autour le lit et d'une couverture de drap bleu fourré de menu vair. » Voilà, parmi la profusion de documents des XIVe et XVe siècles, la description d'une chambre qui, comme le note Philippe Contamine, ne compte pas parmi les plus extravagantes et qui accompagna Catherine de Bourgogne en 1393 lorsqu'elle entra par son mariage dans la famille des Habsbourg. Des chambres d'un luxe inouï, la bourgeoisie, sur le modèle des puissants, s'en offrit aussi, avec l'indéniable souci de les décorer « de serge violette, de camelot jaune, de cendal vermeil, de tartaire vert rayé d'or, de velours bleu semé de fleurs, de soie vermeille, de satin vert brodé de cerfs-volants, de cendal bleu clair enrichi », etc., ainsi que les décrit Havard dans son *Dictionnaire de l'ameublement et de la décoration*. Les *tapis velus* tant sur le sol que sur les meubles et sur les murs, les toiles et les rideaux de serge aux fenêtres et servant autour du lit, à ciel et à dossier, firent irruption dans les demeures dans les années 1380.

Les grands lits communs du Moyen Age finissant firent place (chez les riches) à des lits individuels aussi nombreux qu'il en était besoin lors des fêtes. L'inventaire après décès de Pierre Legendre, trésorier de France, énumère une vingtaine de lits de divers confort, généralement répartis par paires (une couche plus une couchette) dans les chambres et garde-robes de son hôtel parisien de la rue des Bourbonnais. Au total, dans ses trois résidences principales meublées – il faut ajouter à celle de Paris ses manoirs d'Alincourt et de Garennes –, Pierre Legendre disposait de soixante-dix couchages, auxquels il faut ajouter des bois de lit et quelques berceaux, sans compter les lits de camp. Ces lits de réserve ne furent sans doute que rarement utilisés, mais on peut imaginer l'encombrement qui avait lieu dans l'ensemble des pièces de la maison les lendemains de fête.

Le premier investissement financier est mobilier : il convient de disposer d'un vrai lit de ménage (que l'on tient souvent du père du marié). Meuble de base, cet objet prestigieux apparaît dans les inventaires comme sur les peintures et ce avec la literie la plus complète possible, telle que nous l'avons décrite. Monuments d'intérieur, certains lits atteignent trois mètres de large, surface agrandie par les coffres-bancs qui les entourent et que rehaussent les courtines. La courtepointe, tantôt bariolée, à chevrons ou à échiquier en Italie; tantôt rouge et bleu ou même blanc hermine selon la mode, recouvre l'ensemble et transforme en apparat ce que cachent à moitié les courtines élégantes et coulissantes. Des angles de la pièce où ils étaient, de plus en plus entourés de coffres de rangement, les lits, par commodité d'abord puis par habitude, migrent vers le centre de la chambre où, comme le niveau social, ils s'élèvent et s'imposent. L'aisance s'exprime à travers ces lits de parade et implique un confort qui ne s'arrête pas au moelleux de la plume, mais tient à l'isolement autant social que matériel de l'extérieur.

La chasse aux courants d'air

La chasse aux courants d'air, que les cossus dormeurs narguent déjà à l'abri des courtines, s'étend à l'ensemble de la pièce et même de la maison. La petite fenêtre ou meurtrière des chambres hautes du XIIe siècle, que l'on bouchait par un carreau de papier huilé ou de corne amincie, au travers de laquelle le jour passait à peine mais qui garantissait des vents vifs qui battaient le donjon, fit place, dans les maisons particulières, à des ouvertures plus larges. Or, ces ouvertures en arcs se prêtaient mal à des fermetures mobiles dont le linteau risquait de se déformer et de ne plus être ajusté. On eut donc recours à des arcs de décharge et à des linteaux d'encadrement, mais, jusqu'au XIIIe siècle, les fenêtres étaient dépourvues de châssis dormants et les panneaux vitrés battaient directement contre la pierre de l'édifice. Ce n'est qu'au XVe siècle que la pratique des châssis dormants deviendra courante.

Si la parade traditionnelle contre les intempéries et la lumière était l'utilisation de volets intérieurs ou, plus légère, de rideaux accrochés à des perches, elle restait pratiquement inefficace contre le froid. La fermeture des fenêtres, pour laquelle, dans le Nord, on utilisait le papier huilé (l'industrie papetière est venue de Chine au XIIIe siècle), se faisait le plus souvent par des claies d'osier ou une toile cirée transparente tendue sur des châssis. Ces *toiles verrines* étaient enduites d'une composition où entraient de la cire blanche et de la résine ou de la térébenthine. En Italie les fenêtres « drapées » *(finestre impannate)*, châssis fixe tendu de toile de lin imprégnée d'huile pour la rendre translucide, permettaient d'obturer les ouvertures sans les aveugler. Quant au vitrage, rare et analogue à celui des églises, il s'agissait de petits panneaux de verre sertis dans du plomb. Mais ce qui est original en France, c'est la naissance du verre plat utilisé pour le vitrage ou, plus exactement, du « plat verre », obtenu par soufflage d'une sphère que l'on perce et ouvre, comme une tulipe, sous l'effet de la force centrifuge qui la transforme en un cercle plan, plus épais au centre et, comme on peut encore le voir aujourd'hui sur des carreaux anciens, portant au milieu la marque de la tige à laquelle il était fixé. Cette invention date du début du XIVe siècle et est à l'origine du privilège accordé en 1330 par le roi Philippe VI à Philippe de Caqueray, seigneur de Saint-James, de construire la verrerie de La Haye en Normandie.

Cette verrerie (*vitrier*, celui qui vend, coupe et pose des vitres, apparaît en 1730), avec celles des familles Brossard, Le Vaillant et Bongars, existera jusqu'au début du XIXe siècle. La technique dite de « coulée sur table », sur laquelle nous reviendrons, n'apparaîtra qu'à la fin du XVIIe siècle. Tout le monde ne pouvant s'offrir ce luxe le volet, bien qu'inopérant contre le froid, restait la protection la plus répandue contre les voleurs, la lumière et le vent.

Mais l'époque implique le raffinement et, pour ces demeures bourgeoises, il ne s'agit plus de boucher grossièrement les ouvertures. Société tempérée, la bourgeoisie aime jouer avec les nuances; par un jeu de découpage et d'articulation, on crée à Florence un volet qui allie l'utile à l'agréable. Il s'agit de soulager les lourds panneaux de bois massif de leurs charnières horizontales pour en faire des volets intérieurs à deux battants, partiellement articulés autour de deux axes verticaux, où la pénétration de l'air et de la lumière est modulable, invention annonçant les *guichets* et les *jalousies* (leurs premières mentions remontent aux années 1390-1400 dans les comptes des hôpitaux florentins). L'usage s'en répandra largement dans la seconde moitié du XVe siècle. Non seulement on embellit et renforce les huisseries, mais on se verrouille : barreaux aux fenêtres, barres encastrées perpendiculairement aux portes et aux volets, serrures impressionnantes et compliquées cherchent à rendre inviolables les demeures que l'on ne veut plus partager n'importe comment et avec n'importe qui.

Etre « chez soi »

Bien à l'abri, il fait bon chez soi, comme l'indiquent les représentations, peintures et gravures, qui, plutôt timides et refoulées au Moyen Age, vont se développer en Occident, témoignant l'extraordinaire puissance du sentiment de « privé », jusque-là inconsistant ou négligé. Etre chez soi, ce n'est plus être dehors, ce n'est pas être en représentation; c'est, calfeutré – mot de l'époque (1382) –, se mettre en habit de ménage, vêtement usé ou ridicule, ou même se dénuder à moitié, soit parce qu'il fait trop chaud, soit pour se chauffer devant l'âtre, comme ce couple dans l'intimité de sa chambre sur une vignette illustrant *Les Heures de Louis de Laval* (fin du XVe siècle) : la femme debout, robe relevée jusqu'à mi-cuisse, l'homme assis, manteau ouvert, jambes écartées et mains tendues vers la cheminée. Ou encore, ainsi qu'on peut le voir dans une miniature des *Très Riches Heures du duc de Berry* : une chaumière vue en coupe représente trois personnages, jupes largement retroussées, se chauffant devant les hautes flammes de l'âtre.

A la veillée la famille se retrouve, racontant les histoires du jour ou ressassant les projets et les soucis, dont les principaux semblent, de tout temps, avoir été la fiscalité oppressante, les enfants qui arrivent coup sur coup et qu'il faut nourrir comme les vieilles personnes que l'on écoute poliment hésiter sur la généalogie... Les moralistes, semble-t-il, se plaignent de la grivoiserie des conversations privées et de ce que, même dans les familles les plus saintes et les mieux élevées, chacun « exhale son amertume en paroles violentes », selon l'expression du biographe de sainte Catherine de Sienne jugeant sa famille. Dans la haute société et chez les humanistes, on parle aussi le soir à la veillée, mais pour élever la banalité quotidienne au niveau d'une conversation érudite, l'habitude étant de préférer au « futile » le « magnifique ». Enfin, quand les fileuses se lassent, que les enfants piquent du nez, que les bâillements recouvrent les tentatives de sermon du père de famille et que les lampes et chandelles vacillent devant un feu mourant, l'heure de se coucher arrive et chacun, si la famille est riche, rejoint sa chambre ou, si elle l'est moins, partage son lit avec un ou plusieurs autres, les parents gardant parfois un ou deux enfants dans le leur. On peut dormir en chemise, mais on dort encore plus normalement nu, coiffure exceptée.

La connivence amoureuse

Certains couples, une fois la porte verrouillée, se mettent à genoux au pied du lit pour faire une courte prière avant de se hisser dans leur haut et grand lit. Si les activités de la journée n'ont pas épuisé l'un ou l'autre des époux, si l'humeur est à la tendresse plutôt qu'aux doléances et aux sarcasmes, après un caressant épouillage et autres attouchements, les médecins italiens recommandent, pour que la grossesse se passe bien et que l'enfant soit beau, que la femme *farsi ardentemente desiderare*. A l'abri des courtines tirées, le couple ne fait plus qu'un. Les moralistes et les prédicateurs soupçonnent l'épanouissement du couple, ou plutôt de la femme, et le réglementent assez sévèrement par des textes pour ne pas conforter en habitude des penchants qu'ils jugent peu humains. Mais à travers leurs réticences, on devine que les couples d'alors connaissaient et utilisaient des positions que l'astuce, la malice des épouses et une longue connivence amoureuse – dont le plaisir n'est pas exclu, bien au contraire – entraînaient malgré tout.

De la contraception

Maîtriser des procédés préservatifs ou contraceptifs à une époque où les prédicateurs ont, sinon la haute main, du moins la haute voix sur la chambre à coucher ne nous semble pas évident. Pourtant, la situation démographique au XVe siècle révèle, au moins chez les femmes mûres (plus de trente ans) de la petite bourgeoisie dont les maternités s'arrêtent bien avant la ménopause, l'existence de tels procédés. La résistance nataliste féminine s'oppose aux soi-disant performances sexuelles des hommes que clament les conteurs, s'exprimant volontiers en psaumes ou en *Pater*, en hommage aux clercs et aux moines, champions toutes catégories de ce genre de sport. Si la pratique du *coïtus interruptus* n'est nulle part ni condamnée ni affirmée, à l'acharnement que déploient les moralistes à condamner une autre pratique contraceptive et à mettre en garde l'ingénuité des jeunes épouses, on peut penser, au moins dans les villes de Toscane, comme en témoigne La Roncière, que la pratique, probablement récente, de la sodomie conjugale était assez répandue au début du XVe siècle.

La bonne marche des affaires (il y a du travail pour tous à la ville), l'intense joie de vivre qui s'exprime en tout domaine à partir des années 1450, l'attention portée à la nature, au cadre de l'existence, aux plaisirs de la table et de la chair, ce plaisir que dénoncent avec toujours plus de vigueur les prédicateurs entre deux récurrences pesteuses, eurent des répercussions en matière de mœurs. La sexualité sortit de la clandestinité du privé pour devenir une affaire publique dans les bonnes villes françaises du XVe siècle.

Les prostibula publica

Jacques Rossiaud, dans son étude sur la prostitution et la sexualité dans les villes françaises au XVe siècle, parle des *prostibula publica*, qui existaient même dans des agglomérations tout à fait médiocres et qui appartenaient à la commune ou dépendaient de l'autorité seigneuriale lorsque la ville n'avait ni corps ni collège. Espaces protégés où s'exerçait officiellement la fornication, les bordels publics – le mot n'apparaîtra qu'en 1609 –, auxquels il faut ajouter les *bains* et les *bordelages privés*, existaient, tolérés par le voisinage et nullement en marge de la vie sociale. A Dijon par exemple où, en 1485, on en comptait dix-huit, treize de ces établissements étaient « dirigés » par des veuves ou des épouses d'artisans tout à fait honorables. Ce qu'il nous faut retenir de l'institution du *prostibulum*, à travers les relations judiciaires dijonnaises des « gracieuses contenances qui se faisaient ès chambres » de couples éphémères, c'est l'impression d'une sexualité tranquille, correspondant à l'érotisme contenu dans les recueils de devinettes obscènes compilées au milieu du XVᵉ siècle dans les pays bourguignons, qui ne contrevient apparemment en rien aux normes des relations conjugales.

Le « bordel », garant de la famille

La prostituée ne s'oppose pas à la famille ni au mariage, cette « victoire sociale » toute récente et, dans les transpositions littéraires, elle surgit même parfois pour venir en aide à une famille en détresse. Conséquence des épidémies et de la surmortalité féminine, les ruptures de couples étaient fréquentes et les secondes ou troisièmes noces fort nombreuses.

Dans le chapitre VI du *Tiers Livre*, intitulé « Pourquoi les jeunes mariés étaient dispensés d'aller à la guerre », Rabelais fait dire à Pantagruel quelques vérités qui, même si elles datent de 1545, confirment les traces que les documents nous ont laissées des préoccupations de l'époque : « Selon mon opinion, répondit Pantagruel, c'était afin que la première année ils jouissent de leurs amours à loisir, travaillent à produire des descendants et fassent provision d'héritiers – ainsi du moins, si la deuxième année ils étaient tués à la guerre, leur nom et leurs armes restaient à leurs enfants – et aussi afin qu'on se rende compte avec certitude si leurs femmes étaient stériles ou fécondes (car un essai d'un an leur semblait suffisant, vu qu'ils ne se mariaient pas prématurément) pour mieux convoler avec elles en secondes noces après le décès des premiers maris : celles qui seraient fécondes iraient à ceux qui voudraient proliférer, celles qui seraient stériles, à ceux qui n'en auraient pas le désir et qui les prendraient pour leur vertu, leur culture, leur bonne grâce, seulement pour mettre de la gaieté au foyer et de la raison dans la tenue du ménage. »

En dehors même des négociations économiques complexes que représentait le mariage, de l'origine professionnelle ou ethnique, c'est la fraîcheur de la femme qui constituait, surtout pour l'homme installé (et recherché par les jeunes veuves), un élément fondamental de l'union. Plus concrètement, 30 p. 100 des Dijonnais âgés de trente à trente-neuf ans avaient une femme de huit à seize ans leur cadette, et 15 p. 100 des quadragénaires ou des quinquagénaires, une compagne de vingt à trente ans plus jeune qu'eux.

Des femmes fraîches

Dans cette société d'hommes établis, profondément paternaliste, on voit souvent les pères et les maris s'imposer comme les grands responsables de l'éducation. La grande jeunesse de la femme et son inexpérience au moment du mariage la rendent nécessairement tributaire des connaissances de son mari. L'époux, que la législation autorise à corriger les siens, seul maître chez lui, forme son épouse à son métier de femme et, « eu égard à la fragilité de son corps et de son caractère, ne doit lui confier dans le ménage que des responsabilités mineures ». Alberti, dans *I libri della famiglia*, montre comment le vénérable Giannozzo se vante d'avoir fait de sa jeune moitié une ménagère plus qu'accomplie : « Ses dons et sa formation mais bien plus encore mes instructions ont fait de mon épouse une excellente mère de famille. » Un vieux père, dans son extrême pauvreté, n'hésitera pas, malgré l'amour qu'il a pour ses filles et la morale, à les prostituer toutes. Peut-être dans un de ces *prostibula publica* de Bourg-en-Bresse ou de Villefranche-sur-Saône, la « maison des fillettes », que les échevins dijonnais transformèrent en une vaste et confortable demeure.

Dans un moment exceptionnel de sensualité gaillarde ordinairement dépourvue d'inquiétude, la société citadine du milieu du XVᵉ siècle, soucieuse de contenir les turbulences et la brutalité juvéniles, fait de la prostitution publique une institution de paix : les chefs d'hôtel estimant comme le reste de la bourgeoisie que la « bonne police », c'est avant tout la « bonne maison ».

Vivre ensemble dans l'existence quotidienne à l'époque du « nadir » démographique, où les prix céréaliers atteignaient des minima, où les salaires urbains et ruraux connaissaient un relatif équilibre, où la concurrence sur les places d'embauche était pratiquement absente; vivre dans l'exaltation joyeuse de « Dame Nature » et des « rois d'amour », dans des villes où les temps festifs faisaient aux hommes de la cité vite retrouver la campagne, ses bêtes, ses plantes, ses odeurs et ses bruits, c'était, en caricaturant un peu, l'expression apparente de la Renaissance dont chacun avait conscience, fait rare dans l'Histoire.

L'art de mourir

Ces sens « affectifs » que les poètes célèbrent et pour lesquels Rabelais n'est pas en reste sont, dans la chambre, cette cellule privée où l'on peut s'épancher, ressentis avec toutes les nuances d'une sensibilité que l'on pourrait qualifier de « féminine » et qui ne va pas cesser de s'affiner. Car si l'on chante et fait la fête, c'est pour mieux cacher ses souffrances personnelles et familiales, tant physiques que morales : la peste rôde toujours, les mauvais coups sont parfois mortels, les traitements souvent brutaux et si les pauvres vont à l'hôpital, ces « fourrières de la mort », les bourgeois et les riches restent chez eux.

C'est au XVIᵉ siècle qu'apparaît le mot *macabre*, mais

c'est au XVᵉ siècle que se sont multipliées sur les tympans des églises ce que l'on a d'abord appelé les « danses de mort », puis les « danses de la mort » et enfin les « danses macabres ». Danses qui n'évoquent pas seulement la soudaineté du trépas, mais aussi l'égalité devant la mort (on dénombre actuellement cinquante-deux représentations de ces danses en Europe occidentale durant les XVᵉ et XVIᵉ siècles, aucune n'est antérieure à 1400). Mais si l'humour noir nargue la Grande Faucheuse, c'est chez soi que l'on voit ses proches s'aliter, souffrir, agoniser et mourir. Tout le monde ne meurt pas aussi « joyeusement et plaisamment » que la belle Limeuil, l'aînée des filles de la reine Catherine, ainsi que le narre Brantôme dans son Cinquième Discours. Aux approches de la mort, elle fit venir à son chevet son musicien favori et lui dit : « Julien, prenez votre violon et sonnez-moi toujours, jusques à ce que vous me voyez morte, car je m'y en vais, la Deffaite des Suisses, et le mieux que vous pourrés; et quand vous serez sur le mot : Tout est perdu, sonnez-le par quatre ou cinq fois, le plus piteusement que vous pourrez [...] ce que fit l'autre, et elle-même lui aidait de la voix; et quand ce vint à Tout est perdu, elle le récita par deux fois, et se tournant de l'autre côté du chevet, décéda. »

La popularité de l'Art de mourir, un ouvrage allemand de la fin du XVᵉ siècle, reflète l'importance de cette mort pesteuse presque un siècle après l'apparition des premières épidémies. La gravure sur bois qui illustre un de ces ouvrages est tout à fait révélatrice de cette angoisse que tout le monde ne domestiquait pas aussi bien qu'une fille de reine de France. Cette gravure représente un homme couché dans un simple lit de bois, à pieds carrés, avec une tête de lit, un oreiller, un drap et une couette pendant de chaque côté du lit, comme le veut en Allemagne la coutume de ne pas être bordé. De dessous cette lourde couverture, l'homme au visage effaré en un geste d'impuissance, sort sa jambe, le pied en avant, pour repousser le démon qui vient le chercher...

Des sentiments très privés

Côtoyer la maladie domestique, voir mourir des nourrissons, une mère en couches, un enfant, un adolescent – morts d'autant plus bouleversantes qu'en ces temps d'épidémies qui déferlent sur l'Europe elles frappent à coups redoublés les plus jeunes, les plus « innocents » – n'est pas chose rare. Ce sont ces morts qui exacerbent les sensibilités de ceux qui découvrent en même temps l'isolement et la paix du monde privé. Lieu d'expression privilégié et souvent unique des sentiments féminins, la chambre, ou plutôt le lit, dans l'abandon du corps libère l'esprit. Personne comme Louise Labé n'a dans ses sonnets mieux rendu cette sensibilité nouvelle, celle du manque et de l'absence, et révélé le désir profond de purifier l'amour, de l'épurer, loin des réalités terrestres pourtant si pesantes :

Tout aussitôt que je commence à prendre
dans le mol lit le repos désiré,
mon triste esprit hors de moi retiré
s'en va vers toi incontinent se rendre.
Lors m'est avis que dedans mon sein tendre
je tiens le bien, où j'ai tant aspiré,
et pour lequel j'ai si haut soupiré,
que de sanglot ai souvent cuidé fendre.
O doux sommeil, ô nuit à moi heureuse !
plaisant repos, plein de tranquillité,
continuez toutes les nuits mon songe :
et si jamais ma pauvre âme amoureuse
ne doit avoir de bien en vérité,
faites au moins qu'elle en ait en mensonge.

La volupté, l'épanchement des cœurs, les conversations familières, les enfants et même le désespoir et les larmes, tout concourt à développer cette sensibilité que génère et cimente la famille et surtout le couple. Mais la pudeur interdit de parler trop de son bonheur ou de sa détresse. Anne de Bretagne, apprenant à 11 heures du soir la mort à Amboise de Charles VIII, se retire dans sa chambre sans compagnie et y reste cloîtrée vingt-quatre heures. Giovanni di Pagolo Morelli raconte les suites de la mort de son fils Alberto : « Des mois sont passés depuis l'heure de sa mort, mais je ne peux, ni sa mère, l'oublier [...] pendant plus d'un an je n'ai pu entrer dans cette chambre, sans autre raison que mon extrême douleur. » Voilà deux attitudes qui attestent un souci de contenance qui ne s'en remet qu'à soi.

Dans les peintures les visages s'animent, les gestes et les expressions prennent sens : les amants s'étreignent, les époux se retrouvent, les mères pleurent leurs enfants, la Vierge Marie tout comme une autre... L'iconographie sacrée, dans sa maîtrise technique et psychologique croissante, aide aussi à l'affinement de ces sentiments très privés. On entre dans la « chambre des pensées », comme Montaigne, pour se retirer en soi-même ; Montaigne qui s'est « ordonné d'oser dire tout ce que j'ose faire, et me desplais des pensées mêmes impubliables », tels ces aveux : « [...] Le dormir a occupé une grande partie de ma vie et le continuë encores en cet âge huit ou neuf heures d'une halaine. [...] Je m'ébranle difficilement, et suis tardif par tout : à me lever, à me coucher, et à mes repas ; c'est matin pour moi que sept heures, et où je gouverne, je ne dîsne ni avant onze, ni ne soupe qu'après six heures. J'ai autrefois attribué la cause des fièvres et maladies où je suis tombé à la pesanteur et assoupissement que le long sommeil m'avait apporté, et me suis toujours repenti de me rendormir le matin [...] J'aime à coucher dur et seul, voire sans femme, à la royale, un peu bien couvert ; on ne bassine jamais mon lit; mais depuis la vieillesse, on me donne quand j'en ai besoin des draps à echauffer les pieds et l'estomac » (*Essais*, III, 113).

Montaigne ne fait pas que divulguer ses propres secrets d'alcôve, il va aussi prendre des positions philosophiques qui vont nous permettre d'élever les débats de la chambre à coucher...

La querelle des femmes

« Les femmes n'ont pas tort du tout quand elles refusent les règles de vie qui sont introduites au monde, d'autant que ce sont les hommes qui les ont faites sans elles », assure l'auteur des *Essais* (liv. III, chap. 5). La « querelle des femmes » est ouverte, querelle qui passionne les esprits de 1542 à 1550. Au lendemain des guerres d'Italie, une société moins rude, plus galante, plus artiste, plus polie, aux manières raffinées se prépare, accessible au sentiment de la beauté physique et par là même aux complications sentimentales et à la passion presque légitime. La France des écrivains se passionne et, puisqu'il y a querelle, se divise. Deux traditions contraires qui n'ont pas cessé de coexister et de se développer dans notre pays, en ce qui concerne l'amour et les femmes, s'opposent : la « tradition gauloise », d'ordre satirique, parfois même franchement dénigrante, et la « tradition idéaliste », tendant à l'exaltation et au panégyrique du sexe féminin et des sentiments amoureux. La première, comme le fait remarquer Abel Lefranc, n'a pas beaucoup modifié ni sa tactique à travers les âges, ni ses visées de critique systématique; la seconde, au contraire, s'est modifiée suivant les époques, se transformant d'une manière décisive à partir de la Renaissance, « fusionnant en quelque sorte toutes les tendances mystiques, courtoises, sentimentales et philosophiques, et se renforçant, grâce à l'appoint des conceptions antiques, d'éléments infiniment précieux qui lui communiquent un caractère de grandeur et d'élévation qu'elle n'avait point encore connu ». Face à la poussée d'idéalisme des défenseurs du beau sexe (Clément Marot, Mellin de Saint-Gelais, Marguerite de Navarre, Louise Labé), les ennemis du sexe faible, moins connus mais plus populaires, comme Martin Le Franc, auteur du *Champion des dames*, ou Gratien Dupont, dit Gratian, avec ses *Controverses des sexes masculin et féminin*, s'épanchent en invectives et en grossièretés face à ce « danger redoutable ».

Mais c'est avec *La Parfaite Amye* d'Antoine Héroët, de La Maisonneuve, qui met en scène une amante racontant comment et pourquoi elle aime et a aimé et qui se préoccupe de raconter les accidents métaphysiques de son histoire, que la dispute va se développer. De 1542 à 1568, *la Parfaite Amye* va être réimprimée au moins dix-sept fois, succès sans précédent pour l'époque. Héroët occupait une place de choix dans le cercle littéraire de Marguerite de Navarre, à côté de Mellin de Saint-Gelais et de Claude Chappuys, avec lequel il collabora, et aussi des promoteurs de la renaissance du platonisme en France : Bonaventure Des Périers, Pierre du Val, Jean de La Haye et Charles de Sainte-Marthe. « Ce petit œuvre qui en sa petitesse surmonte les gros ouvrages de plusieurs » offrait une véritable codification de l'amour spirituel, appelé alors « honnête amitié », et fut ce que nous appellerions aujourd'hui une bombe dans l'histoire des idées. Il eut surtout pour effet de rejeter dans l'ombre, et pour un certain temps, les ennemis de la femme.

Les mariages désordonnés

« Etant le temps venu que les fières lois des hommes n'empêchent plus les femmes de s'appliquer aux sciences et disciplines », ainsi que l'écrit la Belle Cordière dans une

110

lettre du 24 juillet 1555. Révélateur de cette transformation, ou plutôt de ce glissement imperceptible pour les contemporains au bénéfice de la femme et au léger détriment de l'homme d'alors, est le mariage; les différences d'âge diminuent et les « mariages désordonnés » se font plus fréquents. Ces alliances sont nouées malgré les parents et surtout en dehors du conseil des frères ou de la mère. A Lyon, il semble même que l'éventualité dans les années 1520-1530 du libre choix de son époux par une fille ait été envisagé comme normal dans les strates sociales moyennes. Moins tenues à l'intérieur, les rencontres se font, individuelles, dans la fraternité joyeuse des fêtes et même des manifestations abbatiales où la morale accorde plus de valeur aux plaisirs partagés qu'aux ébats achetés aux « fillettes ». Bref, inconcevable cinquante ans plus tôt, ce type d'alliance « désordonnée », « chose merveilleusement scandaleuse et injurieuse à toute la cause publique », entraînait certes une sanction paternelle – puisque la dot était diminuée de moitié –, mais, facteur neuf, pas le déshéritement de la fille. Cette action paraissait d'autant plus scandaleuse, comme le souligne Jacques Rossiaud, que les courants réformateurs du catholicisme, tout comme les propagandistes protestants, se méfiaient des fêtes et des rassemblements de jeunes, la famille devant rester le lieu privilégié de l'éducation des enfants.

Pudeurs nouvelles

L'Eglise, les Réformés, les autorités – il faut aussi ajouter certains groupes féminins –, chacun, avec ses propres motifs, dénonçait l'impudicité des mœurs. Le franc-parler d'un Rabelais ou d'un Montaigne – il mettra plus d'un siècle à disparaître de la langue française, preuve de la lenteur de son évolution – va subir les assauts de la nouvelle pudibonderie, dont une des puissantes vagues va venir de l'étranger, plus précisément de Rotterdam, avec Erasme. Dans la *Civilité puérile*, publiée en 1530, le philosophe prétend déjà, et d'abord, imposer un langage châtié aux enfants avant de s'attaquer aux adultes : « Les noms des choses qui souillent le regard, souillent aussi la bouche. » « S'il est absolument besoin de désigner quelqu'une des parties honteuses, qu'il emploie une périphrase honnête. » Montaigne se moque de ceux qui craignent plus les mots que les actes : « Ils envoyent leur conscience au bordel et tiennent leur contenance en règle », et il se demande ce « qu'a faict l'action génitale aux hommes, si naturelle, si nécessaire et si juste, pour n'en oser parler sans vergogne et pour l'exclure des propos sérieux et regles. Nous prononçons hardiment : tuer, desrober, trahir; et cela nous n'oserions qu'entre les dents? ». Il n'empêche que, dans sa conception moderne de la femme séductrice, Montaigne pense que la nudité du corps « refroidit l'ardeur sexuelle » et qu'il est préférable, si elle veut séduire, qu'elle cache plus qu'elle ne montre. Quant au plaisir féminin jadis nécessaire à la conception, « il effraie et dégoûte » et même, dit Montaigne, « empêche la fécondation ».

La révolution de l'imprimerie, si elle permet de diffuser les écrits, permet aussi le développement, au XVIe siècle, de la littérature obscène, envers de la pruderie que l'on veut imposer (75 p. 100 au moins de la production typographique entre 1445 et 1520 sont des ouvrages religieux : six mille six cents exemplaires de la Bible en allemand et treize mille cinq cents en d'autres langues en 1520, plus de cent vingt mille psautiers et cent mille volumes du Nouveau Testament).

Brantôme, plus d'une fois, décrit les positions amoureuses, comme le fait l'Arétin, de son vrai nom Pietro Aretino, qui représente les grandes dames de la Cour dans les attitudes les plus osées (il avait à peu près la même réputation que Sade au XIXe siècle). Mais l'imprimerie va apporter avec elle un nouvel attirail répressif : censure, index inquisitorial, autodafés de livres débutent en 1501, avec la bulle d'Alexandre VI Borgia obligeant les imprimeurs à soumettre chaque livre à une autorisation de l'archevêque. Les mots obscènes, chassés d'un coup des conversations, sont remplacés par des périphrases pour éviter les mots « suspects de saletés »; une véritable révolution linguistique du précieux s'opère. L'« outrage aux bonnes mœurs » et l'hérésie au sens large vont radicalement changer la société.

V

TOUT AUTOUR DE LA CHAMBRE

> Un lit nous voit naître et nous voit mourir. C'est
> le théâtre variable où le genre humain joue tour à
> tour des drames intéressants, des farces risibles et
> des tragédies épouvantables. – C'est un berceau
> garni de fleurs; c'est le trône de l'Amour; – c'est un
> sépulcre.
>
> Xavier de Maistre,
> *Voyage autour de ma chambre.*

La société de Cour

Dernière grande formation non bourgeoise de l'Occident, la société de Cour et ses rouages, dont il ne faut pas se cacher que l'empreinte nous marque encore fortement aujourd'hui, est un palier historique important pour comprendre l'évolution de notre mentalité et de notre chambre à coucher.

Vaste « ménage » des rois, la « Cour » de l'Ancien Régime, telle que la définit Max Weber, est une dérivation hautement spécialisée d'une forme de gouvernement patriarcal, « dont le germe se situe dans l'autorité d'un maître à l'intérieur d'une communauté domestique ».

Les réminiscences campagnardes des « hôtels » de la noblesse de Cour ont valeur de symptôme : si les hommes de Cour sont des citadins parce qu'ils ont une vie citadine, leurs liens avec la ville sont beaucoup moins solides que ceux de la bourgeoisie exerçant une activité professionnelle. La plupart des courtisans sont propriétaires d'une ou de plusieurs résidences campagnardes d'où ils tirent leur nom, une grande partie de leurs revenus et où parfois ils font retraite. N'appartenant au tissu urbain qu'en qualité de consommateurs de « luxe », n'eût été le besoin d'une armée de domestiques et le désir de réunir toutes les fonctions dans un seul complexe, leur véritable appartenance est la Cour, structure inébranlable et indispensable à leur survie.

La stratégie de l'antichambre

Les locaux destinés aux activités de service et les logements du personnel étaient strictement séparés des appartements privés et des salons de réception. Les chambres à coucher du maître et de la maîtresse de maison étaient précédées d'antichambres (1529, du latin *anti* –, en composition pour *ante*, avant, en italien *anticamera* : « chambre de devant »), tout comme la « chambre à coucher de parade » et la « salle de compagnie ». C'est dans l'antichambre, symbole architectural de la « bonne société », que se tenaient les laquais, détail stratégique important dans la lutte contre les courants d'air, ennemis numéro un comme nous allons le revoir : « La première antichambre est presque toujours destinée à la livrée, ainsi que l'explique l'article de l'*Encyclopédie*, on y trouve rarement des cheminées. On se contente de poêles qu'on place devant la porte, pour protéger toutes les parties de l'appartement de l'air froid que l'ouverture des portes conduisant dans les chambres des maîtres y fait pénétrer. »

Si, dans les hôtels, ce sont les valets qui attendent aux portes de leurs maîtres un ordre ou un appel, il faut savoir qu'au palais, ce sont les grands qui font eux-mêmes « antichambre » en y attendant un signe de leur maître, le roi. Les résidences de la noblesse sont bâties sur des plans relativement similaires et tout à fait révélateurs des mœurs intimes de l'époque. Encadrant le bâtiment central qui héberge les salons et les salles de réception, les deux ailes principales, se faisant face, abritent les deux « appartements privés ». Ces appartements sont presque identiques, les chambres à coucher du maître et de la maîtresse de maison sont face à face mais séparées par toute la largeur de la cour où ils peuvent surveiller tout leur monde.

La « maison » avant la famille

Ce qui compte avant tout dans la haute noblesse de l'Ancien Régime, ce n'est pas, comme dans la société bourgeoise, l'aménagement et le concept de la « famille », mais la notion de « maison ». Comme il y a la maison de France qui caractérise l'unité de la dynastie royale à travers les générations, chaque grand seigneur doit se soucier du prestige et de l'honneur de sa maison, maison qu'il fonde en se mariant, qu'il maintient en lui apportant du prestige et des relations en accord avec son rang et dont il est, avec sa femme, le représentant. Le plan de l'appartement seigneurial respecte avant tout la maison : la séparation absolue des appartements respectifs des conjoints, où chacun dispose donc de sa chambre à coucher, d'un cabinet où il peut recevoir, après sa toilette, des visiteurs, d'une antichambre et d'une garde-robe, crée une forme de vie conjugale particulière.

Le duc de Lauzun rapporte une conversation d'un valet de chambre nouveau avec la femme de chambre de Madame : « Comment vit-elle avec son mari ? dit-il. – Pour le moment, très bien, lui répond-elle [...], elle a beaucoup d'amis, ils ne fréquentent pas les mêmes sociétés, ils se voient très rarement, mais ils ont une vie commune très honnête. » Cette conversation est révélatrice de la société de Cour, où l'essentiel est de représenter la maison aux yeux d'autrui. Pour tout le reste, remarque Norbert Elias, les époux sont libres de s'aimer ou de ne pas s'aimer, d'être fidèles ou infidèles et de limiter leurs contacts au minimum compatible avec leur devoir de représentation. Le plan de l'appartement seigneurial n'a donc rien d'extraordinaire, il est souvent une éventuelle solution à des problèmes de cohabitation; inversement, il n'empêche en rien l'harmonie du couple si elle est désirée, mais, dans l'un ou l'autre cas, il n'est nullement l'expression d'un type d'habitation familiale et d'une morale bourgeoise.

Chambre à coucher de parade

Le champ domestique de la haute noblesse est en fait réduit par rapport à l'importance de la partie sociale de la demeure. La « chambre à coucher de parade », réservée à la visite d'égaux ou de personnages d'un rang supérieur, est paradoxalement un lieu plus souvent réservé aux relations intimes de la maîtresse de maison qu'à celles de son mari, ce dernier jouant à la Cour ce que d'autres jouent chez lui.

Alors que le lit de la Renaissance, comme celui du duc Antoine qu'on peut voir à Nancy, était parfois un chef-d'œuvre de sculpture, le rôle du bois devient négligeable à l'époque postérieure. L'inventaire de Gabrielle d'Estrées au chapitre « les *riches litz* » mentionne encore des colonnes « tournées », colonnes dont on ne parlera plus après car elles seront devenues invisibles. La mode n'est plus aux lits à bois sculpté; moins sensible aux œuvres d'art pour rechercher tout ce qui portait le caractère du luxe et de la rareté, les hommes de l'époque abandonnent les colonnes ciselées, les chevets à cartouches largement fouillés et composés par Ducerceau et Sambin. Tout cela est remplacé par des *pentes* en velours galonné d'or avec des panaches de plumes surmontant les gouttières. Les lits du règne de Louis XIV deviennent en fait moins étouffés et plus dégagés que les précédents.

Le lit du maréchal d'Effiat (environ 1630) au musée de Cluny est de velours ciselé et de broderies en bandes. Cette garniture d'étoffe est extrêmement compliquée, tant les tissus qui la composent sont variés : « Velours, satins, toiles d'argent, brocarts, damas de toutes couleurs, noir (pour le deuil), gris, bleu, violet, blanc, le tout orné de broderies à passementeries. » Le lit, représenté sur les estampes d'Abraham Bosse, lorsque les rideaux sont abaissés, dresse sa silhouette cubique d'étoffe avec, aux quatre coins, quatre pommes ou panaches qui les relèvent simplement. Quand les rideaux sont haussés, on ne voit plus guère le lit proprement dit, caché par les *sousbassements*, ni les colonnes dissimulées par des *cantonnières* ou par des fourreaux de piliers, ni le *dais* ou *baldaquin* (originellement mot arabe signifiant « étoffe de soie de Bagdad »), de dimensions égales à celles du lit, caché par les *pentes*.

De William Shakespeare (1564-1616), une des rares choses que l'on sache est qu'il légua à sa veuve « le second de ses lits par ordre de préférence ». Symbole de la réussite sociale, meuble somptueux, le lit à colonnes était une manière de mausolée par anticipation et lorsque Macbeth dit du sommeil qu'il est la mort de la vie de chaque jour, il ne fait qu'exprimer la tendance du gentilhomme élisabéthain à s'enterrer au fond de son lit, à y reposer...

Sous Louis XIV, meuble de parade, le lit, singularisé par l'absence presque totale de bois, relève plus de l'art du tapissier que de celui du menuisier. Lit à quatre piliers ou *quenouilles*, il est surmonté d'un ciel à fond plat ou en dôme pour le *lit à l'impériale*, suspendu et dédaignant le secours de colonnettes d'angle pour le *lit à la duchesse* ou à *pavillon*, en porte à faux et plus court pour le *lit d'ange* que l'on voit apparaître chez Mazarin. Tous ces lits ont leurs rideaux galamment retroussés et sont rehaussés indifféremment de panaches de plumes, de vases ou de pommes d'étoffe; la garniture du lit, assortie à l'ameublement de la chambre, témoignait un luxe en corrélation avec le rang, la fortune et l'extravagance de son possesseur. Ces divers types de lits, auxquels on peut ajouter le *lit à la turque*, le *lit à la romaine*, le *lit à la dauphine*, le *lit en pente* et le *lit en tombeau* et ceux dont les noms sont issus des tapisseries qui les décorent : *lit des satyres, lit de l'Enlèvement d'Hélène, lit de l'Histoire de Proserpine* et même *lit du Cerf fragile*, variante humoristique du *Cerf agile*, subsisteront plus ou moins intégralement jusqu'au premier quart du XVIIIᵉ siècle, où l'abandon définitif de « la chambre du lit » en tant que pièce de réception leur enlevant leur principale raison d'être, hâtera leur effacement au profit de la simplicité relative des *lits à la duchesse* et des *lits d'ange*.

Les délits du lit

C'est installée dans son « lit de parade », en sa qualité de « représentante de la maison », que la femme accueille les visiteurs officiels venus la saluer. Véritable sanctuaire de civilité classique, le lit, le chevet adossé à la muraille, trône au milieu de la pièce. Parfois placé sur une estrade et protégé par une balustrade ou un paravent qui délimite la *ruelle* où l'on trouve des tabourets et des pliants pour les invités, le lit incite aussi les « coureurs de ruelle » à s'y asseoir, à s'y allonger et parfois même à s'y vautrer. Gédéon Tallemant des Réaux dans ses *Historiettes* raconte comment l'abbé de Romilly était tellement familier chez Mme de Gondran qu'il lui arriva, devant tout le monde, de se jeter sur le lit et d'y glisser la main (chap. IV., p. 392). Il explique aussi comment les « goguenards » en prenant trop de libertés risquaient d'être envoyés en l'air « cul par sus teste dans la ruelle » par quatre jeunes « esveillez » qui s'emparaient de la courtepointe...

Antoine de Courtin, dans le *Nouveau Traité de la civilité qui se pratique en France parmi les honnestes gens* (1672), explique les lois de la décence « en la chambre de grande qualité où le lit est clos » : chez la reine, il est défendu de s'asseoir sur la balustrade, chez les autres, « c'est d'une très grande indécence de s'asseoir sur le lit, et particulièrement si c'est une femme : et même il est en tout temps très mal-séant et d'une familiarité de gens de peu, lorsque l'on est en compagnie de personnes sur qui l'on n'a pas de supériorité, ou avec qui l'on n'est pas tout à fait familier, de se jeter sur un lit et de faire ainsi la conversation » (p. 59).

L'habitude est si grande de recevoir dans son lit qu'au lendemain de la nuit de noces, « les devoirs de la vie civile » (et la curiosité) attirent une foule d'amis autour du lit pour avoir des nouvelles de « l'épreuve »; autre exemple rapporté par Saint-Simon : Mme du Maine, pendant sa grossesse, faisait donner des bals masqués dans sa chambre, auxquels elle assistait de son lit au risque, nous dit le duc, que la petite-fille du Grand Condé ait un enfant qui naquît avec un masque de carnaval !

Ces « familiarités de lit » fourmillent dans l'histoire de France, celles que prenait Henri IV avec le futur Louis XIII, « couchés devêtus, lui portant les pieds sur la poitrine et sous la gorge; le roi ne faisait que le chatouiller », sont connues. Moins connue peut-être est cette belle histoire de lit de Louis XIII, devenu le « roi chaste », et de Richelieu, que rapporte Ernest Lavisse au tome VI de son *Histoire de France illustrée* :

« Le Roi avait été malade dans sa jeunesse de ce que l'on appelait des " échauffements opiniâtres " et plus tard de l'abus des remèdes destinés comme il le disait lui-même à se " nettoyer la boutique ". Cinquante saignées, plus de deux cents " médecines " et autant de lavements infligés en une seule année ne devaient guère lui réussir...

« En 1630, il faillit mourir à Lyon d'un " abcès intérieur " qui s'était heureusement ouvert; en décembre 1641, il eut une fluxion de poitrine qui, outre le fait de l'empêcher d'avaler et de dormir, lui causait de si atroces souffrances qu'il en était arrivé à ne plus pouvoir supporter les trépidations du carrosse. Lors de l'affaire Saint-Mars (13 juin 1642), venant de Narbonne d'où il retournait à Fontainebleau, il ne put passer près de Tarascon sans aller y voir le Cardinal et s'y fit porter. L'on dressa son lit à côté de celui de Richelieu, presque mourant, le corps rongé d'ulcères qui, lui, se faisait porter dans un lit à drap violet, ne pouvant pénétrer dans l'intérieur des maisons que par les portes et les fenêtres éventrées! Il y avait plusieurs mois que le Cardinal et Louis XIII ne s'étaient vus; le premier ayant passé par toutes les angoisses d'une disgrâce redoutée, l'autre, embarrassé de son attitude de faiblesse à l'égard d'un traître. Leur émotion fut si vive que chacun de leur lit, la tête soutenue par des oreillers, les larmes coulèrent et le Ministre ne parla que de sa reconnaissance pour la bonté du Roi qui résistait à toutes les calomnies. Richelieu mourut à Paris le 4 décembre 1642, son roi ne lui survécut que sept mois puisqu'il s'éteignit dans son lit lui aussi le 14 mai 1643. »

Moins pathétique mais très révélateur de l'époque qui s'ouvre est le partage de cette chambre « à Corbeil, où le Roi voulut que Monsieur couchât dans sa chambre qui était si petite qu'il n'y avait que le passage d'une personne. Le matin, lorsqu'ils furent éveillés, le Roi sans y penser cracha sur le lit de Monsieur, qui cracha aussitôt tout exprès sur le lit du Roi, qui un peu en colère lui cracha au nez. Monsieur sauta sur le lit du Roi et pissa dessus; le Roi en fit autant sur le lit de Monsieur; comme ils n'avaient plus de quoi ni cracher ni pisser, ils se mirent à tirer les draps l'un de l'autre dans la place; et peu après ils se prirent pour se battre ».

Cette scène, racontée dans ses *Mémoires* par Pierre de La Porte, valet de chambre du roi, n'a à vrai dire rien d'extraordinaire, les grands, qui menaient malgré tout une vie assez rude, mélangeaient civilité et crudité, crachant partout mais se saluant avec de grands airs. Il faut savoir que le roi et Monsieur, comme le rapporte la duchesse d'Orléans dans ses *Lettres et Mémoires*, « étaient habitués depuis leur enfance à la saleté de l'intérieur des maisons en sorte qu'ils ne croyaient pas que cela pût être autrement; cependant, sur leur personne, ils étaient très propres ». La princesse Palatine nous fait aussi pénétrer dans les secrets d'alcôve ou de plein champ de cette société qui n'avait encore que des antichambres : « J'ai vu la première femme de chambre [de la reine mère], la Beauvais, cette créature borgne qui a appris au Roi à coucher avec les femmes. C'est un art qu'elle connaissait bien... » Louis XIV, jeune, aimait les femmes, « mais souvent il poussait la galanterie jusqu'à la débauche; tout lui était bon pourvu que ce fussent des femmes, les paysannes, les filles de jardiniers, les femmes de chambre, les dames de qualité, elles n'avaient qu'à faire semblant d'être amoureuses de lui... ».

Chemise et bonnet de nuit

C'est à La Porte, qui ne semblait guère aimer Mazarin, que l'on doit de connaître le trousseau royal : « La coutume est que l'on donne au Roi tous les ans 12 paires de draps et 2 robes de chambre [...] néanmoins je lui ai vu servir 6 paires de draps trois ans entiers, et une robe de chambre de velours vert doublé de petit-gris servir hiver et été pendant le même temps, en sorte que la dernière année elle ne lui venait qu'à la moitié des jambes; et pour les draps, ils étaient si usés que je l'ai trouvé plusieurs fois les jambes passées au travers [...] je n'en finirais point si je voulais rapporter toutes les mesquineries qui se pratiquaient dans les choses qui regardaient son service. »

Le linge de corps, dont il n'est pas question dans la description des mesquineries faites au roi parce qu'il devait en être normalement pourvu, apparaît au XIVe siècle par opposition au « lange ». Son utilisation améliora l'hygiène et, on le sait, fit reculer la lèpre. Usé, il fournit aussi, à bon marché, la matière première de l'industrie papetière, venue de Chine au XIIIe siècle par l'intermédiaire des prisonniers de Samarkand et des Arabes du temps des Croisades. A la fin du XVIe siècle, le linge, désormais renouvelé régulièrement dans les milieux de la Cour, n'a plus le même statut.

Un jeune capitaine des chasses du roi, venu brièvement en août 1606 à Ollainville pour un entretien avec Henri IV, s'excusant de ne pouvoir y passer la nuit parce qu'il ne possède « ni linge de rechange, ni chemise de nuit », en est un bon témoignage. Montaigne évoque bien, lui aussi, cette sensibilité devenue habitude : « Je ne puis [...] ni porter ma sueur [...] et me passerais autant malaisément de mes gants que de ma chemise et de me laver à l'issue de table et à mon lever, et de ciel de rideau à mon lit, comme de choses bien nécessaires. »

Chemise de nuit qu'il faut associer au bonnet de nuit, cette fois oublié dans presque toutes les descriptions parce que dormir la tête couverte semblait une évidence depuis des siècles, comme en témoignent les peintures et les gravures du Moyen Age où les dormeurs sont coiffés d'étoffes roulées. Il faudra, en France, attendre 1505 pour rencontrer des statuts de confréries de tricoteurs ou, plus exactement, « bonnetiers », dans le véritable sens du mot. C'est à Troyes (qui deviendra à l'âge mécanique l'une des capitales mondiales de la maille), siège de corporations de bonnetiers extrêmement prospères dès le XVIe siècle, puisque leurs statuts furent revus et complétés en 1554, que ces bonnets furent d'abord fabriqués et ce presque toujours en laine.

Changer de chemise, note Georges Vigarello dans sa réflexion sur l'hygiène du corps depuis le Moyen Age, c'est se « nettoyer ». Un ouvrage de 1669 par M. de Bicais sur *La Manière de régler la santé par ce qui nous environne* affirme que l'« on connaît pourquoi les linges éloignent la transpiration de nos corps, car les sueurs sont oléagineuses ou salées, elles imbibent les plantes mortes (le linge, de *lina*) comme les engrais qui sont composés de mêmes substances ».

Avec Louis XIV, l'étiquette mise en place par les Valois souligne combien le linge est devenu important dans cette société de Cour qui calque tous ses gestes sur ceux de la personne royale : « A huit heures, le premier valet de chambre en quartier, qui avait couché dans la chambre du Roi et qui s'était habillé, l'éveillait. Le premier médecin, le premier chirurgien et sa nourrice, tant qu'elle a vécu, entraient en même temps. Elle allait le baiser; les autres le frottaient et souvent lui changeaient de chemise, parce qu'il était sujet à suer », nous apprend Saint-Simon. Ainsi donc la chemise du roi est-elle changée avant même qu'il ne reçoive celle de jour.

La chemise prit de l'importance avec l'influence des *passements* (1545) d'Italie et de Flandre et la mode des *crevés*, ces larges entailles pratiquées sur les manches, les pourpoints et les chausses pour mettre en valeur la finesse des lingeries de dessous. En même temps apparurent les *fraises*, collerettes plissées et empesées à plusieurs doubles qui, sous Henri III, furent si grandes qu'il fallut inventer des cuillères à manche allongé pour permettre aux élégants et aux élégantes de savourer leurs entremets! Les fraises rétrécirent sous Henri IV et furent, sous Richelieu, remplacées par les *collets* et les *manchettes*, rabats indépendants de la chemise, ainsi que les *canons*, qui laissaient flotter le linge sur le haut des bottes. Mais la grande période de création sous Louis XIV (1661-1680), lorsqu'il était l'amant de Mlle de La Vallière puis de Mme de Montespan, fut l'expression « d'un mélange d'aspect débraillé, de recherche d'élégance et de richesse » où la chemise n'apparaît plus seulement sous le pourpoint mais fait surface; symboliquement, le dessous s'affiche sur le vêtement. Pour Vigarello, c'est l'époque où « le blanc a multiplié les niveaux puisque, en s'étalant, le linge recouvre aussi le drap. Venue de la peau, ou supposée telle, cette étoffe reflue sous les autres tissus [...]. La surface de l'intime est bien ce signe totalement externe. Il amorce une enveloppe nouvelle dont le rapport avec la peau est toujours plus symbolique ».

Une jeunesse étiquetée

Réglée par l'étiquette, la vie du jeune roi n'a d'autre intimité que partagée par les grands de sa maison et, heureusement, par quelques-uns comme ce gentilhomme-servant Dubois, dont la naïveté évite les détours précieux et nous donne un témoignage de ce qu'était une journée du roi à treize ans, en 1651, sous Mazarin : « Sitôt qu'il s'éveillait, il récitait l'office du Saint-Esprit et son chapelet; cela fait son précepteur entrait et le faisait étudier [...] dans la Sainte-Ecriture ou dans l'Histoire de France [...]. Sortant du lit, il se mettait sur sa chaise percée [...] se lavait les mains, la bouche et le visage [...] il priait Dieu dans sa ruelle de lit avec ses aumôniers, tout le monde à genoux [...] il passait dans un grand cabinet où il faisait ses exercices : il voltigeait d'une légèreté admirable, il faisait mettre son cheval au plus haut point et allait là-dessus comme un oiseau et ne faisait pas plus de bruit en tombant sur la selle que si l'on y eût posé un oreiller. Après il faisait des armes et de la pique [...]. Après [...] il montait chez

M. le Cardinal de Mazarin [...] qui logeait au-dessus de sa chambre [...] où il faisait chaque jour entrer un secrétaire d'Etat qui faisait ses rapports, sur lesquels et sur d'autres affaires plus secrètes le Roi s'instruisait [...] le temps d'une heure ou d'une heure et demie [...].

« Après la messe (où il assistait avec la Reine) il la reconduisait chez elle avec beaucoup de déférence et de respect. Le Roi remontait dans sa chambre et changeait d'habit, ou pour aller à la chasse ou demeurer sur les lieux [...] il était fort aisé à parer et se parait lui-même : sa personne était si merveilleusement bien faite [...]. Après le Conseil ou la comédie, vient le souper, à l'issue duquel le Roi danse, les petits violons s'y trouvent, les filles de la Reine et quelques autres. Cela fait, on joue aux petits jeux comme aux romans : l'on s'assied en rond, l'un commence un sujet de roman et suit jusqu'à ce qu'il soit dans quelque embarras; cela étant, celui qui est proche prend la parole et suit de même, ainsi de l'un à l'autre les aventures se trouvent, où il y en a quelquefois de bien plaisantes. Minuit étant proche, le Roi donne le bonsoir à la Reine et entre dans sa chambre et prie Dieu et se déshabille devant tous ceux qui s'y trouvent et s'entretient avec eux de la jolie manière; après, donne le bonsoir, et se retire dans sa chambre de l'alcôve, où il couche. Il s'assied en y entrant sur sa chaise percée où ses plus familiers l'entretiennent... »

Histoire de chaise

Etre assis sur sa chaise percée et se laver les mains le matin dans une eau mêlée d'esprit-de-vin versée d'une aiguière luxueuse sur une soucoupe d'argent est un des gestes cent fois décrits du Roi-Soleil, et de tous le plus humain sans doute. Cette position est l'aveu, malgré

Versailles et la mégalomanie du roi, qu'il n'est ni astre ni dieu puisqu'il ne peut se retenir...

Le XVIIe siècle a vu se répandre dans toutes les classes possédantes ce meuble de belle facture qu'est la chaise percée. Recouvertes de velours, bordées de crépines, ces pièces d'ébénisterie renferment un bassin de faïence ou d'argent et comportent même parfois un guéridon permettant de lire et d'écrire. Certaines chaises sont des tabourets, ainsi qu'on peut le voir dans le *Havard*; ils se présentent comme une série de gros livres posés sur un socle, dont un titre classique du type *Voyage aux Pays-Bas* est suffisamment évocateur pour que l'on ne confonde pas ce siège avec un autre. A Versailles, chaque chambre, semble-t-il, disposait d'une « chaise » qui était rangée dans une petite pièce attenante, la garde-robe. On ne sait pas exactement de quand date l'invention de cette chaise comme pièce d'ébénisterie ni à quoi ressemblait la fameuse « chaise de retrait » entourée de rideaux de Louis XI. En revanche, ses comptes révèlent qu'il achetait de l'étoupe de lin, ancêtre direct du papier hygiénique, du moins dans les classes supérieures, comme le prouvent de nombreuses commandes des rois de France au Moyen Age. La charge de « chevalier porte-coton » se limitait à porter le coton désigné à côté de la « chaise d'affaires » du roi. Quant aux « porte-chaises », on leur laissait le soin de s'occuper de l'évacuation du bassin, dont le contenu était souvent inspecté par un médecin avant d'être jeté, et de torcher les futurs ou les très jeunes rois. La charge de « chevalier porte-coton » ne se justifiant plus sous Louis XVI, à cause d'améliorations techniques, aucun noble n'en voulut plus et l'office fut rempli (?) par deux roturiers.

L'évolution de la chaise fut assez rapide; sous Louis XV on vit apparaître des modèles à couvercles adhérents, dits « fermoirs à charnières », autour desquels on clouait du cuir pour une plus parfaite adhérence; reliée à la « colonne des chausses » constituée de cylindres en terre cuite vernissée intérieurement, la cuvette se fixait à côté de la chambre à coucher dans un « petit cabinet », appelé aussi « cabinet à soupape ». Mais c'est sous Louis XVI que les cabinets accomplirent leur évolution définitive : le meuble d'aisances cédait la place aux lieux hygiéniques, dits « à l'anglaise » : soupape, double arrivée d'eau, une pour l'évacuation et une dite « jet de propreté » qui évitait l'utilisation de papier, de nouvelles habitudes hygiéniques naissaient dans l'aristocratie. La chaise percée se démocratisa alors, ainsi qu'il ressort d'un mot écrit en 1785 par Voltaire à son homme d'affaires l'abbé Moussinot, à qui il demandait de lui envoyer cet indispensable objet de commodité : « Mon cul, jaloux de la beauté de mes meubles, demande une jolie chaise percée avec de grands seaux de rechange. »

Pots de chambre et « bourdaloues »

Louis XIV avait, pour les voyages, un « pot à pisser » en argent, Mazarin également, mais on lui en connaît un autre en verre... Cela dit, lorsque le besoin pressait, les grands ne dédaignaient ni l'étain, ni le cuivre, ni la terre cuite. Nécessaires plusieurs fois par jour et échappant à l'étiquette, les pots de chambre ou « bourdaloues », pour les dames du Grand Siècle, ont une histoire aussi longue que celle de l'humanité. Selon le *Larousse du XIXᵉ siècle,* « bourdaloue » est le nom donné à la fin du XVIIᵉ siècle et au commencement du XVIIIᵉ siècle à des vases de nuit de forme ovale et de petites dimensions, sur le fond desquels était peint un œil entouré souvent de légendes grivoises. Ces vases furent ainsi appelés par allusion sans doute aux confidences de toutes sortes que recevait forcément le fameux prédicateur jésuite Louis Bourdaloue, en sa qualité de confesseur des dames de la Cour.

Rien n'est moins sûr, comme le fait remarquer Roger-

Henri Guerrand dans son *Histoire des commodités*, le fameux œil voyeur n'étant vraiment attesté qu'au XVIIIᵉ siècle. Pierre Larousse, instituteur laïc et anticlérical, ne voulut pas rater le parallèle entre l'objet et le nom d'Eglise sur lequel s'épanchaient les femmes. Or le sens en est peut-être différent : on sait que les bigotes, très nombreuses à venir écouter les longs sermons de Bourdaloue dans l'église des jésuites, rue Saint-Antoine, se munissaient, par précaution, d'un petit vase, chose assez banale à l'époque, que les femmes ne portant pas de culotte sous leurs grandes robes dissimulaient... Les municipalités louaient parfois des pots lors des festivités, comme celle de l'inauguration de la statue de Louis XV à Rennes, le 10 août 1754, ou quarante-huit pots furent loués pour le bal.

Si le pot de chambre a continué sa carrière jusqu'à nous, passant de la porcelaine au métal puis au plastique, il ne faut pas oublier qu'il fut un objet d'art véritable et un cadeau très apprécié du temps où les diverses manufactures royales en fabriquaient. Mme de Choiseul, la femme du ministre, envoya une si belle pièce de porcelaine à usage intime à Mme du Deffand que ses domestiques lui recommandèrent d'en faire une soupière. Le petit pot de voyage en porcelaine de Sèvres décoré par Binet (1758) offert par Marie-Antoinette, que l'on peut admirer en Angleterre au Blenheim Palace (Oxfordshire), lui non plus ne manque pas de finesse. Mais tous n'ont pas cette grâce et, plutôt que de les cacher sous le lit, on va, à partir des années 1720, les dissimuler dans un meuble de chevet devenu indispensable dans la chambre à coucher : la table de nuit.

Ce sont les Anglais, maîtres dans l'art de la dissimulation, qui vont les premiers vider la table de nuit de son pot pour le cacher dans le mur ou, au contraire, le mettre en valeur dans des meubles extravagants, au XIXᵉ siècle. Ce sont eux aussi qui perpétuent, incontinent aujourd'hui, cet art du *piss-pot*. Nous, Français, nous contentons dans les campagnes du « pot de la mariée », dont l'obscénité du motif et de l'utilisation célèbre le moment. Peut-être est-ce là la raison pour laquelle le pot de chambre reste depuis le XVIIIᵉ siècle l'objet de prédilection dans les scènes de ménage.

Le souci des commodités pratiques n'a été ignoré ni au XIVᵉ siècle, comme en témoignent l'iconographie et les inventaires nombreux, ni au Moyen Age – au XIIᵉ siècle, un traité sur l'examen des urines précise que « l'urinal doit être en verre mince et blanc pour que les couleurs s'y distinguent » –, ni dans l'Antiquité : à Rome, le *lasanum*, vase de nuit, ou le *scaphium*, « pistolet », dont la littérature et notamment Martial (XIV et XI) nous décrit les divers modèles, allaient de l'argile vulgaire, *matella fictilis*, à l'argent serti de pierres précieuses. Pour la Grèce, nous disposons des témoignages d'Aristophane dans *Les Guêpes*, où Vomicléon propose : « Un pot de chambre, si tu veux faire pipi, on va l'accrocher à côté de toi, tant pis, là, à ce clou » (vers 789-815), et où il s'amuse, en montrant le pot de chambre, à l'appeler « horloge à pissette » en le comparant à la clepsydre (vers 851-862). On connaît aussi une représentation de pot pour bébé. L'enfant est juché sur un pot en céramique aménagé de trous pour qu'il y passe ses jambes et puisse se tenir au bord. Cette figure, dite *Femme à l'enfant*, est à l'intérieur d'une coupe attique à fond blanc du milieu du Vᵉ siècle avant J.-C., visible aux musées royaux d'Art et d'Histoire de Bruxelles.

Mais, à la vérité, et pour revenir à Versailles, malgré les chaises et les pots, cheminées, escaliers, antichambres et couloirs, parfois recouverts de paille que l'on enlève pour les grandes fêtes, servent souvent de lieux d'aisances.

La vie en représentation permanente du roi et de sa Cour, où les gestes les plus intimes étaient exhibés, ne relevait nullement d'un quelconque mépris individuel. Les actes ordinaires que Louis XIV accomplissait en présence de témoins, l'étaient selon un cérémonial très précis propre à sa condition sociale.

A Versailles, siège proprement dit de la Cour et de la société de Cour, la pièce du premier étage sise au milieu du bâtiment central, des fenêtres de laquelle on embrassait du regard toute la voie d'accès, la Cour de marbre, la Cour royale et toute l'étendue de l'avant-cour (une seule cour eût été incapable d'exprimer la dignité et le rang du roi), était la chambre à coucher du roi. Maître de sa maison, le roi, à un degré qui nous semble à peine croyable, se sentait également « maître de céans » dans tout son royaume et souverain du pays jusque dans les recoins les plus privés de ses appartements. Outre les cent quatre-vingt-dix-huit services intimes remplis par la haute noblesse et une armée de valets, au total sept à huit mille personnes en 1687, dix mille, dit un rapport de 1744, l'aménagement intérieur de la chambre à coucher du roi reflète cette situation.

Théâtre d'un cérémonial particulier, dont la solennité ne le cédait en rien à celle d'une cérémonie d'Etat, la chambre de Louis XIV est révélatrice de la fusion intime qu'il avait réussi à établir entre ses fonctions de maître de maison et de Roi-Soleil. Déjà décrit lors de sa jeunesse, « le lever du roi » prit avec l'âge et son règne une consistance particulière qui éclaire directement sa manière de gouverner. « Mouvement perpétuel fantôme », intangible et inépuisable, l'étiquette mérite d'être décrite avec précision pour mieux comprendre à travers elle les manières d'être des hommes et des femmes qui s'y pliaient et en étaient marqués.

C'est en général à 8 heures, ou à un autre moment fixé à l'avance par le roi, que Louis XIV est réveillé par son premier valet de chambre, dormant au pied de son lit sur un *baudet*, lit de sangle escamotable rapidement. On ouvrait les portes pour laisser entrer les pages de la chambre, dont l'un courait avertir le « Grand Chambellan » et « le premier gentilhomme de la chambre », un autre « la bouche » (cuisine de Cour) et un troisième prenait position devant la porte pour empêcher l'entrée de toute autre personne que les seigneurs jouissant de ce privilège.

L'accès à la chambre à coucher du roi était strictement hiérarchisé. Il y avait en fait six entrées différentes, c'est-à-dire six catégories de personnes à pouvoir y pénétrer, et l'une après l'autre. La première entrée était dite « entrée familière » : y étaient admis les « Enfants de France », dans l'ordre fils et petits-fils légitimes du roi, princes et princesses du sang, le premier médecin, le premier chirurgien (que Saint-Simon, sans doute à tort, faisait pénétrer avant tout le monde avec la vieille nourrice du roi), le premier valet de chambre et le premier page du roi.

La « grande entrée » était réservée aux « grands officiers de la chambre et de la garde-robe » ainsi qu'aux nobles à qui le roi avait accordé cette faveur. La « première entrée » (en fait la troisième) comportait les lecteurs du roi, l'intendant des plaisirs et des festivités et, là aussi, quelques privilégiés du moment.

La quatrième, dite « entrée de la chambre », était composée de tous les autres « officiers de la chambre », du « grand aumônier », des ministres et secrétaires d'Etat, des « conseillers d'Etat », des officiers de la garde du corps, des maréchaux de France, etc.

L'admission à la « cinquième entrée » dépendait dans

une certaine mesure du bon vouloir du Grand Chambellan et, évidemment, du roi. La « sixième entrée », la plus recherchée de toutes, ne passait pas par les grandes portes mais par une porte de derrière. Privilège suprême, des personnes avaient le droit de pénétrer à tout moment dans les cabinets du roi, sauf lorsqu'il tenait conseil ou y travaillait avec ses ministres. Ces privilégiés, excepté le « surintendant des bâtiments », étaient ses proches : fils du roi, même illégitimes, et leurs familles, qui pouvaient rester auprès de lui jusqu'à ce qu'il se rendît à la messe ou à son chevet lorsqu'il était malade.

Les deux premiers groupes étaient admis alors que le roi était encore au lit mais qu'il portait déjà une petite perruque (il ne se montrait jamais sans perruque même au lit). Une fois levé, et ses habits apportés par le Grand Chambellan aidé du premier valet de chambre, on appelait la « première entrée ». Après avoir chaussé ses souliers, le roi réclamait alors les officiers de la chambre, et on ouvrait les portes pour l'entrée suivante. Le maître de la garde-robe tirait la chemise de nuit par la manche droite, le premier valet de la garde-robe par la manche gauche, puis ils passaient une chemise propre au roi qui l'enfilait. Le roi se levait de son fauteuil, le maître de la garde-robe bouclait les souliers, attachait l'épée et l'aidait à passer l'habit. Habillé, le roi priait quelques instants pendant que l'aumônier récitait une prière. Durant ce temps, la Cour était rassemblée dans la grande galerie qui occupait, côté jardin, tout le premier étage du bâtiment central.

Le privilège de la chambre

L'ordonnance méticuleuse de ce cérémonial est un type d'organisation particulier où chaque geste et même chaque regard ont une valeur de prestige, ou de disgrâce, et symbolisent ce que, dans le cadre de nos structures politiques et sociales, nous appellerions la répartition du pouvoir. Certes, le roi était bien obligé d'ôter sa chemise de nuit et d'enfiler une chemise de jour, mais de là à investir ce geste d'une signification sociale, il y a une marge importante qu'il nous faut comprendre si l'on veut saisir le symbole de la chambre du roi et la société de Cour qui tourne autour. Le roi mettait à contribution ses gestes et ses occupations intimes pour marquer des différences de rang, pour accorder des distinctions, des faveurs, ou pour manifester son mécontentement. Assister à sa vie, la partager, était un privilège dont le roi honorait les nobles. Le Grand Chambellan ne pouvait, d'après le règlement, céder son droit qu'à un prince, car faire porter la chemise par un noble inférieur à lui dans la hiérarchie risquait de déclasser toute la Cour. Ordre d'arrivée dans la chambre et autorisation d'y pénétrer servaient d'indicateur de la place de chacun dans le jeu d'équilibre auquel tous les hommes de la Cour étaient soumis, équilibre extrêmement instable que le roi réglait à sa guise. L'utilité immédiate de l'accès à la chambre du roi était tout à fait secondaire par rapport à sa signification; ce qui confère le sérieux de cette cérémonie du lever, c'est la position, chaque matin reconnue, de son rang et de sa dignité. Le fétichisme du prestige était si fort à la Cour que personne ne pouvait s'en exclure sous peine de ne plus exister. L'étiquette n'est nullement du formalisme pur et gratuit mais une émulation nécessaire à la noblesse. Elle permet de conserver ses moindres privilèges, ses chances de puissance. Norbert Elias a raison de dire que l'étiquette « s'est reproduite d'une manière autonome, comme se reproduit un système économique indépendamment de la fonction de subsistance qu'il remplit ».

Aucune des personnes composant la société de Cour n'avait la possibilité de mettre une réforme de l'étiquette en route. La moindre tentative, la moindre modification de structures, aussi précaire soit-elle, aurait infailliblement entraîné la mise en question, la diminution ou même l'abolition des droits et des privilèges, non seulement d'individus, mais de familles et de régions entières. Une sorte de tabou interdisait à la strate supérieure de cette société de toucher à quoi que ce soit, tant la peur de l'effondrement de tout un système était redoutée. Rien ne fut donc jamais changé, du moins officiellement, jusqu'à Marie-Antoinette.

Rien d'étonnant à ce que ce cérémonial quotidien devienne un fardeau, surtout pour les jeunes, et soit détesté, même si l'on ne pouvait s'en écarter.

La comtesse de Senlis, à la fin du XVIIIᵉ siècle, raconte que l'« on se rendait à contrecœur à la Cour, on se plaignait à haute voix quand on y était obligé » (mais on y allait). Les filles de Louis XV devaient être à chaque fois présentes au coucher du roi, à l'instant même où il ôtait ses bottes. A moitié endormies, elles passaient sur leur déshabillé une grande crinoline bordée d'or, nouaient autour de leur taille la traîne prescrite à la Cour, cachaient le reste sous une grande mante de taffetas et couraient jusqu'à la chambre du roi pour ne pas être en retard. Avec elles se précipitaient, à travers les couloirs du château, les dames d'honneur, les chambellans, les laquais porteurs de flambeaux, ils assistaient à cette mise à pied nu et « s'en revenaient au bout d'un quart d'heure, comme une troupe de sauvages ».

Si Louis XIV se servait de l'étiquette pour déterminer la part du prestige de chacun et tirer profit des aménagements psychologiques, sous Marie-Antoinette, elle avait perdu de sa dignité même si, *grosso modo*, on continuait à l'observer. Le « lever de la reine » calqué sur celui du roi, est assez révélateur de la façon dont la noblesse et la reine elle-même n'acceptaient plus ce cérémonial qu'à leur corps défendant.

Voici, d'après Mme Campan, camériste de Marie-Antoinette, comment se passait ce lever : « La dame d'honneur de service avait le droit de passer à la reine sa chemise. La dame du palais lui mettait le jupon et la robe. Si, par hasard, une princesse de la famille royale survenait, c'était elle qui se chargeait de la cérémonie de la chemise. Or, une fois, la reine ayant été dévêtue par ses dames, la camériste présenta la chemise à la dame d'honneur pour que celle-ci la passât à la reine. A ce moment, la duchesse d'Orléans entra dans la chambre. La dame d'honneur rendit la chemise à la camériste, qui s'apprêtait à la confier à la duchesse, lorsqu'une dame d'un rang plus élevé, la comtesse de Provence, survint. Aussitôt, la chemise repassa dans les mains de la camériste qui la donna à la comtesse de Provence; c'est à elle que revint l'honneur d'en vêtir la reine. Pendant que les dames se passaient et repassaient la chemise, la reine attendait, nue comme Eve, la fin de la cérémonie. » La personne, en l'occurrence la reine, avait disparu sous le formalisme d'un système fantôme à vocation perpétuelle.

La reine Marie-Thérèse étant morte le 30 juillet 1683, Louis XIV, à quarante-cinq ans, épouse secrètement Mme de Maintenon, se range de ses écarts de jeunesse et se prépare à une vieillesse digne et pieuse sous la houlette de sa nouvelle femme. Reine légitime sans l'être légalement, Mme de Maintenon, petite-fille d'Agrippa d'Aubigné, veuve du poète Scarron mort en 1660, admise à la Cour en 1673, séduit par sa beauté, sa réserve et son esprit le roi assagi. Le témoignage qu'elle nous donne de la vie intime et conjugale exemplaire qu'elle mena avec Louis XIV nous fait sentir tout le poids de l'étiquette, la lassitude et les inconvénients que cela pouvait causer. Huguenote convertie, elle vivra en définitive toute sa vie en situation fausse. Toujours est-il que c'est sous son influence que le roi vieillissant exprima sa volonté de mener et de voir mener une vie respectable à la Cour. Louis XIV se déclara même « hautement contre les vices criants où la première jeunesse de la Cour de son propre sang s'est portée ».

La chambre de Mme de Maintenon devint le lieu principal de la Cour. Elle y recevait le roi, les princes, les ministres, des évêques, des ambassadeurs et de très rares amis intimes. A l'ordinaire, ces journées lui semblaient très dures, ainsi que l'on peut en juger pour l'année 1705 : « A 7 heures 30 du matin on entre chez elle, ce sont les médecins qui viennent voir comment elle se porte, quelques personnes employées à des œuvres de charité, l'archevêque de Paris, un secrétaire d'Etat, un général d'armée et Monsieur du Maine, son bâtard préféré. Arrive ensuite le roi sortant du Conseil et allant à la messe, alors qu'elle n'est pas encore habillée et qu'elle porte encore sa coiffure de nuit. Au retour de la messe, le roi repasse et reste un moment jusqu'au déjeuner. Après cela il revient dans la chambre, reste une demi-heure et part à la chasse, mais les dames qui l'accompagnaient restent encore un long moment après son départ, ce que ne semble guère apprécier Madame de Maintenon. Au retour de la chasse, pour la quatrième fois le roi pénètre dans sa chambre, mais cette fois on ferme la porte pour que personne d'autre que le ministre qui revient travailler avec lui n'y pénètre. Le roi et la marquise sont dans des fauteuils face à la cheminée; devant la table du roi sont disposés deux tabourets : l'un pour le ministre, l'autre pour son portefeuille. Pendant que les deux hommes travaillent, si le roi désire qu'elle soit en " tiers ", il lui demande son avis, s'il ne le désire pas, elle lit et elle " travaille en tapisserie "ou place quelques prières de l'après-midi. » Elle soupe, cependant l'heure avance, elle est lasse, elle bâille, enfin le roi l'invite à se coucher. Sans s'occuper de la présence des deux hommes, deux femmes de chambre la déshabillent. Le ministre enfin parti, le roi s'assied à son chevet et bavarde avec elle. A 10 heures moins le quart, le duc et la duchesse de Bourgogne viennent dire bonsoir, rapidement, à 10 heures le roi s'en va pour souper, Mme de Maintenon ferme les rideaux de son lit, sa journée est finie.

La marquise, malgré sa position, s'ennuie; elle parle du « vide affreux qu'elle a désormais pour compagne ». Un jour où elle se plaint à son frère, le comte d'Aubigné, de sa morne vie, lui disant : « On n'est en repos que lorsqu'on s'est donné à Dieu », celui-ci lui répond : « Vous avez donc parole d'épouser Dieu le père? »

La vie à la Cour est pleine d'inconvénients; le froid d'abord : « A Marly dans la chambre du roi, il n'y a ni porte ni fenêtre qui ferme, on est battu d'un vent qui fait penser à des ouragans. » A Versailles, pendant la séance de l'après-midi, le roi et son ministre qui restent là des heures à travailler oublient qu'elle n'a pas un « corps glorieux » et elle doit attendre leur départ pour « prendre les soulagements dont elle a besoin ». Le roi, qui ne peut se passer d'elle, veut l'emmener partout avec lui, même lorsqu'elle est « dans un état à ne pas faire marcher une servante » et, si elle est occupée, « coupe toujours ce que j'aurais à faire [...] il faut aussi essuyer ses chagrins [...] ses tristesses, ses vapeurs; il lui prend quelquefois des pleurs dont il n'est pas le maître, ou bien il se trouve incommodé, il n'a point de conversation ». Enfin elle supporte mal les désirs du roi, vaillant jusqu'à soixante-douze ans. A son directeur de conscience, l'évêque de Chartres Godet-Desmarais, elle parle de ces « occasions pénibles ». Celui-ci lui répond qu'à défaut d'avoir pu conserver la virginité des épouses du Christ, et à bien considérer les choses, « c'est une grande pureté de préserver celui qui lui est confié des impuretés et des scandales où il pourrait tomber » et que c'est « une grande grâce d'être l'instrument des conseils de Dieu et de faire par pure vertu ce que tant de femmes font sans mérite, ou par passion ».

La dette sexuelle

En fait, les époux n'étaient jamais seuls dans le lit conjugal, l'ombre du confesseur présidait aux ébats. S'il était difficile à Mme de Maintenon de s'opposer aux désirs du roi, il est probable que dans bien des ménages, note Jean-Louis Flandrin dans son étude sur *La Vie sexuelle des gens mariés dans l'ancienne société,* l'homme devait compter avec les refus de sa femme; et, en cas de désaccord persistant, avec l'arbitrage du confesseur, sous peine de se voir refuser l'absolution et la communion. La disposition des appartements séparés dans les hôtels de la haute société montre que les relations de mariage n'impliquaient pas obligatoirement des relations amoureuses. Pratiquement aucun théologien ne faisait intervenir la notion d'amour dans les débats sur la sexualité conjugale; c'est au plan de la justice, et non de la charité, que théologiens et canonistes débattaient les intentions qui devaient animer les époux. Plutôt que la notion d'union charnelle, qui n'a théoriquement pas d'autre but que la procréation, c'est la notion de *debitum*, le « dû », ou la « dette », qui recouvrait la sexualité. « Créancier » et « débiteur » formaient le couple; pour qu'il y ait conjonction charnelle, un des époux devait exiger de l'autre le paiement de sa dette et celui-ci s'en acquitter. Jamais, semble-t-il, il n'était imaginé que l'homme et la femme mariés puissent se porter ensemble spontanément l'un vers l'autre. Et si, en dehors du lit conjugal, l'homme restait le maître de sa femme, dedans, cette dernière, tout aussi bien que son mari, était en situation de réclamer son dû; chacun d'eux, comme le dit saint Paul dans la première épître aux Corinthiens, ayant puissance sur le corps de l'autre.

D'après Jean-Louis Flandrin, les théologiens tenaient tant à cette égalité qu'ils n'hésitaient pas à privilégier la femme pour contrebalancer la « faiblesse et la timidité naturelle à son sexe ». Elle n'était tenue de « rendre dû » que si son mari l'exigeait explicitement et arguait de son droit. Inversement, l'homme devait réciprocité dès que son épouse, par ses regards et son attitude, manifestait, sans jamais oser l'exiger ni le dire, le désir charnel.

Reste à savoir dans quelle mesure elle avait droit au plaisir dont il n'est pas évident que les hommes fissent grand cas. Toujours est-il que dans tous les problèmes de conscience relatifs à la sexualité conjugale, on examinait séparément le cas de l'époux qui réclamait sa dette et de celui qui la payait.

Si les théologiens et les canonistes se sont tant penchés sur la question, ce n'est pas seulement parce qu'ils continuaient leur œuvre de christianisation en profondeur de la vie conjugale, mais aussi, à travers les interrogations intimes qui passaient par la confession auriculaire récente, parce que s'exprimait une attente des couples pour connaître plus précisément les règles du jeu matrimonial.

Ainsi que nous l'avons vu pour les périodes précédentes

et pour Mme de Maintenon, la gêne et la pudeur n'étaient pas les dernières au lit. Au XVIe siècle, agir avec sa femme comme avec une maîtresse était considéré comme scandaleux; n'était-ce pas, comme le dit Montaigne, « une religieuse liaison et dévote, que le mariage »? La distinction était d'ailleurs appuyée par les théologiens qui proposaient deux sortes d'amour : « L'amour humain, écrit Luiz Lopez à la fin du XVIe siècle, est divisé en amour de concupiscence et amour d'amitié. Nous appelons amour de concupiscence celui par lequel nous aimons le prochain principalement pour notre bien, non pour le sien propre; au contraire l'amour d'amitié est celui par lequel nous l'aimons principalement pour son bien ou son plaisir. » Dans la *Somme des péchés*, Benedicti exposait encore plus crûment les choses : « Il ne faut que l'homme use de sa femme comme d'une putain ne que la femme se porte envers son mary comme avec un amoureux » (liv. II, chap. 5).

Du plaisir de la femme

Dans le concret des relations quotidiennes, comment se passaient les choses? On sait depuis l'époque médiévale que s'unir délibérément à son conjoint pour éprouver du plaisir était un péché mortel. Au XVIIe siècle, la recherche du plaisir liée à une finalité procréatrice n'est plus condamnée, les époux ne devant pas craindre d'avoir trop d'enfants, en revanche l'est la recherche du « plaisir seul »!

Le « crime d'Onan », entendre *coïtus interruptus*, grand moyen contraceptif dont les mentions sont rares jusqu'au début du XIVe siècle, se multiplie à partir du XVIIe siècle. Or cela pose aux confesseurs (toujours des hommes) un problème nouveau : la complicité de l'épouse. Etait-ce une façon valable de s'acquitter de la dette conjugale? En avait-elle le droit? Depuis le XIVe siècle, l'Eglise avait pris en considération les difficultés des couples surchargés d'enfants et plus ou moins accepté l'« étreinte réservée », mais ce sur quoi elle avait du mal à s'accorder était le plaisir; plaisir, chez l'homme comme chez la femme, qui leur paraissait ressenti automatiquement au moment de l'éjaculation. La question fut donc détournée vers la femme : devait-elle, oui ou non, émettre sa semence lors de l'accouplement? Question préalable : la semence féminine est-elle nécessaire à la génération ou inutile? Après débats, il en résulta que la semence féminine émise lors de l'orgasme n'est pas nécessaire à la conception d'un enfant, mais qu'elle y aide beaucoup et qu'elle fait l'enfant plus beau. En effet, pourquoi Dieu aurait-il inventé le plaisir féminin s'il n'avait pas eu d'utilité pour la reproduction de l'espèce?

Suit toute une série de problèmes : la femme était-elle tenue d'avoir un orgasme au cours de la relation? Jean-Louis Flandrin assure que sur quinze théologiens de l'époque posant cette question (sur les vingt-cinq qu'il a étudiés), huit jugeaient qu'en refusant volontairement l'orgasme l'épouse commettait un grave péché, quatre qu'elle ne commettait qu'une faute vénielle et trois qu'elle n'en commettait pas du tout. Autre question : le mari était-il tenu de prolonger le coït jusqu'à l'orgasme de sa conjointe? Quatre pour, mais les autres penseurs estiment qu'il n'y est pas tenu. Les époux doivent-ils avoir du plaisir en même temps? Six auteurs sont pour le tenter, cela augmentant les chances de conception. L'épouse a-t-elle le droit de se caresser pour parvenir à l'orgasme une fois son mari retiré? Trois théologiens sont contre, quatorze l'y autorisent!

Quant aux positions de l'union conjugale, on recommandait aux époux celle dite « naturelle » : la femme allongée sur le dos, l'homme au-dessus. Les positions *retro, more canino* et celle du *mulier super virum* étaient contraires à la nature des sexes et, surtout pour la dernière, ne permettaient pas bien de savoir qui « agit » et qui « subit ». Car n'oublions pas que la femme, la vraie femme, doit, d'après les hommes d'Eglise, être passive; ils gardaient en mémoire que c'est parce que « les femmes, transportées de folie, avaient ainsi abusé des hommes » que Dieu noya l'humanité sous le Déluge!

De l'impuissance

Si l'on craint que l'amour passionné des conjoints ne porte préjudice aux relations sociales « et à ce que nous devons à Dieu », la cohabitation fraternelle des époux au sein d'un mariage non consommé n'est plus de mode. La société virile qui se penche sur la femme pour savoir s'il faut l'étouffer ou la faire vivre vit avec cette angoisse suspendue au-dessus de sa tête de voir tout à coup l'épée de Damoclès faiblir, son prestige s'effondrer et sa puissance défaillir. L'Eglise, pratiquement spécialisée pour canaliser les impulsions du sexe, rejette de son sein tout ce qui n'est pas en conformité avec l'ordonnance divine et ne supporte pas qu'un de ses membres virils, même voué à l'inaction, présente la moindre anomalie... Pierre Darmon, dans son travail sur la *Virilité et les défaillances conjugales dans l'ancienne France*, montre bien que le paradoxe n'est qu'apparent : « L'institution divine doit être, à l'image de son Sauveur, le symbole de cette perfection qui s'incarne, en l'occurrence, dans une virilité sans faille. Dans de telles conditions, l'action en justice prend la forme d'un sacrifice, au sens païen du terme, à la faveur duquel le sacrificateur se décharge de sa névrose sur sa victime. »

Réprimée dans les faits, la sexualité trouve une compensation dans son évocation, la « mise en discours », remarque Michel Foucault, depuis la fin du XVIᵉ siècle, « loin de subir un processus de restriction, a au contraire été soumise à un mécanisme d'incitation croissante ».

L'impuissant est celui qui n'a pas la faculté de remplir le devoir conjugal, or l'incapacité conjugale est en droit canonique un empêchement dirimant au mariage lorsqu'elle est antérieure à la célébration des noces. Et la rupture du lien conjugal, d'après les témoignages presque toujours teintés d'une nuance misogyne, se trouve liée au bon vouloir des femmes.

On parle de dix mille jugements rendus au XVIIᵉ siècle à la suite de procès d'impuissance, à tel point, dit un avocat général, que l'enceinte des tribunaux « contiendrait bientôt plus d'époux mécontents que la singularité d'aucune cause n'y avait jamais attiré de curieux » et que « l'on est fâché, écrit un médecin légiste, de voir les dernières années de sessions des cours de parlement employées en grande partie à des causes obscènes ». Bientôt débordant le prétoire, le procès en impuissance envahit la rue, les salons et même la Cour, où il excite la verve railleuse des beaux esprits. L'affaire de Gesvres fit grand bruit. Malgré une plaidoirie, pleine de bon sens courtisan, où l'avocat expliquait que « tenir de bien loin à un duc et pair, est plus beau que de tenir de près à une simple demoiselle, quoique de famille distinguée », le marquis échoua dans toutes ses tentatives pour apporter une preuve de virilité. Cette affaire donne une idée de l'atmosphère de kermesse qui régnait autour des procès d'impuissance. Les chansonniers s'emparèrent de ce fameux procès où un grand perdait la face et dans Paris circulèrent des chansons comme celle-ci :

> En vain la riche Emilie
> Plaide, conclut, requiert et veut
> Que d'avec Jan qui ne peut
> Un prompt divorce la délie
> Les experts ayant affirmé
> Que l'époux est bien conformé
> Quoy qu'en luy la nature dorme

> *Les choses de manière vont*
> *Qu'il l'emportera pour la forme*
> *Quoy qu'il n'ait pas droit dans le fond*

ou encore comme celle-là, que chantait le peuple sur l'air des *Feuillantines* :

> *On dit qu'un certain marquis*
> *Dans Paris*
> *Ne fait que dormir au lit*
> *Sa femme crie et tempeste*
> *Ah quel vi...*
> *Ah quel vilain petit monstre.*

> *Elle crie à ses parents*
> *Leur disant*
> *Je n'aurai jamais d'enfans*
> *Il faut que je l'abandonne*
> *Car mon con...*
> *Car mon confesseur l'ordonne.*

> *Pour me tirer du bourgeois*
> *On fit choix*
> *De cet ambigu minois*
> *Depuis trois ans l'amphibie*
> *N'a montré aucun signe de vi...*

> *Je veux que les magistrats*
> *Sur ce cas*
> *Entendent les avocats*
> *Quoyque le monde en raisonne*
> *Car mon con...*
> *Car mon confesseur l'ordonne.*

> *Quand vous prendrez un espoux*
> *Gardes vous*

D'un marquis à membre moul
J'en fais la preuve cruelle
Et je suis
Et je suis femme et pucelle.

Mais tous les procès ne suscitèrent pas la même frénésie, ce furent parfois de véritables drames où un homme seul – et impuissant – dut faire face aux reproches d'une jeune femme et surtout aux pressions de la belle-famille et de ses alliés pour dissoudre un mariage, dont sa vie, ses relations, son honneur et sa fortune dépendaient.

Ce procès, tiré du *Recueil de procédures civiles faites en l'officialité de Paris,* le 18 mai 1694, met en relief l'humiliation que subit l'accusé, la lourdeur et la cruauté de la machine administrative qui s'ébranle quand un homme est cité en justice par sa femme qui l'accuse d'impuissance. Il invoque comme défense qu'il est le père légitime d'un enfant baptisé sous son nom et, dès le début, en vertu de la règle *pater est quem nuptia demontrant*, la cause est entendue en sa faveur. Malgré cette règle, il fait l'objet d'une assignation en bonne et due forme à laquelle il refuse de se soumettre. L'official implore alors l'aide du bras séculier : il est jeté en prison où l'on procède à l'interrogatoire. Plusieurs expertises s'ensuivent; le juge d'Eglise veut trois rapports. Une dizaine de médecins et de chirurgiens défilent devant lui et bientôt les conclusions arrivent : on a trouvé ses parties génitales « faibles », « les deux testicules sont flatueux », « il n'a jamais eu d'éjaculation », il n'a « aucune tempérie », il est « blessé au col de la vessie où sont prostate et paraprostate », on lui a « tiré une pierre grosse comme un œuf de pigeon », « sa complexion est mauvaise » et « son visage pâle »...

Les rapports pleuvent, les théories s'affrontent au chevet même de l'accusé et, au bout de vingt-deux mois, à la question de savoir « s'il avait pu connoistre charnellement la demanderesse », il avoue « qu'il n'a point d'éjaculation et n'en a jamais eue, s'estant efforcé plusieurs fois, tant en présence que hors de la présence de ladite EPD, sans avoir pu faire venir semence ». Le tribunal de l'impuissance prononce la sentence définitive : « Tout considéré et le Saint nom de Dieu invoqué, pris de conseil de [...] nous avons débouté ladite EPD de sa demande en nullité de mariage... » L'impératif social de la règle toute-puissante du *pater es quem*, défense et illustration de la famille et de « tous les parens qui ont interêt à leur succession », l'a emporté, l'honneur de l'accusé et des défenseurs est sauf!

De la « mollesse »

La « mollesse », faisant pendant à l'impuissance, se caractérise par une paresse de l'âme et du corps, accompagnée, ou non, de pollution volontaire, voire d'homosexualité passive. Spécialiste des péchés et de leurs remèdes, Benedicti discerne trois espèces de « mollesse » : « La première c'est une lâcheté et molleté qui est opposée à la vertu de persévérance, comme si quelqu'un était si mol et efféminé qu'il omît ce qui est nécessaire pour son salut : c'est une espèce de péché de paresse. La seconde c'est [...] la pollution volontaire, et procurée en veillant, soit par attouchement, par cogitation et délectation, par locution ou conversation impudiques, ou par quelque autre moyen que ce soit. La troisième est celle-ci, savoir quand quelqu'un est patient au fait de ce péché et fait l'office de femme. »

« Pollution » et « mollesse » constituent donc deux approches complémentaires d'un même phénomène. Le premier terme, appartenant à la nomenclature des péchés de luxure, désigne une pratique spécifique : la masturbation, le second est « une langueur de l'âme », écrit Fénelon au chapitre sur les « Effets de la mollesse et de l'amusement » de ses *Ecrits spirituels*, « qui l'engourdit et lui ôte toute vie pour le bien [...] c'est une langueur traîtresse qui la passionne secrètement pour le mal ». Hors de toute référence à une pratique particulière, la « mollesse » est donc paradoxalement en rapport avec la dynamique du péché.

Les confesseurs avaient besoin d'un mot pour faire parler et absoudre le pécheur, et le « péché de mollesse », que le fauteur fût pubère ou non, ou même impuissant, entachait la virginité de son âme « davantage que s'il était uni à des femmes selon les moyens de son âge ». Ce qu'en définitive redoutent les théologiens, fait remarquer Théodore Tarczylo, c'est l'éveil précoce des sens qui, tournant en habitude, compromet l'avenir spirituel de l'enfant, mais aussi son devenir, c'est-à-dire sa capacité future à exercer les fonctions viriles et, pour les gens d'Eglise, point de vertu spirituelle sans vertu physique.

Les petites filles de Port-Royal

La contradiction fondamentale entre l'impulsion et la morale vécue par les croyants leur fait assimiler l'étreinte amoureuse au péché originel, le plaisir à un péché mortel et leur désigne ce qui en résulte, l'enfant, comme l'héritier de toutes ces tares. Dans cette perspective toute chrétienne on ne sera pas étonné que l'état enfantin, « l'état le plus vil et le plus abject de la nature humaine après celui de la mort », dit Bérulle dans ses *Opuscules de piété* (n° 69), inspire la méfiance. Pour l'éducation janséniste, émanant de chrétiens convaincus que l'homme est déjà corrompu dans l'enfant, la culpabilité de celui-ci ne fait aucun doute : il faut l'isoler, combattre ses instincts et se méfier de tout ce qui peut venir de sa spontanéité. Rien d'étonnant à ce que l'éducation à Port-Royal-des-Champs soit baignée de prière et entretienne les pensionnaires, garçons et filles, dans la crainte permanente du péché. A aucun moment

149

l'enfant ne doit demeurer seul dans l'inaction ou la rêverie; ces « voies d'accès à la concupiscence » sont strictement gardées : un maître pour cinq ou six élèves, qui ne les perd jamais de vue, qui partage leurs promenades, participe à leurs conversations, à leurs jeux et veille également sur leur sommeil. De son lit, ce « surveillant » doit pouvoir apercevoir chacun des enfants confiés à sa garde.

Les petites filles de Port-Royal doivent à 8 heures et quart, été comme hiver, être couchées et « toutes dans un lit à part, sans qu'on en dispense jamais pour quelque prétexte que ce soit », écrit Jacqueline Pascal dans le *Règlement des enfants du monastère de Port-Royal*. « Aussitôt qu'elles sont couchées, elles sont visitées [...] chaque lit en particulier pour voir si elles sont couchées avec la modestie requise et aussi pour voir si elles sont bien couvertes en hiver. » La position du corps, antre du diable, faisait dans les innombrables livres de civilité l'objet de prescriptions précises lorsque les enfants étaient dans le lit, sachant qu'il n'est pas séant d'y retirer ses jambes, il faut les étendre et il est à propos de se coucher tantôt sur un côté, tantôt sur un autre; car il n'est pas honnête de dormir étant couché sur le ventre » (à cause des risques, non visibles, de la masturbation).

L'heure du lever était fixée entre 4 et 5 heures; elles devaient baiser la terre et adorer Dieu, car « on doit exhorter les enfants à connaître elles-mêmes leurs inclinations, leurs vices et leurs passions et sonder jusqu'à la racine de leurs défauts », affirme Jacqueline Pascal. Elles se rassemblent alors dans une pièce réservée à l'habillement et, agenouillées, disent encore à haute voix une formule d'adoration. Après s'être peignées les unes les autres, les grandes coiffent et habillent les petites, « tous ces gestes doivent s'accomplir dans un silence parfait », elles sortent de leurs cellules et rejoignent l'étude.

Le coucher des enfants

Les règles de la bienséance de la civilité chrétienne de Jean-Baptiste de La Salle, paru en 1703, inspiré du chapitre « Du coucher » du *De civilitate morum puerilicum* d'Erasme, développe le rituel du coucher des enfants, issu, bien évidemment, des règles monastiques. Dans la société de l'Ancien Régime fortement hiérarchisée, c'est avant tout le respect qui préside aux relations humaines. Aussi « les enfants ne doivent pas aller coucher qu'ils n'aient auparavant salué leur père et leur mère et qu'ils ne leur aient souhaité le bonsoir ». Obsédé, comme tant d'autres à cette époque, par les dangers de la nuit favorable à Satan qui livre l'homme aux tentations du monde et de la chair et aux ennemis de son salut, La Salle recommande de faire son signe de croix avant de poser la tête sur l'oreiller, il « se fait pour chasser le malin esprit, le lion rugissant qui tourne à l'entour de nous pour nous dévorer [...] il l'épouvante et le fait fuir ».

Examiner les actions de sa journée, s'assurer de n'avoir rien fait contre la loi de Dieu, de n'avoir omis aucun de ses devoirs est un exercice apaisant et sécurisant, car la nuit est dangereuse, le sommeil ressemble à la mort et le lit au cercueil. Un livre de piété à l'usage des éducateurs n'hésite pas à leur donner des arguments pour obtenir une plus parfaite obéissance de leurs jeunes pensionnaires en déclenchant et en augmentant leur angoisse naturelle à l'approche de la nuit : « N'éprouvez-vous pas chaque soir, à la pensée de ce silence presque lugubre [...] un saisissement profond? Ce lit en forme de tombeau, ce sommeil qui va vous séparer du monde entier, cette nuit [...] à travers laquelle vous apercevez comme l'œil de Dieu qui vous regarde [...] tout cela ne vous impressionne-t-il pas? » Ensuite, « on se met modestement au lit et on s'endort en paix ».

Qu'est-ce à dire « modestement »? La Salle répond : « On doit aussi pour se coucher d'une manière chrétienne [...] le faire [...] avec toute l'honnêteté possible; il faut pour cela faire en sorte de ne se déshabiller ni coucher devant personne, on doit surtout, à moins qu'on ne soit engagé dans le mariage, ne pas se coucher devant aucune personne d'autre sexe, cela étant tout à fait contre la pudeur et l'honnêteté [...]. La bienséance veut aussi qu'en se couchant on se cache à soi-même son propre corps et qu'on évite les moindres regards. C'est que les pères et mères doivent beaucoup inspirer à leurs enfants, afin de les aider à conserver le trésor de pureté qui leur doit être cher. [...] aussitôt qu'on est dans le lit, il faut se couvrir tout le corps, hormis le visage qui doit être découvert; il ne faut pas aussi que pour une plus grande commodité, on s'y mette dans aucune posture indécente, ni que le prétexte que l'on dormira mieux l'emporte sur la bienséance. »

Le défaut de trop dormir

Les manuels de *civilité* sont là pour réglementer le temps du sommeil et veiller à ce que le lit ne serve qu'à dormir... même si « c'est un défaut de trop dormir, c'est une chose honteuse et insupportable [...] que le soleil à son lever nous trouve dans le lit. C'est aussi changer et renverser l'ordre de la nature, de faire du jour la nuit et de la nuit le jour, comme le font quelques-uns; c'est le démon qui engage à en user ainsi; comme il sait que les ténèbres donnent occasion au péché, il est bien aise que nous fassions nos actions pendant la nuit ».

L'heure du coucher est fixée à « environ deux heures après le souper et environ sept heures de repos suffisent au délassement du corps, à moins qu'on ait été obligé de se livrer à un travail excessif ». Mais « il faut se faire à soi-même une loi de se lever de grand matin et d'y accoutumer les enfants dès qu'ils commencent à grandir et lorsqu'ils n'ont pas d'infirmités qui s'y opposent ». Il est aussi « bien indécent et peu honnête de s'amuser à causer, à badiner ou à jouer sur son lit, précise La Salle, n'imitez pas certaines personnes qui s'occupent à la lecture ou à d'autres affaires [...], ne restez jamais au lit quand vous ne dormez plus [...] vos vertus y gagneront beaucoup [...] les habitudes de mollesse prises dès le bas âge influent sur le reste de la vie ». En bref, un long repos est nuisible puisqu'il « énerve l'esprit et le corps ».

Le lit lui-même fait l'objet d'une attention particulière; lieu du non-dit de la sexualité, il est nécessaire d'en effacer chaque matin des traces qui pourraient s'y rapporter. Aux jeunes filles à qui une maîtresse de pension avoue qu'il y aurait « beaucoup de choses à dire sur cet article mais la raison, l'usage et surtout la piété qui croîtra en vous de plus en plus, vous apprendront ce que je ne puis exposer avec plus de détail », elle explique quand même clairement que « la bienséance demande qu'on fasse son lit avant que de sortir de la chambre, ou s'il est fait par d'autres, qu'au moins on le recouvre honnêtement, et de telle manière qu'il paraisse comme s'il était fait. Car il est très indécent de voir un lit découvert et mal accommodé ».

Tout ce qui est lié à la nuit, le bonnet et plus encore le pot de chambre, ne doit pas être vu. Etonnamment, malgré tant de précautions, les auteurs de manuels de civilité à l'usage des enfants ont toujours aussi peur de l'eau et négligent les exigences les plus essentielles de la propreté.

Les libertins quittent la chambre

Alors que les manuels des confesseurs du XVII⁰ siècle se relèvent d'une extrême « délicatesse » pour ce qui est des gestes d'une hygiène corporelle élémentaire, quand ils ne les interdisent pas ou se bornent à évoquer le « strict minimum » (se laver les doigts, la bouche et le visage), le libertinage s'accompagne d'une peur panique de l'odeur corporelle et pousse le libertin à s'occuper très attentivement de son corps. Sous l'influence de la mère du Régent, qui « en bonne Allemande avait là-dessus des habitudes meilleures », ainsi que de l'Angleterre, l'hygiène va progresser sensiblement avec la Régence, l'usage de la salle de bain va se vulgariser dans la haute société parisienne. Il est révélateur que le mot *propreté* (1671), qui a d'abord le sens de « convenable » et de « décence », désigne au début du XVIIIᵉ siècle ce qui est spécifique du soin corporel, puis la qualité de ce qui est propre en général pour s'élever jusqu'à « l'image de la netteté de l'âme ». L'apparition de gestes nouveaux dans le quotidien d'une société particulière et riche, plus à même de mettre à profit les innovations, va transformer les mœurs. Une génération nouvelle apparaît, non pas tant « fanfaronne du vice » que fanfaronne de l'esprit !

Pour Crébillon fils (1701-1777), « est libertin l'homme qui se sert de l'amour pour assurer le triomphe de sa fantaisie aux dépens de sa partenaire, qui érige l'inconstance en principe et qui, ne cherchant que le plaisir de ses sens et la satisfaction de sa vanité, n'accorde rien au sentiment dans l'entreprise de la conquête amoureuse ». Aboutissement logique de la société de Cour, avant tout société de représentation, le libertin pousse le jeu des règles de bienséance et d'usages jusqu'à le tourner en dérision, érigeant très explicitement l'hypocrisie en ligne de conduite, faisant de son image dans le public une obsession et de la société le témoin de l'étendue et de la qualité de ses triomphes sur les femmes. Rien ne se passe pour le libertin dans le secret des cœurs ni ne doit rester confiné dans l'ombre des alcôves ; l'indiscrétion est une obligation absolue pour un séducteur conscient de ce qu'il vaut et si un détail de ses aventures venait à échapper à ses spectateurs, son devoir serait de le leur révéler.

En définitive, c'est le public qui impose ses règles au libertinage et qui délimite l'espace dans lequel il peut s'exercer; spectateur actif, c'est lui qui va imposer l'idée qu'il est honteux d'être fidèle et que l'amour est un « préjugé gothique ». La décence n'est rien d'autre que « ce qui se fait », reste à être à la hauteur et savoir se conduire comme il convient. Or, comment savoir ce qu'il convient sinon en apprenant la science du monde, qui ne s'obtient que par l'expérience et dont l'acquisition va de pair avec une maîtrise croissante du langage? Une éducation senti-mentale bien tempérée, c'est s'initier au code en usage, avec ses mots de passe et les subtilités de son jargon. Art de haute stratégie fondé sur une rigoureuse analyse des mécanismes de l'amour et du désir, le libertinage, athéisme réfléchi des aristocrates, n'est nullement l'expression de la licence, c'est un goût illimité du bonheur et de la connais-sance.

La volupté en pleine lumière

On ne saurait confondre la littérature libertine avec les romans ou les poèmes gaillards, licencieux et érotiques. *Aloysiae Sygeae..., satira sotadica...* (1659?) de Nicholas Chorier, *L'Ecole des filles* ou *La Philosophie des dames* (1655), attribué tant à Michel Millot qu'à Claude Petit, où sont détaillées sans détour les différentes façons de faire l'amour, constituèrent, bien qu'en nombre limité et pour une élite réservée, un événement d'importance.

La jouissance et les désirs, « ce que l'âme a de plus rare », pour reprendre La Fontaine, firent irruption dans la chambre à coucher où l'égalité entre l'homme et la femme, s'affirmant de plus en plus, se lia, non plus dans le péché, mais dans la manière nouvelle d'abolir les frontières de l'interdit et du permis : l'art de l'amour. Enumérer tous les ouvrages érotiques publiés au XVIIIᵉ siècle, siècle de la volupté en pleines Lumières, est impossible, mais les plus célèbres et dans l'ordre chronologique furent : *Vénus dans le cloître,* de l'abbé du Prat (1719); *L'Histoire de Dom B. portier des Chartreux* (1741), de Gervaise de Latouche; *Les Lauriers ecclésiastiques* (1748), de La Morlière; *Thérèse philosophe* (1748), du marquis d'Argens; *Margot la ravaudeuse* (1750), de Fougeret de Monbron; *L'Arétin moderne* (1763), de Du Laurens; *La Foutromanie* (1788), de Senhac de Meilhan; ou *Erotika Biblion* (1783), de Mirabeau.

Quant aux représentations, les peintres, les graveurs et les illustrateurs du XVIIIe ne se privent pas de figurer la sensualité : de Fragonard en passant par Saint-Aubin, Greuze ou Watteau, le plus osé est François Boucher, « peintre d'alcôves », nommé, grâce à Mme de Pompadour qui intercéda en sa faveur auprès de Louis XV, peintre du roi. Il eut entre autres comme mission de stimuler la sensualité, l'imagination érotique du souverain et de son entourage et d'instruire le dauphin sur les plaisirs du sexe.

Si Donatien Alphonse François de Sade (1740-1814) publia *La Philosophie dans le boudoir* en 1795, leçon théorique et pratique du libertinage le plus poussé et le plus cruel, il faut savoir qu'il fut persécuté de son vivant comme l'image même du Mal. Ce sont les surréalistes Breton et Apollinaire qui le redécouvrirent et l'estimèrent pour la « prodigieuse libération de l'imaginaire qui s'opérait dans cet éclatement de l'écriture » et plus près de nous, Roland Barthes qui, approchant l'esprit du XVIIIe siècle, beaucoup plus puritain qu'on ne l'imagine, écrit : « par son ordre d'occultation, le libertin contredit l'immoralisme courant, il prend le contrepied de la pornographie des collégiens, qui fait de la dénudation sexuelle de la Femme la suprême audace. Sade demande un *contre strip-tease* [...] tous les libertins ont cette manie dans leurs plaisirs, de vouloir cacher scrupuleusement le sexe de la Femme [...] La morale libertine consiste, non à détruire, mais à dévoyer; elle détourne l'objet, le mot, l'organe, de son usage endoxal [...] L'Eros sadien est évidemment stérile (diatribes contre la génération) ».

L'évolution des mœurs eut des répercussions biologiques et morales de grande importance. Le début du XVIIIᵉ siècle se caractérise par une brutale diminution des taux de natalité chez les « grands », ce mouvement se propageant lentement dans le reste de la noblesse française, y compris dans les noblesses parlementaires provinciales. En d'autres termes, la découverte de l'hygiène et du plaisir, ainsi que les esprits qui s'émancipent, permettent une limitation volontaire des naissances et, paradoxalement, phénomène nouveau, l'extraordinaire amour des enfants tant légitimes qu'illégitimes.

Ce « mal français », cette « corruption » que l'on a attribuée un peu vite à la Régence tient en fait beaucoup plus à un contexte historique et à un climat particulier. Si l'on se remémore les grands épisodes de faim, de vent, de froidure et de pluie des années 1694, 1709 et 1710, une guerre interminable qui s'est soldée par une hécatombe de jeunes sur les champs de bataille, la menace permanente de la peste de Provence que l'on craint pour Paris, les épidémies, l'énorme et invraisemblable série de morts des successeurs directs de Louis XIV et la mise en question de la religion, on peut imaginer que beaucoup de conditions sont réunies pour appeler à un changement, à l'éclatement d'une société qui n'a plus de raisons, mis à part l'étiquette, de vivre sur elle-même.

l'oreiller, l'édredon, les couvertures même, activant les sécrétions et favorisant la masturbation, sont à supprimer!

Le lit devient l'objet d'une attention particulière : il faut pouvoir le déplacer, le mettre au milieu de la pièce en le gardant du contact du sol et remplacer le bois par le fer, qui ne s'imprègne pas, avec un fond à claire-voie lacé ou un châlit. Désentasser, ventiler sont les mots d'ordre; on prônera même pour les pénitenciers le hamac, lit répondant aux normes hygiéniques de ventilation et d'espace, puisque, plié chaque matin, il libère la place pour le travail... A l'hôpital, « il faut laisser chaque malade opérer librement son évolution thermique [...] il importe d'éviter que l'entassement dans un même lit ne crée une chaleur moyenne; celle-ci se révélerait nocive à chacun des individus auxquels on imposerait une telle promiscuité ». Prescrit dès 1780 à l'Hôtel-Dieu de Paris, le lit individuel, comme la tombe, en application logique de la Déclaration des droits de l'homme, est imposé par une décision de la Convention le 15 novembre 1793, pour des motifs de liberté plus que d'hygiène. A vrai dire, pour l'hygiéniste tout est suspect, du parfum le plus entêtant au plus anodin des bouquets de fleurs, on ne comptait plus, paraît-il, les jeunes filles asphyxiées dans leur chambre pendant leur sommeil. C'est peut-être ce qui inspira à un Belge une chambre à coucher où l'on pouvait dormir la fenêtre fermée tout en ayant les poumons aérés par une sorte d'immense entonnoir prenant l'air à l'extérieur de la maison pour le diffuser sur le visage du dormeur.

Chambre à coucher bourgeoise

L'expression « chambre à coucher », relativement récente, ne s'impose vraiment qu'au milieu du XVIIIe siècle; l'adjonction « à coucher » marquant une évolution évidente dans la manière de concevoir et d'organiser l'habitat. Elle définit aussi une certaine classe, l'habitat populaire urbain au XIXᵉ siècle ayant bien quelquefois une ou des « chambres », mais à l'utilisation non spécifiée pour le seul couchage.

La bourgeoisie transforme ses immeubles, elle abandonne le rez-de-chaussée, exposé aux désagréments de toute sorte et rappelant peut-être trop ses origines terriennes récentes, au profit du premier étage, au-dessus de l'entresol.

Derrière une façade, le plus neutre possible, se superposent les classes sociales, des plus hautes au premier aux plus basses au sixième. Cherchant à établir des appartements plus « démocratiques », les architectes effacent, sur le plan, l'importance de l'habitation du seul propriétaire pour une plus grande commodité des locataires et introduisent nommément les « chambres à coucher » dans les immeubles de rapport. Cependant, dans les modèles de plans établis jusque dans les année 1830, toutes les pièces d'un même étage communiquent – non-clôture de prestige – alors même que la symétrie, l'importance de la surface et le nombre des pièces permettaient un découpage de l'étage en deux appartements au moins. Le propriétaire se réserve ainsi, à la manière des hôtels dans lesquels une chambre peut toujours communiquer avec une autre grâce à une porte, une sorte de souplesse locative. C'est cette attitude qui permit longtemps à la chambre de n'être qu'une pièce parmi d'autres que seul le mobilier qualifiait.

L'organisation de l'appartement bourgeois, telle que Charles Garnier, l'architecte de l'Opéra de Paris, la conçut en 1891, cristallisait un modèle (encore d'actualité) en établissant dans un appartement « deux espèces de compartiments distincts : le premier consacré aux pièces de réception et aux chambres à coucher; le second à la salle à manger, la cuisine et aux pièces accessoires ». Reprenant sur un mode mineur l'enfilade des hôtels particuliers, la partie « réception » mobilise le déploiement de toutes les possibilités du logement. La conception des pièces principales est ainsi commandée par le souci de faire traverser au visiteur une succession de pièces selon un ordre et une progression des effets. « Lorsqu'on est arrivé à la dernière pièce qui fait l'encoignure du bâtiment, écrit d'Aviler dans son *Cours d'architecture*, on peut voir avec plaisir la fuite des pièces en enfilade. On peut même les prolonger au moyen de glaces que l'on place aux extrémités, en face des portes. » Et dans cette dernière pièce, la chambre, consacrant l'aboutissement du parcours, apparaît, bien dessiné, un lit.

Point nodal de l'appartement, la chambre est encadrée de ces deux éléments indispensables : l'antichambre, pour le rangement, et la garde-robe, pour l'habillement ou la dissimulation d'une personne brusquement « en trop » dans la chambre... L'art de la chambre est de disposer le lit de façon que le visiteur y accède de face et à contre-jour, l'hôte restant en pleine lumière; sur les murs latéraux, accrochée au-dessus d'une cheminée, une grande glace à laquelle fait face un miroir où se reflète la chambre en des images infinies. Etrange XIXe siècle, où le bourgeois devait choisir dans un large éventail de styles (et de faux) variés pour affirmer ses goûts et son appartenance, presque comme il aurait avancé ses convictions politiques. Des Esseintes, le héros de Huysmans dans *A rebours,* est de ces indécis :

« Il n'y avait, selon lui, que deux manières d'organiser une chambre à coucher : ou bien en faire une excitante alcôve, un lieu de délectation nocturne; ou bien agencer un lieu de solitude et de repos, un retrait de pensée, une espèce d'oratoire.

« Dans le premier cas, le style Louis XV s'imposait aux délicats, aux gens épuisés et surtout par des éréthismes de cervelle; seul en effet le XVIIIe siècle a su envelopper la femme d'une atmosphère vicieuse, contournant les meubles selon la forme de ses charmes, imitant les contractions de ses plaisirs; les volutes de ses spasmes, avec les ondulations, les tortillements du bois et du cuivre, épiçant la langueur sucrée de la blonde par son décor vif et clair, atténuant le goût salé de la brune, par des tapisseries aux tons douceâtres, aqueux, presque insapides. [...] Dans l'autre cas [...] il fallait façonner une chambre en cellule monastique; mais alors les difficultés s'accumulaient, car il se refusait à accepter, pour sa part, l'austère laideur des asiles à pénitence et à prière.

« A force de retourner la question sur toutes ses faces, il conclut que le but à atteindre pouvait se résumer en celui-ci : arranger avec de joyeux objets une chose triste, ou plutôt, tout en lui conservant son caractère de laideur, imprimer à l'ensemble de la pièce, ainsi traitée, une sorte d'élégance et de distinction [...]. Finalement il meubla cette pièce d'un petit lit de fer, un faux lit de cénobite. »

Les regrets de Diderot sur sa vieille robe de chambre sont aussi significatifs :

« Pourquoi ne l'avoir pas gardée? Elle était faite à moi; j'étais fait à elle. Elle moulait tous les plis de mon corps sans le gêner; j'étais pittoresque et beau. L'autre, raide, empesée, me mannequine. Il n'y avait aucun besoin auquel sa complaisance ne se prêtât; car l'indigence est presque toujours officieuse. Un livre était-il couvert de poussière, un de ses pans s'offrait à l'essuyer. L'encre épaissie refusait-elle de couler de ma plume, elle présentait le flanc. On y voyait tracés en longues raies noires les fréquents services qu'elle m'avait rendus. Ces longues raies annonçaient le littérateur, l'écrivain, l'homme qui travaille. A présent, j'ai l'air d'un riche fainéant; on ne sait qui je suis [...] » Ces réflexions, antérieures à celles de Huysmans, outre le fait de marquer une mode masculine relativement récente (la robe de chambre de satin et de couleur brune ou brodée de fleurs dans l'Europe du Nord se répandit à partir de 1650), montrent le souci « bourgeois » d'harmoniser le cadre de vie avec la représentation que l'on cherche à donner de soi et de son bon goût. Le drame, pour Diderot, réside dans le fait qu'il va être obligé de réaménager complètement la pièce, sinon l'appartement, pour que l'ameublement entier puisse s'accorder avec la nouvelle robe de chambre.

Le mobilier acquis, constate l'historien anglais Theodore Zeldin, était au bout du compte tout autant déterminé par le développement de l'industrie du meuble que par cet ineffable sens du goût. Le mobilier cesse alors, pour la première fois dans l'Histoire, d'être un symbole de richesse pour ne devenir qu'une simple collection d'objets utiles, tendance qui se retrouve dans l'évolution du papier peint, dont les motifs vont se simplifier au fur et à mesure de sa popularité grandissante. Au milieu du XIXe siècle, les papiers peints étaient d'énormes fresques murales représentant souvent une trentaine de scènes différentes, comme le *Chemin de fer Lyon-Saint-Etienne* (1854) de Paillard où, à une échelle plus grande, la *Chasse dans la forêt* (1851) de Delicourt, qui comportait quatre mille gravures. Il fallut attendre l'introduction des machines à vapeur en 1858 pour transformer les fabriques de papier peint en une énorme industrie qui, en 1899, comptait plus de deux cents usines, inondant le marché de papiers à moindre coût ornés de motifs simples et répétitifs n'ayant plus qu'une lointaine ressemblance avec les produits artisanaux et sophistiqués du début du siècle.

Curieusement, c'est à partir des pièces les plus triviales de l'appartement, son envers en quelque sorte, que, pour des raisons de commodité et d'hygiène, vont s'opérer les transformations. Les recherches techniques, comme l'invention des petites cheminées et la mise au point du siphon en 1870, progrès capital pour le confort olfactif des habitants, contribuent, en permettant aux lieux de toilette de se rapprocher de la chambre, à renforcer sa dimension intime. Les fameuses pièces « accessoires » se polarisent alors autour d'elle : boudoir, cabinet de travail, salle de bain et w.-c. forment comme une sorte de nouvel appartement privé dans l'appartement.

Les manuels de savoir-vivre insistent pour que « le sens de dignité et de convenance » préside au choix de l'appartement : « On le prendra pas trop doté de recoins [...] ni dépourvu d'antichambre. Ce point surtout a une importance capitale pour qui veut conserver l'inviolabilité de son foyer domestique [...] la plus grande réserve doit être faite au sujet des chambres à coucher : on ne peut y introduire que des parents ou amis très intimes. » L'accession des classes moyennes au confort et aux appartements bourgeois rapetissés va développer une « nouvelle civilité » qui, à cause du manque d'espace et au nom du standing, exigera d'en finir avec la chambre à coucher. Dans le *Nouveau Savoir-Vivre, pour balayer les vieux usages*, de Paul Reboux, paru en 1930, il est clairement dit : « Dans la chambre à coucher, pas de lit apparent. Pas d'armoire à glace autant que possible. Celle-ci a sa vraie place dans une autre chambre, transformée en lingerie ou en cabinet de toilette. Transformée, la chambre à coucher doit devenir dans l'appartement moderne un petit salon correspondant directement avec le grand salon, et formant un lieu de séjour, plus intime, où les dames peuvent se retirer pour bavarder et pour fumer. » L'appartement bourgeois avait vécu et les architectes confrontés à la crise du logement et au logement de masse s'inventaient de nouvelles normes où le fonctionnel prenait le pas sur le décorum; l'habitat devenait un « espace utile réglé sur l'analyse de chaque mètre carré ».

De la cave au sixième

La bourgeoisie lentement s'émeut de la condition de ce qu'elle nommait encore, comme une catégorie biologique, la populace, et, l'hygiénisme se développant, des projets sont faits pour tenter de remédier à « la situation de la classe laborieuse », ainsi que l'avait décrite Engels. La Metropolitan Association for Improving the Dwelling of the Industrious Classes (l'Association métropolitaine pour l'amélioration des habitations des classes industrieuses), reconnue par charte royale au mois d'octobre 1845, se consacre à la rénovation d'édifices existants et à la construction de résidences du type de celle exposée à Hyde Park et relatée dans l'*Illustrated London News* du 14 juin 1851 : « Les chambres à coucher, au nombre de trois, pourvoient à la séparation qui, dans une famille, est si essentielle à la moralité et à la décence. Chacune d'elles a une voie d'accès qui lui est propre [...]. Les chambres d'enfants font chacune 50 pieds carrés, et donnent sur la salle de séjour, ce qui permet aux parents, d'exercer leur vigilance sans l'entassement malsain qu'entraîne l'usage de la salle de séjour comme chambre à coucher. On pénètre dans la chambre des parents, qui a une superficie d'environ 100 pieds carrés, par l'arrière-cuisine, disposition à bien des égards préférable à un accès direct quand on vient de la salle de séjour, spécialement en cas de maladie. »

La bourgeoisie traque les microbes, la tuberculose et la syphilis, et déclenche une grande croisade pour la santé et la propreté, arguant du fait que « la propreté est le commencement de la vertu ». Le « monde du sixième », monde dangereux coupé des maîtres et souvent objet de phantasmes sur ses bonnes en liberté que décrit Anne Martin-Fugier dans *La Place des bonnes*, est visé par cette campagne. A ceux qui n'y vont jamais, les manuels de la maîtresse de maison, comme celui de Mme Pariset publié en 1821, recommandent : « L'habitude de surveiller de temps en temps [...] la tenue et la propreté de ces chambres est une des meilleures et des plus nécessaires que vous puissiez prendre. Non seulement elle fera partie de l'ordre que vous maintiendrez dans votre maison, mais par cette inspection inattendue vous pourrez peut-être découvrir quelques petites infidélités qui, sans elle, ne viendraient jamais à votre connaissance. »

Maladies de poitrine, tuberculose, chlorose et anémies dues à l'absence de sanitaires corrects et de chauffage sont finalement soulignées par le Syndicat national des employés et des gens de maison et par la Ligue contre la tuberculose qui, en 1906, dénonce « l'asphyxie lente » des bonnes. Cette ligue expose à Genève deux chambres côte à côte : l'une est une « chambre de domestique d'un sixième étage des Champs-Elysées » aux murs recouverts de papier, contenant une carpette usée, un lit sale, des meubles boiteux, crasseux, et une cuvette ébréchée. L'autre est une cellule de la prison de Fresnes récemment construite : les murs sont propres et peints, le lit et le sommier aseptiques, une large fenêtre aère la pièce et à l'électricité s'ajoute le tout-à-l'égout; toutes choses inimaginables pour les chambres de domestiques, qui ne sont parfois même pas des « sixièmes » mais de sinistres réduits où, au milieu des boîtes et autres vieilleries, est déposé un étroit lit de fer.

Pires, semble-t-il, étaient les conditions des servantes de Berlin. Emile Massard, dans sa *Proposition relative à l'hygiène et au travail des gens de maison* déposée au Conseil municipal de Paris le 27 mars 1906, citant le rapport d'Arthur Roffalovitch sur ces dernières, indique : « Ces pauvres filles couchent un peu partout, dans les couloirs, dans les salles de bain, dans la cuisine. Quant aux privilégiées qui ont une pièce pour la nuit, le mot de grenier serait trop noble pour désigner de pareils galetas [...]. Les cas ne sont pas rares où, pour arriver à son lit, il faut se servir d'une échelle de meunier. »

Lits de romance, lits de douleur

Du lit de Procuste, brigand fabuleux forçant les voyageurs à s'allonger sur un de ses deux lits, étirant les petits et amputant les grands, à la Princesse au petit pois, qui, pour avoir dormi sur un petit pois camouflé sous « vingt couettes de plumes d'eider par-dessus les matelas », se plaignit un matin de n'avoir pu fermer l'œil de la nuit et d'être contusionnée, en passant par Siminiride le Sybarite qui ne put supporter sur son lit de roses de sentir la nuit durant « une feuille pliée en deux », la gamme des lits de supplice est étendue.

Par opposition au lit de repos ou de convalescence, les *lits d'hôpitaux*, avec leurs cadres de fer peints en blanc, leurs matelas de crin végétal « que les vers n'attaquent pas », et les chambres et salles hautement fonctionnelles dans lesquelles ils se trouvaient, étaient pour les pauvres, jusqu'à la moitié du XIXᵉ siècle, uniquement des lits d'agonie, mais, pour nos contemporains, de plus en plus des lieux de douleur passagère et de réflexion littéraire...
« Totalement dissocié de toute idée de plaisir sexuel et certainement inséré dans un climat de si banal confort que la maladie ne peut en aucun cas déboucher sur une noble agonie ou ces terreurs classiques : draps et couvertures sont trop parfaitement lisses et bordés de telle manière qu'ils évoquent l'ancestral souvenir des chaînes, liens et autres moyens de contention annonciateurs de la torture », écrit Anthony Burgess à propos du lit d'hôpital, dans son ouvrage *Sur le lit*, et des souffrances (relatives) qu'il y endura. « Le seul point positif, ajoute-t-il, que je vois à être gravement malade à l'hôpital, c'est que ça ne vous incite pas à y trépasser tranquillement : sous l'effet de la colère et de la frustration, votre pouls s'accélère et, combative, l'adrénaline enflamme votre organisme, bref vous voilà bien décidé à survivre à vos oppresseurs en blouses blan-

169

ches. » *A priori* que l'on pourrait dire bourgeois et contemporain, l'hôpital n'ayant par tradition jamais eu la cote auprès des riches.

Au début du XIXᵉ siècle, la phtisie et la tuberculose s'installèrent, « préférentiellement sur les riches, les jeunes, les femmes, les êtres fragiles », croyait-on, que consument « les passions tristes » dont parle Laennec dans son *Traité de l'auscultation médiate* (tome II, chap. I, art. 4). On est alors tout aussi effaré que fasciné par la passion qui dévore ces jeunes beautés éthérées, toutes de légèreté, de pâleur et de transparence, avec leurs yeux ardents reflétant le feu de l'âme qui brûle leurs jours dans le luxe et l'oisiveté. Chez les bourgeois, cette maladie se vit surtout dans la famille, enclose dans l'intimité de la chambre, tenue secrète pour protéger les possibilités d'alliances avantageuses. « La moitié de l'Europe a le poumon plus ou moins défectueux », affirmait Kafka en 1920, dans une lettre à Miléna. Mais si, à la fin du XIXᵉ siècle et au tout début du XXᵉ, la maladie avait commencé spontanément à régresser, avant même la découverte du bacille de Koch, la mentalité avait changé à l'égard de la tuberculose : le « mal romantique » fit place au « fléau social ». Déclaré « monstre invisible plus dangereux que les loups, les tigres et les lions », en 1897, le bacille de Koch se révéla n'être pas que ce microbe chic réservé aux riches, aux snobs et aux intellectuels, mais aussi celui de la classe ouvrière, statistiques à l'appui...

La problématique du mal des pauvres et des taudis prit alors place à côté de celle de l'autodestruction interne du bourgeois et de l'artiste, la phtisie quitta les draps de soie pour galoper dans les poitrines des prolétaires et les clouer eux aussi sur leurs grabats. Le bacille quitta la chambre luxueuse pour découvrir les taudis sans air et sans soleil, l'épuisement physique, la pauvreté et la sous-alimentation. A la coqueluche, à la petite vérole dévastatrice se substituèrent les « catarrhes suffocatifs »; s'ajoutant aux maux de la dysenterie qui couchaient des hommes et des femmes

« le long des paliers, criant comme des forcenés les douleurs qu'ils ressentaient », les épidémies de choléra, comme celle de 1832 que décrit Martin Nadaud, maçon de la Creuse, forçaient les quartiers populaires : « Un jour on nous envoya dans la rue de la Huchette travailler dans différentes chambres. Quelle ne fut pas notre surprise! Le choléra sévissait violemment dans le quartier, et bientôt on ne parla pas d'autre chose dans Paris. Dans la maison où nous travaillions, il y eut trois ou quatre décès. La panique s'empara du quartier [...]. Nous finissions par être déconcertés. »

Au cœur d'une époque où la haine de classe est présente, on se tourne contre les riches et les bourgeois, qui non seulement fuient, ne meurent pas, mais « empoisonnent le peuple ». Avec la maladie et la mort qui rôdent à leurs portes, certains bourgeois daignent quitter leurs robes de chambre et leurs chambres de style pour témoigner de la misère des ouvriers. En 1840, à Manchester, en Angleterre, le grand pays industriel du XIXe siècle, sur deux cent quarante mille habitants que comptait la ville, quinze mille vivaient de façon permanente dans des caves, qui n'avaient rien de commun avec celles utilisées par les familles bourgeoises comme resserres, sinon d'être au-dessous des maisons. « Représentez-vous, écrit Léon Faucher dans ses Etudes sur l'Angleterre parues en 1845, des espèces de trous de 10 à 12 pieds carrés de surface, ayant souvent moins de 6 pieds anglais de hauteur, en sorte qu'il est difficile à un homme de s'y tenir debout. Ces tanières n'ont pas de fenêtre; l'air et la lumière n'y pénètrent que par la porte, dont la partie supérieure est généralement au niveau de la rue. On y descend, comme dans un puits, par une échelle ou par un escalier presque droit. L'eau, la poussière et la boue s'accumulent au fond; comme le sol est rarement parqueté, et qu'aucune espèce de ventilation n'y est possible, il y règne une épaisse humidité. Dans quelques endroits, la cave a deux compartiments, dont le second,

171

qui sert de chambre à coucher, ne reçoit de jour que par le premier. »

Il n'était pas rare non plus que deux ou trois familles particulièrement désargentées se partagent un espace de trois mètres carrés et que, de surcroît, elles vivent en compagnie d'un cochon ou de quelques poules... Par souci de salubrité, les villes industrielles du nord de l'Angleterre, comme Liverpool et Manchester, décidèrent d'éliminer ce qu'on appelait les « foyers de maladies infectueuses », flétrissure pour la réputation d'une ville, et édictèrent des réglementations sur les dimensions des logements, qui devaient aboutir à interdire l'usage des caves comme lieux d'habitation. Entre le déput de 1840 et le milieu de 1850, Liverpool se flatte d'en avoir fait évacuer huit mille. Mais, comme le relève Jean-Pierre Navailles dans son étude sur *La Famille ouvrière dans l'Angleterre victorienne*, il arrive en pareilles circonstances que rien ne soit fait pour reloger les expulsés. Certains s'agglutinent dans des logements déjà surpeuplés au-dessous du toit, galetas qui ne valent guère mieux dans le domaine sanitaire que leurs anciens taudis; les autres atterrissent dans des asiles de nuit où, assis sur un banc inconfortable, les bras posés sur une longue corde tendue devant eux et la tête appuyée sur les bras, ils cherchent le sommeil. A l'aube, le réveil est cruel; poussant un cri d'avertissement, le maître des lieux défait la corde et ceux qui ne se réveillent pas à temps basculent à terre, la tête la première...

Jean Roussel (prononcer Roussille) le héros d'Henri Troyat, découvrant autour du marché Khitov à Moscou les asiles de nuit, suivant son guide Paul Egorovitch, pénètre dans un immeuble lépreux, à deux étages, gravit un escalier qui « puait les latrines » et débouche dans une vaste pièce où « des dormeurs gisaient comme des cadavres sur des grabats. Recroquevillés sous leurs haillons, ils marinaient dans une odeur écœurante de viande avariée, de vermine et de déjections humaines. La plupart des couchettes étaient des plans légèrement inclinés, en bois, posés sur des bâtis, à un mètre du sol. Dix hommes ronflaient là-dessus, côte à côte, mais il suffisait de déplacer une latte pour découvrir un deuxième étage de clients étendus en dessous, à même le plancher ». Pour certains de ces locataires ayant connu le *tollard*, la couche collective des bagnards dont Victor Hugo disait qu'« en regard, le lit du trappiste est une faveur », cela ne devait guère être plus inconfortable. Tant qu'on ne l'a pas expérimenté, il est difficile de s'imaginer le *ramas*, un enfer dans l'enfer au dire des bagnards, couchage sans couverture et les mains attachées, les menottes ou la double chaîne « qui ne pesait que 2,380 kg » ayant été jugées insuffisantes par un commissaire de 1854. Au bagne de Toulon, rivés à leurs lits par une chaîne, la vie paraissait douce à ces locataires en comparaison du *court-baril* de Cayenne qui, vers 1860, était une sorte de lit de camp sur le pied duquel était fixée une charpente de vingt centimètres d'épaisseur, sciée par le milieu dans la longueur afin de former une mâchoire dans laquelle on passait les jambes du prisonnier, que l'on refermait et que l'on vissait. « On pouvait s'asseoir jambes tendues, mais on ne pouvait pas se lever, et on restait huit jours dans cette position », écrit un ancien bagnard. Pour Marcel Le Clère, c'était ressusciter le supplice de la *souche*, en usage à Rochefort avant 1832 : le patient était attaché à un madrier fixé en terre et y passait plusieurs jours et plusieurs nuits, livré aux insolations et aux intempéries. On comprendra qu'en regard de cette « discipline », l'augmentation illégale du poids des fers pratiquée dans certains bagnes paraissait une bagatelle. Les malheureux envoyés à Biribi risquaient de subir une variante de ce type de couchage : le *tombeau*. Il s'agissait d'une tente individuelle, montée sur une toile réglementaire sur moitiés de supports, haute de cinquante centimètres et large de soixante-dix. Le réfractaire était forcé d'y pénétrer à plat ventre pour ne pas la démonter et d'y passer la nuit dans le froid en attendant les trois heures de peloton qu'il aurait à faire le lendemain matin, avec, pour seul reconstituant, un bouillon de riz. Le couchage dit *à la crapaudine* fut inauguré en Algérie par les bagnes militaires en 1836 : le bras gauche et la jambe droite liés derrière le dos s'entre-croisaient avec le bras droit et la jambe gauche; paré comme un poulet, le condamné ne pouvait plus alors que se coucher sur le ventre et tenter d'y dormir.

Des lits très chrétiens

L'enjeu du lit pour faire pénétrer le christianisme dans la famille et dans les mentalités via le corps n'est certes pas nouveau au XIXᵉ siècle, puisqu'il hérite d'une longue et très ambiguë tradition religieuse. Mais il prend un caractère plus laïque, la « souffrance délicieuse et rédemptrice » s'échappant des couvents spécialisés dans la mortification pour gagner les chambres du fin fond de l'Europe.

Margit Gari, dans *Le Vinaigre et le Fiel*, raconte comment en Hongrie, « pour assurer le salut de l'âme de son défunt mari mort de froid (ivre) au pied de l'escalier [...] afin que le plus tôt possible il soit délivré du purgatoire », une femme se mortifia dans son sommeil : « Elle se recroqueville la nuit au pied du lit de son enfant ou en travers du sien, ou bien sur un banc recouvert de toile bise [...]. Nombreuses sont celles qui, à Mezökoveso, dorment la nuit sur le *ringo*, ce banc à dossier mobile placé devant le lit et pas même recouvert d'un simple drap de toile bise. J'en connais qui mettent sous leur tête un " oreiller de pénitence " en bois. » Soutien toujours trop tendre, le lit doit être abandonné dès le réveil; en Hongrie, « d'une prière couchée on disait simplement qu'il valait encore mieux blasphémer debout ». Margit raconte comment sa mère se levait quand il faisait encore nuit, avant que sonne l'angélus, descendait de son lit, s'agenouillait par terre sur le sol glacé, s'habillait et, avant d'aller à la cuisine, faisait une pause devant le bénitier pour y tremper sa main et « traçait le signe de la croix sur elle et devant elle [...] elle se penchait au-dessus de nos couches et traçait le signe de la croix sur nous, sur les bancs, sur la terre où nous dormions. Ensuite elle entonnait un nouveau cantique » et enfin les réveillait. C'est dans cette même région que vécut une sorte d'anti-Princesse au petit pois; une femme de riche paysan qui, par compassion pour la belle souffrance du Christ, fit remiser son confortable lit au grenier pour ne plus se coucher, à l'emplacement de son ancien lit, que sur la terre battue, après y avoir répandu des grains de maïs...

Bien douces pénitences, à vrai dire, à côtés des mortifications que s'offrirent durant le Moyen Age candidats et candidates à la sainteté, telles que les raconte l'abbé Boileau dans son *Histoire des flagellants*, la collection des *Petits Bollandistes* et Jacques Doyon dans *La Recluse*. Que ce soit saint Dominique l'Encuirassé (mort en 1060), qui ne dormait qu'à genoux, la tête par terre et seulement à l'extrême limite de ses forces, l'évêque de Gubbio (mort en 1061), devenu le Bienheureux Rodolphe, qui portait cilice et dormait sur une planche sans couverture « à la manière des moines de Fonte Avellana », ou le Bienheureux Pierre, cardinal de Luxembourg (1363-1387), dont on dit qu'avant de recevoir les derniers sacrements « il fit amasser ses valets autour de son lit et après leur avoir fait promettre qu'ils obéiraient tous à l'ordre qu'il allait leur donner, leur commanda de prendre une discipline sous son chevet et de lui en donner tous sur les épaules et le dos l'un après l'autre, en punition de ce qu'il les avait traités comme ses serviteurs, quoiqu'ils fussent ses frères », dépassé le stade de l'écœurement, il faut avouer que ces exemples ouvrent l'accès à une imagerie singulière...

Sainte Colette (1380-1447), réformatrice des clarisses avant de devenir une sainte, vécut comme recluse un roman d'amour avec le fils de Dieu, dont la chair, instrument « mondain » du salut, ne fut pas absente; sa vie, que retrace Jacques Doyon dans *La Recluse*, nous la montre dans sa cellule : « Une toile rêche – à la trame lâche tissée dans les ateliers de Saint-Pierre – enveloppait les fagots dont on avait bourré le matelas reposant sur la pierre [...] [sa couche] avait l'avantage cependant d'être contenue entre le mur et un ais de bois, ce qui empêchait le matelas de fagot de se répandre sur le sol [...]. Les branches du fagot lui rentraient dans le dos, dans les fesses, et elle sentait leur dureté malgré la serge de la tunique. Elle ne portait aucun linge de corps et le tissu grossier de son vêtement lui grattait la peau [...]. Elle reposa sa nuque sur le billot de bois qui servait d'oreiller. Elle mit ses talons sur la bûche qui marquait le bas du lit [...] son ventre lui tirait à nouveau. Ses seins, auxquels elle ne prêtait généralement aucune attention, étaient trop serrés par la haire et lui faisaient mal. Ses hanches résistaient à la pression de la ceinture métallique [...] il était hors de question de ne plus penser à lui, au bien-aimé, ne serait-ce que l'espace d'un assoupissement. Car, disait la *Règle*, même dans votre sommeil le souvenir de Dieu vous habitera. »

Comme Colette, sœur Jeanne des Anges, supérieure du couvent des ursulines de Loudun au XVIIᵉ siècle, « hystérique possédée », connut le lit de l'extase : « La nuit du jeudi 24 janvier [...] voici ce qui m'arriva. Sur les deux heures après minuit, je fus surprise d'un grand saisissement, j'aperçus de mon lit une assez grande lumière; mon lit commença à trembler avec beaucoup de violence, ce qui dura près d'une heure. Je sentis comme si une personne s'était approchée de moi; il tira ma main gauche et me la baisa... »

Des couches inférieures de l'atmosphère à nos couches privées, certains insectes ont la désagréable habitude de s'intéresser à nous et de s'immiscer au cœur de nos nuits. Humboldt, à qui on demandait à son retour d'Amérique tropicale combien de temps il y passa, répondit : « J'ai passé vingt ans de moustiques », réponse nullement exagérée que nous n'hésiterions pas à faire à propos de nos séjours en Laponie et au Mexique, pour un supplice certes moins long, mais encore jamais subi sous nos latitudes.

Le XIXᵉ siècle, à défaut d'insecticides, avait ses recettes pour éloigner l'infernale « triple alliance » : moustiques, poux, puces. Contre les cousins, celle du pays messin proposait d'attirer les moustiques par la lumière d'une lanterne dont les verres étaient enduits de miel et de poudre et de pendre au plafond un gros bouquet fraîchement cueilli de persil et de matricaire (camomille). En cas de piqûre, il était recommandé de se frotter avec du suc de persil, de la salive si l'on était à jeun ou de l'huile de lis.

Mouches ou moustiques sont, en Occident, de « petits inconvénients » à côté des dangers réels de paludisme, de filariose ou de maladie du sommeil qu'ils font courir à l'homme dans les régions tropicales. Puces, punaises et autres vermines « blessent ceux qui veulent dormir et n'épargnent nul, ni roi, ni pape ». Soupçonnés jusqu'au XVIIᵉ siècle d'être le fruit de substances humaines dégradées, de naître de transpirations mal maîtrisées, poux et puces, compagnons de lit et de chevelure de toujours, furent, à la différence des punaises, considérés jusqu'au début du XXᵉ siècle par une large partie de la population comme des insectes domestiques. Les séances d'épouillage n'étaient-elles pas, comme à Montaillou au XIVᵉ siècle, des signes de tendresse et de déférence tant au lit qu'au coin du feu? Ainsi que l'on peut voir aujourd'hui dans telle ou telle société traditionnelle d'Amazonie, d'Asie ou d'Amérique des êtres s'épouiller mutuellement, on pouvait en Occident observer de paisibles tableaux où les maîtresses épouillaient leurs amants, les servantes leurs maîtres, les filles leurs mères et les belles-mères leurs futurs gendres. Certaines femmes, au tour de main plus « affûté », note Georges Vigarello, en firent même une profession.

Le rôle du pou n'ayant été clairement démontré pour la rickettsiose, forme essentielle du typhus, par Charles Nicolle, qu'en 1909, il eut longtemps ses lettres de noblesse en Occident : suçant les impuretés du sang, le pou était réputé attirer les mauvaises humeurs à la surface du cuir chevelu et ainsi préserver des maladies des yeux, voire même fortifier la vue. On le disait nécessaire à la santé des enfants et il fut longtemps considéré comme remède pour les adolescents et les adultes, notamment contre la jaunisse, que rien ne guérissait mieux qu'une belle tartine beurrée recouverte de poux. Avec la montée de l'hygiénisme, l'amitié portée aux poux fut convertie en haine et l'homme s'inventa des potions « para-poux » qui prirent la relève du « pou-remède ». Jus de bette, jus de tabac, lotions à base d'eau de cendres, de racine de fougère, onguents faits de marc mélangé à une livre de beurre et une poignée de sauge finement hachée, frictions avec une décoction de petite centaurée ou un mélange de beurre avec un macéré de bulbes desséchés de colchique dans du vinaigre précédèrent la Marie-Rose... Pour plus de garantie et d'efficacité, une fois un des traitements effectué, on prétendait que la personne qui portait constamment sur elle un peu de « graisse de mort » n'était jamais plus incommodée par les poux.

A propos de la puce commune de l'homme, *Pulex irritans*, insecte sauteur organisé pour piquer, il nous faut effectuer quelques bonds en arrière dans l'Histoire pour en mesurer les effets. Puisant le germe de la maladie, *Pastourella pestis* (une bactérie microscopique), dans le sang des rongeurs sauvages immunisés, « réservoirs à virus » quasi invisibles, les puces ont à plusieurs reprises répandu la peste noire dans nos murs et longtemps résisté aux traitements (inefficaces) qu'on leur faisait subir avant l'invention du DDT. « Serrer fort dans les coffres, couvertures, linges et habits pour que les puces soient sans jour et sans air et qu'ainsi périront et mourront sur l'heure », comme on le recommandait au XIVᵉ siècle lors de la grande peste qui dévasta l'Europe; mettre une couverture imprégnée de la sueur d'un cheval sur le lit ou une peau de loup n'avait guère plus d'efficacité que de mettre de grosses poignées de feuilles fraîches de noyer, de tanaisie (appelée communément « barbotine », « herbe au coq » ou « herbe aux mites »), de fougère ou d'aulne entre la paillasse et le lit de plume.

On pouvait aussi « charmer les puces » en buvant un bon coup le soir avant de se coucher afin, comme l'explique Oudin en 1640, que « par ce moyen nous ne sentions pas les puces qui nous mordent » ou, comme le recommandait le *Ménagier de Paris*, patienter en suivant un traitement poétique du genre :

> *Toute la nature sommeille*
> *Mais non, j'ai tort; je m'aperçois*
> *Que dans ce beau lit où je veille,*
> *Les puces veillent avec moi.*

> *Le bois de cet auguste lit*
> *Est de vieille menuiserie,*
> *Et tout son chevet s'embellit*
> *Des placards d'une confrérie.*

La puce, qui accompagne l'homme partout où il va, fit écrire dans les manuels de savoir-vivre qu'il était « malséant et peu honnête de se gratter la tête à table, de se prendre au col et au dos [...] de la tuer devant les gens »;

c'est elle par contre qui souffla à John Donne une ode où l'on voit l'auteur admirer les « flancs de jais » de la puce qui recelait à la fois son sang et celui de sa maîtresse et était, par là même, « un vivant témoin de l'union amoureuse ». Les auteurs du XVIIe et du XVIIIe siècle attribuaient, en négatif, des étoiles aux auberges qu'ils avaient fréquentées, en fonction de l'importance de la population des puces au lit et de la qualité des « puciers » (1611). Samuel Pepys (1633-1703), qui narra au jour le jour la peste de Londres en 1665 et est l'archétype des chantres du coucher, fit une sorte de guide antitouristique des auberges les plus « pu-ceuses » dans le genre : « A tel endroit, au lit avec Lord and Lady Untel, les puces leur ont donné du bon temps... »

Va pour les moustiques, les poux et les puces, passe pour les morpions, mais insupportable est le *Cimex lectularius*, punaise de lit, cet insecte nocturne de forme ovale et aplatie tirant son nom du latin vulgaire *putinasius*, composé de *putire* (« puer ») et *nasus* (« nez »), qui vit en parasite de l'homme. Avec sa manie de se nourrir de notre sang et de ne s'arrêter que lorsqu'elle est assouvie et gorgée, après nous avoir, rarement mais éventuellement, transmis une maladie contagieuse, la punaise demande pour être chassée une véritable battue : démonter les lits, nettoyer tous les recoins, les angles, les mortaises, les tenons, boucher les fentes des murailles, du plafond, décoller les plinthes, enlever le papier peint, laver les murs... C'est à ce prix, disent les manuels d'hygiène de la fin du XIXe siècle, que se jugule l'invasion. Le sommier rembourré de feuilles d'armoise, les morsures calmées par l'application d'un peu d'urine ou d'ammoniaque diluée, une tisane de fleur de coquelicot, de valériane, de pavot, de primevère, d'ortie blanche, de gaillet jaune, de tanaisie ou un verre de vin blanc dans lequel on fait macérer de la mousse blanche de chêne, à moins que l'on n'utilise un bandeau sur le front imprégné de jaune d'œuf bien salé; enfin, après une prière pour les âmes trépassées, les parasites et l'insomnie vaincus, la nuit peut s'avancer avec son cortège de songes, n'étaient les minuscules acariens glycophages, ces petits arthropodes faisant leur repas du linge, des plumes et du crin sur lequel reposent les hommes et les femmes apaisés ou les miettes insidieuses du petit déjeuner de la veille...

Dormir à la campagne

Ce sont les folkloristes et les voyageurs lettrés qui, vers les années 1820, entreprennent de décrire la société paysanne qu'ils voient se transformer sous leurs yeux. « Croyances », « coutumes », « curiosités », « superstitions » du monde paysan fourmillent dans les commentaires de ces observateurs, dont la plupart sont gens de ville, notables même, et reproduisent l'idéologie bourgeoise de l'époque, bourrée de préjugés à l'égard de la campagne (dont beaucoup « sortent » à peine). Il faut donc nous méfier, comme le suggère l'ethnologue Martine Segalen, des documents « sans grand sens critique » que l'on peut trouver, du genre : « A la ferme l'homme et la femme cohabitaient dans une hostilité tranquille, un isolement buté », ou pire parce que généralisant : « Le sexe basbreton n'a rien de séduisant [...] une peau rude et desséchée [...] le tout joint à une malpropreté native », etc., d'Abel Hugo, le frère de Victor, regardant *La France pittoresque*.

Considéré à tort comme l'apogée de la civilisation paysanne, le XIXᵉ siècle fut avant tout celui des folkloristes qui, en même temps que les meubles et les modes, croisèrent le flot des miséreux « montant » à la ville, alors qu'eux s'expatriaient dans les campagnes. Mais, là aussi, si des milliers de proverbes furent retranscrits, décrivant ou expliquant les moindres faits et gestes du monde rural, la place donnée au sommeil, comme dans beaucoup de récits d'ethnologues contemporains, fut souvent réduite à des points de suspension. Heureusement, lieux de couchage et forme des lits, témoignage matériel de cette société en voie d'extinction, sont conservés et devraient nous permettre, en tirant le fil de leur histoire, une fois de plus, de reconstituer tant bien que mal ce que furent les chambres plongées dans la nuit de nos aïeux.

Au contact de plus en plus fréquent avec la ville, les paysans, lentement, progressivement, vont commencer à « moderniser » leur habitat. En tête de liste vient l'amélioration du couchage, avec la séparation des hommes et des animaux. Une vaste enquête menée entre 1885 et 1914 révèle que les paysans « vivent encore à côté de leurs animaux, séparés d'eux par une simple cloison, dans de misérables masures percées d'une seule fenêtre ». Face à l'image qu'on leur renvoyait d'eux-mêmes, les paysans tentèrent d'échapper à cette « promiscuité » en édifiant un étage supplémentaire à leur maison basse, ce qui fait écrire à un des enquêteurs : « Le paysan grimpe dans la hiérarchie sociale quand il met vingt ou trente marches d'escalier entre son lit et les nombreux désagréments du rez-de-chaussée. »

Gabriel Culioli, dans *La Terre des seigneurs*, qui retrace un siècle de la vie de sa famille en Corse, confirme cette idée en montrant comment un vieux, réunissant le conseil de famille, tente de le convaincre de la construction d'une maison neuve à étage : « Moi, je ne veux plus de ces terriers à renards construits à même le sol. Je refuse pour les miens ces habitations tout juste dignes de pourceaux [...]. Des étages, des étages en quantité [...]. Vous préférez vivre comme les poules! Vous ne vous trouvez pas dignes d'une existence égale à celle des *sgios* de la ville. Non, mais regardez-vous... » Par vanité, de nombreux paysans, notamment dans l'Orne et le Quercy, se firent construire des maisons à deux niveaux, mais furent incapables de s'adapter au changement et continuèrent à vivre au rez-de-chaussée. De fait, ayant conçu sa maison pour son usage quotidien, l'ayant façonnée selon ses goûts et ses besoins, adaptée à son existence, le paysan la considérait comme une créature vivante. Costumes et maisons, même si en France tous les hommes mettent une veste et un pantalon et s'abritent du mieux qu'ils peuvent, sont depuis le XVIIIe siècle l'expression d'un style régional.

Pierre Lamaison et Elisabeth Claverie, dans leur travail sur la violence et la parenté en Gévaudan, notent, à la fin du XIXe siècle, la réaction de l'instituteur de Chasseradès, horrifié par l'intérieur d'une *ousta* : « Quand le hasard vous y conduit, vous franchissez à peine le pas de la porte que vous vous embourbez dans une fange dégoûtante, composé pestilentiel d'excréments, d'urines et de fatras décomposés qui fermentent depuis de longs jours dans ces réserves de batraciens! [...] si vos yeux pénètrent au-delà de ces vilenies, ils s'arrêtent sur des litières en loques, grabats immondes où gisent pêle-mêle les sabots des marmots, les rubans de la demoiselle [...] les vaches, les porcs, les poules et les autres animaux tiennent compagnie à leurs maîtres qui n'en sont pas fâchés. »

Il est bien évident que ce représentant de la culture hygiénique et républicaine ne pouvait comprendre ces gens pour qui la vie était entièrement tournée vers l'extérieur et qui ne voyaient nullement leurs bêtes comme « bestiales », mais comme des compagnons de tous les jours avec qui il fallait compter pour survivre et qui, en hiver, apportaient même leur part de confort à la maisonnée. Dans l'*ousta*, la cuisine et l'écurie se prolongent l'une l'autre et, en hiver, la porte de séparation reste ouverte afin de profiter de la chaleur animale. En dehors d'un lit clos qui s'inscrit dans le prolongement du buffet, de l'horloge et d'une armoire occupant tout un mur de la pièce commune, l'écurie est, elle aussi, aménagée pour qu'on puisse y dormir et possède souvent une petite armoire fermée à clef où l'on range divers effets. Il est d'usage que les parents dorment dans le lit clos avec les enfants les plus jeunes, soit à côté d'eux, soit tête-bêche; les enfants les plus âgés dorment dans l'étable non loin des vieux, des journaliers, des bergers et des bouviers sur des paillasses séparées quand ce n'est pas un vrai lit.

Dans le Morvan, si les bûcherons, les fendeurs, les charbonniers couchaient sur des lits de fougère dans des huttes de branchages appelées des « loges », les galvachers, qui, dès le moi de mai, quittaient la montagne avec une paire de bœufs et une carriole pour se louer dans la plaine, couchaient le plus souvent à la dure, n'ayant que leur limousine (grand manteau de laine) pour tout abri. Dans la chaumière, les lits placés dans les angles occupent une place importante. Le Dr Bogros signale en 1882 dans les maisons aisées quelques lits « placés sur une estrade comme au Moyen Age et d'une dimension telle qu'une famille entière y peut trouver place... ». C'est sous ce genre de lit, avec « quatre grandes colonnes entourées de gros rideaux jaunes ou verts en serge ou en poulangis », que se trouvait la resserre à pommes de terre, principal garde-manger de la famille, dont la hauteur reflétait la fortune des propriétaires. Le lit bas est considéré comme un signe d'extrême pauvreté, note Joseph Bruley dans son ouvrage *Le Morvan, cœur de la France* : « C'était à qui dans le village aurait le plus élevé, le plus carré. Il fallait monter sur un coffre ou sur une chaise pour se coucher. » L'achat d'un lit et de la literie coûte cher. Adolphe de Bourboing, en 1844, dans son *Mémoire en faveur des travailleurs et indigents de la classe agricole des communes rurales*, note qu'un bois de lit revient à 16 francs, un lit de plumes à 60 francs, une paillasse à 6 francs, trois paires de draps à 60 francs, soit un total de 142 francs sur un mobilier indispensable de 209 francs. Or, pour un manœuvrier, paysan le plus démuni qui ne gagne en moyenne que 387 francs par an, cela représente plus d'un tiers de son salaire. Le lit est l'obsession des pauvres : « Il faut avoir au moins cent écus pour entrer en ménage, et je dois travailler cinq ou six ans pour les amasser », déclare l'héroïne de George Sand dans *La Mare au diable*. Jules Renard, dans son *Journal* de 1908, montre son attention à ce genre de détails cruciaux quand il note à propos de la sœur de sa bonne qui se marie : « Elle a 120 francs et son lit. » La condition pour les candidates au mariage est d'apporter, en plus de leur dot, un lit.

Toutefois, plus nombreux sont les proverbes concernant la qualité et les heures du sommeil; le repos qui permettra de récréer les forces pour la journée n'implique pas l'abandon d'une éthique virile, dure, qui s'exprime dans : « A bon sommeil il n'y a pas de lit », ou : « Pour trouver le lit chaud, il faut se coucher plus froid que le lit. » Le laboureur, être laborieux par excellence, sait que « travail matinal vaut de l'or », que « de bon matin se lève le pain » et convertit en bienfait cette obligation : « Dès qu'il fait jour, laisse ton lit, tu auras santé et vie. » Cette sagesse paysanne du lever matinal se garantit contre les veilles excessives qui risquent de déranger le rythme des activités, avec une graduation dans les proverbes : « Qui va au lit tard ne se lève pas tôt. » « Qui veille la nuit, fou qui dort le jour. » « Qui se couche tard et se lève matin verra bientôt sa fin. »

« Jeunesse qui veille et vieillesse qui dort sont bien près de la mort »; dans les cas extrêmes, le repos devient une thérapeutique et le lit un instrument nécessaire à la récupération : « Un bon coup de coussin fait mieux que le médecin. » « Quand on est rompu, il fait bon passer par le lit », car « même si les yeux ne dorment pas, au lit les os se reposent », et pour ceux qui se sont brisé un membre : « Le lit est l'écharpe de la jambe. » L'hiver, les grasses matinées (relatives) ont leurs excuses car « au temps où l'herbe pousse, le sommeil est bon le matin », bien qu'il ne faille pas oublier que « plus on dort, plus on a sommeil ».

Imprégnés de sexualité par la nature environnante, les

proverbes ont rarement trait au lit dans les milieux paysans, excepté cette métaphore provençale : « Qui se marie par amour a bonne nuit et mauvais jour. » Apprenant très jeunes à travers l'observation de la basse-cour, de la vache que l'on mène au taureau, de la jument que l'on fait saillir, des vêlages, des agnelages etc. et cohabitant de façon plus ou moins étroite avec les grands, les petits paysans perçoivent plus tôt que les jeunes bourgeois enclos en leur chambre individuelle les mystères du sexe.

Martine Segalen relève que « les folkloristes en sont d'ailleurs assez marris » : « Quand la poule recherche le coq, l'amour ne vaut pas une noix » (Limousin). « Un coq suffit à dix poules, mais dix hommes ne suffisent pas à une femme » (Anjou). « Bois debout et femme renversée font plus de force qu'un cheval à la montée » (Provence). Ou : « Femme couchée et bois debout, homme n'en vient jamais à bout » (Anjou). Tous ces proverbes naturalistes soulignent la force de la femme et la domination masculine qui s'ensuit; comme ceux relatifs à l'interprétation des rêves, du genre : « Coucher avec sa mère ou avec une paillarde signifie sûreté dans ses affaires ».

Il y avait là effectivement de quoi choquer des hommes distingués qui, bien souvent, prirent pour argent comptant ce qu'ils entendaient et ce qui renforçait leurs préjugés.

En fait, pour les paysans, la nuit à la campagne est faite pour dormir; nuit hachée par des visites faites au bétail, l'étayage d'un toit lors de tempêtes ou par les hurlements inquiets des chiens, elle ne laisse guère de temps aux ébats. Les lieux d'amour sont dans les champs, dans les bois, dans les meules ou, pendant les heures de la sieste, dans les greniers où les couples peuvent se rejoindre et s'aimer discrètement. Quant aux façons des citadins de passer leur temps à s'appeler par des petits noms tendres, cela paraît « un peu niais » à Emile Guillaumin, cet ancien métayer pour qui « à la campagne, si l'on se parlait comme ça entre époux, tout le monde s'en amuserait. Au fond, peut-être bien qu'on s'aime autant qu'eux, mais on ne se prodigue jamais de mots tendres ». La « maîtresse » et « son maître » n'en ignoraient pas pour autant la douceur de la profondeur des lits clos...

La religion du lin

Superstitions, miracles ou martyres qui émaillent la légende dorée des saints du textile sont, d'après le folkloriste Claude Gaignebet, « autant de *membra disjecta* d'une religion qui puisait dans le geste quotidien de la fileuse la certitude d'un lien avec l'au-delà ». L'attitude populaire à l'égard des cordiers et chanvriers et même des tisserands est un mélange de crainte et de respect. Ces gens qui fabriquent les cordes et savent faire des nœuds et des liens sont, par essence, des êtres dont la magie le dispute au religieux. Intégré dans le cycle de Carnaval, le 25 janvier, jour de la conversion de saint Paul dans le calendrier chrétien, est la fête des cordiers. C'est à cette époque où les âmes circulent entre les mondes « passibles » et « impassibles », où la liaison s'opère entre dieux et hommes, que traditionnellement on brûlait les restes des *chènevotte* partie ligneuse du chanvre privé de sa filasse. A cette date le travail du textile devait être achevé et le moment de nettoyer les *serrées* aux veillées arrivait. Ces travaux se faisaient souvent dans des maisons de veillées situées à l'écart du village et consistaient à extraire les fibres des tiges de chanvre ou de lin et à les filer. A la fin, on débarrassait les maisons des déchets dont on faisait un grand feu, autour duquel on dansait en poussant des cris et en levant les genoux le plus haut possible pour aider le chanvre et le lin à pousser et à donner de longues fibres. La fumée du chanvre aidant, des records de saut et de souplesse insoupçonnables étaient battus à cette occasion...

En Wallonie les femmes dansaient au soleil le jour de la Chandeleur pour la même raison et dans certains pays, note Gaignebet, on se vêtait de blanc et on glissait le long des pentes, rites de magie homéopathique, pour que le lin soit bien blanc et bien lisse. Semer le lin impliquait également un certain nombre de rites, comme en pays messin : le semeur devait s'asseoir avant de semer puis secouer et projeter son tablier en l'air après la semaille. Paul Sébillot rapporte un proverbe disant : « Avant de semer ton lin, envoie ta femme [aux champs] sur les genoux; et si les genoux enflent, tu es sûr d'avoir d'excellent lin. »

Au Moyen Age, la mise à l'écart des cordiers dans des villages isolés, parmi les populations considérées comme d'origine lépreuse, les *cagots* ou *caquots*, montre bien la méfiance qu'inspiraient ces hommes de « liens ». Le parallèle avec la lèpre fait référence à la technique de ces spécialistes de la séparation de l'âme et du corps : prendre une plante vivante, la tuer en la coupant, la mettre comme un corps à pourrir dans une fosse aménagée pour permettre aux fibres de se dissocier de l'ensemble qui les enserre ressemble fort effectivement à l'action de la lèpre. Quant à la religion, de *re-ligio*, relier, ne s'opère-t-elle pas par un retournement nécessaire, une conversion, dont saint Paul, littéralement « renversé », est l'exemple vivant? Technologie de la torsion, philosophie du cordier fabriqueur de liens avec des fibres qu'il tord, la religion resurgit lorsque l'initié déclare que tout lien « non converti » ne saurait présenter la moindre résistance. Envisager la torsion de la corde comme l'image d'un lien hélicoïdal entre les hommes et Dieu, comme une spirale aspirante, ascension tournoyante et convergente à la fois, poussa ces hommes sauvages retirés du monde, mis à l'écart comme Jésus le fut, à faire de saint Paul le patron des cordiers et de l'industrie du chanvre.

Carnaval, temps magiquement et technologiquement

fort pour le chanvre, le lin, le filage, la corde et toutes les techniques de transformation des fibres végétales et animales pour lesquelles on parlerait facilement de martyre, est aussi le temps des tisserands et des cardeurs. Placés sous la protection de saint Blaise (le 3 février, au lendemain de la Purification de la Vierge) et réunis en confréries, les tisserands semblent, comme les cordiers-lépreux, avoir joué un rôle notable dans la transmission d'un certain savoir initiatique. Pline décelait déjà des relations entre les techniques de la laine et la magie; évoquant dans son *Histoire naturelle* (XIX, 8-9) que dans la famille Serranus (le *serran* est un peigne servant à carder la laine) existaient des interdits portant sur le filage, le tissage et tout contact avec les textiles, il remarque que « les femmes ne portent pas de vêtement de lin » et, chose qui lui semble étrange, qu' « en Germanie, c'est dans des fosses et des souterrains qu'elles travaillent le lin ». Ces chambres souterraines ont en réalité une raison technique : on ne travaille bien la laine, et le fil en général, que dans une atmosphère humide, ce qui explique les *Spinnetube*, bains de filage de l'Allemagne médiévale, où les femmes profitaient des vapeurs ambiantes pour travailler leur laine.

Patron des drapiers bourguignons, saint Blaise, tel qu'il est représenté sur un vitrail du XVᵉ siècle à Semur-en-Auxois, tient à la main une *navette* – berceau où le dieu-fil, lové, se repose et dort. Gâteau cérémoniel à Marseille, la navette se fait bénir avec des cierges verts près du puits de Saint-Blaise, dans la crypte de l'abbaye de Saint-Victor, le matin du 2 février, pas très loin de la Canebière, emplacement traditionnel du travail du chanvre : la laine a retrouvé le lin, les couvertures leurs draps...

Toile « chaude » et toile « fraîche » faisaient, en fonction des saisons et des individus, le confort des nuits. L'utilisation et le choix des *toiles* – que nous appelons *draps* depuis le XVIIᵉ siècle bien qu'elles n'en soient pas et qu'en certaines régions on nommait encore : *leso, leu swol, losé,* en d'autres termes *linceul*, du latin *linteum*, « toile de lin » (cf. Rome) – datent de la fin du XIVᵉ siècle, époque à laquelle s'est également produite la vulgarisation de la chemise. Des fourrures paléolithiques aux fibres industrielles, l'homme ne s'est jamais intéressé aux animaux et aux plantes, en dehors de l'aspect alimentaire, qu'en fonction de la morphologie de leurs fibres qui détermine le gonflant, la voluminosité utiles à l'emmagasinement de l'air. La capacité de fixation de l'eau atmosphérique qui libère ou reprend la chaleur et, plus récemment, la composition chimique permettant la fixation des matières colorantes, la faible conductibilité thermique et la résistance biologique, toutes carastéristiques qui dépendent de la structure très particulière de la matière constitutive des fibres, mobilisent son attention.

Il est fort probable que l'homme a eu l'idée de tisser des tiges végétales en observant la construction des nids d'oiseaux ou des toiles d'araignée avant d'apprendre à fabriquer des fils à partir des plantes sauvages. Lin, chanvre ramie, jute, selon les contrées, ont fourni des tiges flexibles et résistantes pour les techniques de la vannerie et du tissage à cause de leurs propriétés intrinsèques. De même apprit-on les possibilités de rouissage de ces tiges végétales, pourriture ménagée qui permet d'extraire des filaments plus souples et plus résistants, par observation ou par accident, en fréquentant des marécages ou en pataugeant dans des flaques d'eau...

Les inventions, comme le fait remarquer André Georges

Haudricourt dans *Les Pieds sur terre* ne sont que des imitations ratées, des imitations qui ne sont pas restées fidèles au modèle original pour des raisons volontaires ou involontaires, ouvrant la possibilité d'autres expériences, d'autres résultats supérieurs aux précédents.

La primauté du lin comme première matière végétale à usage textile a pu résulter de sa grande blancheur et de la symbolique de pureté qu'il évoque chez l'homme. L'invention de la filature, consistant à paralléliser des fibres ou des filaments et à les retordre pour augmenter la résistance de l'ensemble, en plus de la révolution technologique qu'elle déclencha, au moins égale à celle de la roue (cordages, filets de pêche, hamacs de l'époque néolithique retrouvés dans les cités lacustres des bords du lac Léman), engendra des traditions religieuses et légendaires sans lesquelles nous ne pourrions dormir.

Chiffres rouges

Si au Moyen Age les femmes tenaient la quenouille, au XIXe siècle, « l'ouvrage » ne leur manque jamais; « s'occuper les doigts », « assise et tranquille », était le propre d'une fillette bien élevée et préparer son trousseau une activité naturelle. La « marquette », chef-d'œuvre brodé au « point de marque », point de croix, dès la sortie d'école des jeunes filles, est directement liée à l'édification du trousseau : *chiffrer* le linge et numéroter les draps pour les apparier en « drap de dessous » et « drap de dessus » ainsi que pour les comptabiliser, travail auquel elles étaient initiées au lendemain de leur première communion, est un art fondamental qui ne requiert guère de dons particuliers. Les manuels de couture définissent la façon de faire le chiffrage, indiquant que les draps se chiffrent généralement au milieu du retour, à environ trente centimètres du bord. Pour un ménage, les lettres seront les initiales des deux noms patronymiques; leur hauteur peut varier selon la décoration qui les accompagne, de six à douze centimètres. Ces chiffres sont exécutés au « point de plumetis », en « bouton sablé », parfois aussi mélangés de grilles et de jours.

La broderie, par contre, réputée comme un ouvrage difficile, exige du temps et de la patience; raffinement ornemental, elle témoigne d'une condition sociale de « bourgeoise » ayant des loisirs suffisants pour s'y livrer. A cela il faut ajouter que la broderie ne peut guère s'effectuer que sur des tissus de fil (le lin) et non sur les toiles de chanvre raides et lourdes qui constituaient le trousseau des moins riches.

Marquer au fil rouge les draps blancs matrimoniaux, de façon discrète sur la lisière ou, au contraire, voyante avec de grosses lettres tirées d'un abécédaire à la mode, faire une fleur, une frise de lierre, un hortensia, un oranger en pot, une grappe de raisin ou deux colombes se bécotant en rêvant au prince charmant, comme mettre une feuille de pissenlit sous son oreiller pour deviner son mari futur, c'était sinon faire son lit, du moins le préparer largement.

De là à s'imaginer ce qui pouvait se passer au lit, il n'y avait qu'un pas que les couturières, spécialistes des belles aiguillées et des piqûres d'épingles, n'hésitaient pas à franchir. *Façons de dire, façons de faire* : les filles se piquent le doigt, le jour de leur mariage elles sont couronnées d'épingles et, sur leur trousseau, elles ont marqué leur destinée au fil rouge, même si « c'est sur un bout de tissu, et non pas sur le corps directement », comme le souligne Yvonne Verdier. « La société fait ici inscrire la marque du sang. Nous sommes dans une civilisation " habillée "et la " marque " s'imprime sur du linge, de la toile, ce qui nous engage à penser que c'est bien le terme " toilette " qui met en évidence l'essentiel du rôle de la couturière [...]. Les grands événements de la vie s'accompagnent par des gestes de toilette : toilette du nouveau-né, toilette du mort, toilette de la mariée; ils ont chacun leur attribut textile : le lange, le linceul, la marquette, la livrée ou marque de noces. »

Ainsi que la Belle au bois dormant, jeune fille qui se pique le doigt « le jour de ses quinze ans » pour tomber endormie d'un sommeil de cent ans, protégée par une haie d'épines devenue toute fleurs et s'ouvrant d'elle-même devant le Prince charmant, la jeune femme arrivera à la chambre nuptiale préparée en secret depuis tant d'années.

Maisons à poêles

La quête de chaleur apparaît comme la trame constante dans tout système de création de confort. Face à l'inertie du sommeil, les pays les plus froids ont été les premiers à pousser l'homme à s'inventer des couchages monumentaux et à aménager dans ses maisons des pièces particulières destinées au repos.

En Norvège, les lits étaient jadis des sortes de banquettes courtes, étroites et superposées dans un placard qui obligeaient leurs utilisateurs à dormir recroquevillés afin d'avoir plus chaud. L'espace du lit norvégien constituait un coin de chaleur si resserré qu'il servait en même temps de cave où l'on traitait les fromages... C'est dans la Norvège du Nord et en Islande que furent d'abord utilisés les épais édredons que les hommes empilaient au-dessous et au-dessus d'eux dans un lit profond artistiquement décoré de ferrures à l'extérieur et sur lequel ils montaient à l'aide d'une sorte de marchepied également ouvragé. L'utilisation de l'édredon ou *éderdon* (1700), en islandais *aedardun*, duvet d'eider, est à la base d'une semi-domestication de ces oiseaux vivant sur les rivages du nord de l'Europe, dont la technique est couramment représentée dans l'imagerie populaire. On y voit, à côté d'une petite cabane de pêcheur, une barque renversée sous laquelle les eiders venaient nicher et étaient nourris par l'homme, en échange de quoi il leur prélevait un peu de leur duvet pour garnir ses couettes – *duvet* (1310) est une altération du *dumet*, de l'ancien français *dun*, venant du scandinave *dunn*. « C'est le plus touchant des spectacles, écrivait Michelet, de voir l'oiseau de l'édredon, l'eider, s'arracher son duvet pour coucher et couvrir son petit. » Notons au passage que l'expression « faire l'édredon », sans doute inspirée du spectacle que Michelet ne décrit pas jusqu'au bout, signifie dévaliser le client...

Dans la Suède centrale, en Dalécarlie (*Dalarna* en suédois), la civilisation paysanne atteignit très tôt un extraordinaire degré de raffinement et de goût du confort; à côté d'énormes cheminées à dalles de pierre, les gens les plus aisés installaient de gigantesques poêles de faïence d'où partaient des tuyaux qui chauffaient en circuit fermé deux ou trois pièces aux portes basses afin d'y conserver cette chaleur bénéfique. Chaque chambre avait son lit, sur lequel s'entassaient les couettes. Le rôle et l'efficacité du chauffage par rayonnement dans ces sociétés nordiques, que l'on pourrait dire « à poêles », conditionnèrent et conditionnent toujours le couchage jusqu'au sud de l'Allemagne. En Finlande, c'est sur les larges bat-flanc du poêle en faïence que les hommes et les enfants avaient coutume de dormir. En grande Russie, l'*isba* (compression d'*itsuba*) vient du scandinave *stove*, « étuve », procédé original de chauffage consistant à jeter de l'eau sur des pierres brûlantes que l'on trouvait dans la *pörte* finlandaise, maison de bois hermétiquement close où les habitants vivaient nus. C'est autour du four en brique, équivalent d'un poêle fermé, que dormait la famille dans l'isba, occupant comme la « baba Yaga à la jambe d'os » des contes populaires, « tous les bons coins du poêle, le nez fiché dans le plafond ».

Toujours est-il que la « maison à poêle », un des moyens de se chauffer sans mettre le feu à des habitations faites entièrement en bois, a connu une expansion vers l'est à la fin de l'Antiquité. Le *pec* de Pologne aux plates-formes en céramique, le *kemence* hongrois au large rebord supérieur en terre battue, l'*Offenbank* allemand, tous poêles centraux, banquettes et lits chauffants de l'Europe continentale auxquels on peut ajouter le *K'ang* de la Chine du Nord, étaient des chauffages à rayonnement continu qui permirent et permettent encore à une partie des habitants de la planète de pouvoir dormir hors gel dans un minimum de confort.

Lits-clos

Les *lits-clos* populaires (par opposition aux lits de parade généralisés dans la haute société européenne depuis la fin du Moyen Age) étaient communs dans les campagnes françaises du XIX⁰ siècle. Pierre Deffontaines propose, pour les lits-clos bretons, la même origine qu'en Norvège : « cabines des bateaux de pêcheurs du Nord où l'on cherchait à se protéger de l'humidité froide »; ce type de lit dont on trouve les traces dès le XVII⁰ siècle s'imposera dans toute la basse Bretagne jusque vers 1900 et un peu plus tard, si l'on en croit l'inimitable description que Pierre Jakez Hélias fit de ce petit navire en pleine terre que sa mère entretenait comme un mousse méticuleux : « Elle ne ménage pas la cire ni le chiffon doux. Le châtaignier blond tirant sur le rouge brille de toutes ses fibres. Il est enrichi de clous de cuivre savamment disposés pour allumer le bois sans l'aveugler. Les clous, ma mère les astique tous les samedis sans faute. Dans un boîte ronde en fer-blanc, elle conserve soigneusement une cire de sa composition. Avec son index, elle prélève un peu de ce mélange qu'elle passe sur tous les clous de chaque meuble avant d'y aller du chiffon de laine, comptant les clous à mesure qu'ils reluisent au point que son haleine ne tient pas sur eux. Elle en connaît exactement le nombre. »

Si certains lits-clos à étage pouvaient abriter quatre personnes, il était plus courant que deux ou trois lits fermés par des portes coulissantes se succèdent, décorés différemment selon les régions. « La façade du lit-clos, note Hélias, est l'image même du destin de l'homme. La partie centrale, entre les glissières des portes, représente le Bas-Monde (*ar bed-man*), celui où les hommes peinent, le lit absorbant leur fatigue, et assurent leur descendance derrière les trois lettres IHS et le Sacré-Cœur sculptés dans les portes. En dessous, la partie cachée par le banc est appelée l'Enfer *(an Ivern)* à cause de l'obscurité qui y règne entre les quatre pieds de bois à peine équarri, sans le moindre ornement. Au-dessus, la corniche à colonnettes prend le nom de Paradis *(ar Baradoz)* avec sainte Anne ou la Vierge en faïence de Quimper érigée sous une arcade entre deux fuseaux. Le Paradis et le Bas-Monde sont abondamment cloutés de cuivre et régulièrement astiqués comme il faut, ai-je besoin de le dire! »

Pièce maîtresse du mobilier et citadelle inviolable de la vie intime des êtres, ce lit « à lui seul, est un petit appartement privé. Quand le dormeur est entré dedans, quand il a refermé les deux portes à glissières, il est chez lui. Je connais une ferme dont la salle commune aligne trois de ces lits-clos. Le premier est celui du maître et de la maîtresse, dans le second couchent la fille et la servante, le troisième héberge tant bien que mal trois garçons en attendant que le plus âgé aille rejoindre à l'écurie les deux valets et le frère aîné. Hommes et femmes, maîtres et domestiques peuvent ainsi cohabiter dans la même pièce avec le minimum de promiscuité, ce qui n'est pas possible avec des lits ouverts. Pour entrer dans le lit-clos, sur les genoux et la tête en avant, on garde la robe ou le pantalon. Les portes fermées, on achève de se déshabiller à l'intérieur et, quand c'est fait, le pantalon ou la robe sont pliés à cheval sur la corniche du lit. Les chemises de nuit sont inconnues. On dort sur un sommier de genêts, des paillasses de balle d'avoine. La caisse n'est pas assez longue pour qu'un adulte puisse s'y étendre complètement, si bien qu'il repose entre assis et couché, dans des draps de chanvre, sous un édredon bourré de la même balle que les paillasses et les oreillers. Mais on parle déjà d'édredons de plumes. On attendra pourtant un peu avant de se risquer à un tel changement. Cette plume si légère tient-elle aussi chaud que la balle ? Chaude ou froide, la plume vaincra puisque les grosses têtes l'ont adoptée.

« Pour moi, qui partage le lit-clos de mon grand-père, je trouve que rien ne vaudra jamais cette armoire à sommeil. On s'y sent protégé, ce qui n'est pas le cas dans les lits ouverts comme ceux des lycées ou je me sentirai longtemps exposé tout nu aux sept périls de la terre.

« C'est pourquoi certains lits peuvent se fermer de l'intérieur à l'aide d'un solide crochet. Quand il est mis, l'occupant est en état de soutenir un siège.

« L'inconvénient du lit-clos, c'est qu'il n'est pas facile d'y mettre de l'ordre, étant donné qu'on ne peut pas tourner autour de lui, qu'il soit aligné entre d'autres meubles ou qu'il occupe un coin. »

Pierre-Jakez Hélias ne mentionne pas les lits à quenouilles aux colonnes tournées, à la tête et au chevet égaux, au châlit échancré, lits spécifiques du pays de Rennes qui s'installèrent dans les angles des pièces et supplantèrent les lits-clos et demi-clos dès que les systèmes de chauffage eurent fait des progrès. Le Dr de Westphalen, dans son *Petit Dictionnaire des traditions populaires messines*, met en évidence la façon dont le goût du beau mobilier se répandit dans les campagnes : « La Révolution survient, le paysan lorrain achète avec des assignats dépréciés les domaines des couvents et des nobles. Les meubles de ceux-ci sont dispersés, et en même temps qu'ils donnent aux villageois les idées de confort, ils fournissent aux artisans des modèles de goût [...]. Ils sèment avec beaucoup d'imagination et de fantaisie des décors variés [...] empruntés à la faune et à la flore, voire aux papiers officiels... » Créant les lits, les menuisiers les faisaient sur mesure, selon la bourse des clients et des modes déjà implantées dans le pays augmentées des influences voisines. Parmi ces modes, plus liées au couchage qu'au style, l'usage de la paillasse, d'un lit de laine, d'un drap et d'un édredon de plume, « que l'on a pour rien quand on les prend aux oies », date, avec les oreillers individuels (que l'eau de farine, servant à empeser la toile pour empêcher le duvet de la traverser, jaunissait), les couvertures de laine et de coton, des années 1840-1848. Les matelas, pour lesquels la laine et le crin végétal (produit principalement par l'industrie nord-africaine) comme le crin animal coûtent cher, ne se développeront dans le monde paysan qu'après la guerre de 1914-1918.

Avec les médecins, Jules Renard s'émeut du « sommeil à l'étouffée des paysans » : « Ils dorment dans un lit de plume comme dans deux nids séparés, ils y soufflent et y suent [...] couchant 40 ans sur la même couette sans en changer, sans même en remuer la plume. » « Pendant huit mois de l'année, renchérit Labit dans sa *Topographie médicale du département de la Nièvre*, les hommes se lèvent dès trois heures du matin, baignés de sueur, quittant un lit de plume, surchargé d'édredons, et de couvertures, entouré d'épais rideaux soigneusement calfeutrés, et se rendent [...] visiter le bétail dans les prés inondés de brouillard... » Sans doute traumatisés par la chasse, toute citadine, à l'air vicié et aux vapeurs méphitiques, ces deux auteurs feignent d'ignorer que les rideaux en poulangis qu'ils jugent étouffants ont disparu dans les années 1850-1870 et que les couettes sont régulièrement renflouées, oies et canes étant dépouillées de leur duvet deux ou trois fois l'an , lorsque la plume est mûre et se détache toute seule. Ils semblent oublier également que les paysans sont, tout autant qu'eux, attentifs au confort de la chambre et que, si les fourneaux mobiles type *braseros* et la *cheminée sarrasine*, ou cheminée chauffant au large, ont longtemps fait l'objet des descriptions misérabilistes des masures paysannes, le XIXᵉ siècle a, à cet égard, fait bien des progrès.

La cheminée

La « maison à foyer contre le mur » a, au Moyen Age, connu une expansion vers l'ouest, inverse de celle du type « maison à poêle ». La *kuta* ou *kota* finlandaise, simple hutte de branchages et de mousse sans fenêtre ni cheminée, est peut-être à l'origine du moyen haut-allemand *Hütte*, primitivement une forge, qui a donné chez nous, outre la hutte, la *hotte* de nos cheminées, ce qui expliquerait peut-être, signale A.G. Haudricourt, l'emploi de la plaque de fonte entre le foyer et le mur, qui ne semble pas antérieur à l'apparition des hauts fourneaux (XIIIᵉ siècle). La plaque de cheminée, appelée aussi *taque* ou *tèque*, semble remonter au XVᵉ siècle. On a prétendu que la taque se trouvait primitivement placée au centre de l'âtre, afin d'empêcher la calcination du mur le plus exposé aux flammes du foyer. Or, dans les habitations anciennes, la cheminée se trouvait contre le seul mur pignon, occupait toute la largeur de la cuisine et la taque se dressait, non pas au milieu de la cheminée derrière la crémaillère, mais contre l'un des murs latéraux. Elle bouchait en fait une ouverture aménagée dans le mur-cloison qui séparait la cuisine de ce qu'on appelait la *belle chambre*. La taque, son côté uni tourné vers le foyer de la cheminée de la cuisine, la partie décorée vers la chambre, à l'instar de la porte d'un haut fourneau, servait en fait de radiateur. Puis, pour mieux chauffer la belle chambre, note le Dr de Westphalen, la cheminée quitta le mur pignon pour s'adosser au mur de cloison et la taque prit alors naturellement sa place

199

au milieu de l'âtre. De l'autre côté, l'ouverture s'élargit progressivement jusqu'à former une large embrasure encadrée de montants de bois, puis de portes qui donnèrent, en pays messin, l'*aumare è tèque*, l'armoire à taque; armoire chauffante dans laquelle les paysans finirent par installer des étagères pour y poser des pots de lait et faire « monter la crème », alors que les bourgeois en faisaient un chauffe-plats. Mais la taque ne chauffant pas suffisamment la belle chambre parce que le foyer en restait malgré tout éloigné, l'armoire à taque fut remplacée par un *fourneau à taques*, dont l'originalité tient à ce que ce poêle était chargé à partir de la cuisine et directement sous une ou plusieurs plaques superposées et latérales. Quand vinrent les grands poêles en fonte, le fourneau à taques et la taque elle-même devinrent, l'un un placard, l'autre une niche où, la chaleur ambiante aidant, à nouveau l'on remisa les pots de lait pour le faire cailler. La boucle était bouclée, les lits pouvaient se déclore, les chambres devenaient vivables, le confort avait poussé l'Ouest à regarder vers l'est.

Odieux réveils

Longtemps, dit-on, le monde rural se plut à arriver en retard aux rassemblements; c'est que le temps horaire a peu de prise sur le temps naturel et n'a pas une force suffisante pour s'imposer comme repère. Les saisons, le lever et le coucher du soleil, la tâche à accomplir mesurent la durée du travail, et non la montre; les travaux des champs s'imposent inégalement : en surcharge l'été, ils sont réduits en hiver et, avec eux, les temps de sommeil se rétrécissent ou s'allongent. En face de cela, la ville érige le temps en exigence sociale et invente, à côté du temps de travail, l'idée de non-travail, mesurant l'un et l'autre minutieusement. Découper le temps selon une mesure horaire, l'organiser en moments fonctionnels bien différenciés, c'est le maîtriser et pour nous, salariés qui n'avons plus jamais le temps ou plutôt qui en avons fait une valeur marchande, les horlogers ont inventé un instrument comptable et terrifiant : le réveille-matin.

Tirés du lit, grâce à l'école, dès notre plus jeune âge par une sonnerie déchirante, nous ne savons plus ce qu'est ne pas se lever à l'heure dite et serions aujourd'hui bien incapables de refaire ce qu'osèrent les Sybarites : bannir les coqs et les artisans bruyants de la ville par peur d'être réveillés... Le citadin, sourd aux oiseaux-réveils, s'est depuis longtemps inventé des moyens plus ou moins ingénieux pour pallier l'oubli du sommeil. Clepsydre et gnomon, qui existaient en Egypte pharaonique, s'ils marquaient les douze heures de la nuit et celles du jour, allant de « la déconfiture des ennemis de Râ » à « celle qui voit la beauté de Râ » juste avant « la brillante », ne réveillaient pourtant pas le dormeur. Il fallut attendre Rome et ses *horologia ex aqua* décrits par Vitruve, horloges à eau munies de flotteurs automatiques qui, à chaque changement d'heure, lançaient en l'air des cailloux ou des œufs, ou bien émettaient des sifflements avertisseurs pour que l'homme soit réveillé mécaniquement... Ce qui n'empêche pas Sénèque de noter qu'il était plus aisé à Rome de réconcilier les philosophes que d'accorder les horloges entre elles. Utilisée à l'origine dans les couvents, la *chandelle-réveil* semble avoir eu plus de succès : une ficelle passée à travers le pied d'une chandelle retient une charge. La chandelle achevant de se consumer, la cordelette prend feu, se rompt et la charge en tombant résonne sur une coupe en métal; le bedeau, généralement frère Jacques, se réveille alors et va sonner les matines. Autre solution, celle qu'Anthony Burgess dit avoir utilisée dans son enfance, dans le nord de l'Angleterre : donner un demi-penny chaque semaine à un « réveilleur », *knocker up*, qui vient à l'heure dite toquer avec son long bâton à vos fenêtres; ou bien, nouer une ficelle au gros orteil et la laisser pendre par

la fenêtre avec une étiquette; il suffit alors de tirer douce-
ment pour éveiller le dormeur à l'heure demandée. Quant
aux réveils collectifs, tambour ou clairon n'ont jamais
empêché les collégiens et les soldats, habitués aux bruits les
plus incongrus, de continuer à dormir. Non, se réveiller
« *es un ploblema muy delicad* », me confia un jour un père
capucin à l'embouchure de l'Amazone, « *si, muy delicad...* ». Il insistait ainsi sur la difficulté de reprendre une
activité après ses sommeils, entrecoupés par les singes
hurleurs, les perroquets avertisseurs, du moins c'est ce que
je crus comprendre avant que son hamac ne l'avale à
nouveau...

Le véritable *réveille-matin*, pendule munie d'une sonnerie
qui réveille à l'heure sur laquelle on a placé l'aiguille
correspondante, date de 1440 et est attribué à un Français,
même si, dès le XIVe siècle, dans le *Roman de la rose* (1305),
est mentionné l'*oriloge*. Lawrence Wright, dans *Warm and
Snug* (tiède et douillet), rapporte que le mathématicien
Thomas Allen, né en 1542, possédait une montre qu'il
oublia un jour dans sa chambre à coucher; la domestique
venue pour faire le lit, entendant le tic-tac, crut que cet
objet était habité par le Diable et jeta la montre par la
fenêtre. En fait, dès le XVIIe siècle, les *cartels de chevet*,
sonnant chaque heure, se multiplièrent, laissant la place en
1752 aux *horloges à carillon*. Les gens du XVIIe et du
XVIIIe siècle raffolaient des pendules : ne dit-on pas que
Louis XIII avait la passion des réveils et qu'il ne se
déplaçait pas sans en emmener plusieurs avec lui? Il les
disposait sur sa table de chevet et passait une partie de la
nuit à les régler les uns sur les autres, ne pouvant
supporter qu'ils ne soient pas tous à la même heure.
Louis XIV hérita, comme la Cour, des goûts de son père; il
ne pouvait s'endormir sans entendre les battements de sa
pendule de chevet et aimait, en homme de progrès, être
réveillé par la sonnerie.

Avec le développement des pendules et les horaires

obligés, le temps prit donc une valeur nouvelle et la crainte d'un retard poussa les hommes à raffiner leur supplice : il fallait pouvoir lire l'heure en pleine nuit. Musy, horloger à Paris, fabriqua en 1762 une veilleuse qui, en plus d'une lumière tamisée, pouvait réveiller un malade pour prendre ses médicaments. Un modèle amélioré de 1768 permettait même, en plus, de tenir au chaud une tasse de potage. Plus élaborée, bien qu'un peu brutale, est l'invention, en 1781, par le Marseillais Morgues d'une horloge qui, en même temps qu'un coup de feu résonnait à l'heure demandée, allumait une chandelle. Ma préférence, si l'on peut en avoir une pour ces machines cruelles, va à l'ingénieux système de R. W. Savage, qui mit au point en 1851 au Crystal Palace l'*alarum bedstead*, sommier-réveil qui avait pour effet, au cas où la sonnerie n'aurait pas suffi, d'accélérer le lever en tirant les draps; si ce traitement ne suffisait toujours pas, il basculait à quarante-cinq degrés et éjectait le dormeur. Une variante plus douce de ce sommier irascible fut présentée à la Foire de Leipzig : après trois sonneries plus fortes les unes que les autres sans résultat, un bras mécanique venait tirer le bonnet de nuit de l'endormi, en même temps qu'un autre bras lui brandissait un panneau notifiant qu'il était l'heure de se lever. En dernier ressort, le sommier versait à terre le récalcitrant, alors qu'un troisième bras articulé lui présentait une tasse de café gardée au chaud sur la veilleuse. Avec le réveil par téléphone, dont la violence n'a pas d'égale, un des dispositifs les plus traumatisants reste le réveil-baladeur, antique réveil en fer-blanc à double sonnette qui, dès qu'il se déclenche, trépigne et glisse sur le marbre de la cheminée, au risque de tomber à terre et de se briser en mille morceaux (tant il est de mauvaise qualité) si l'on n'intervient pas immédiatement pour calmer la crise... C'est comme cela que l'on se retrouve debout, un peu hébété, ravi d'avoir, une fois de plus, évité de perdre ce temps qu'on dit être de l'argent...

II

HORIZONTALE

I

CHAMBRES D'AUJOURD'HUI

> Maudit soit le père de l'épouse du forgeron qui
> forgea le fer de la cognée avec laquelle le bûcheron
> abattit le chêne dans lequel on sculpta le lit où fut
> engendré l'arrière-grand-père de l'homme qui
> conduisit la voiture dans laquelle ta mère rencontra
> ton père !
>
> Robert DESNOS.

Faire une histoire de la part endormie ou somnolente de l'humanité ne m'a pas été chose facile, les témoignages des dormeurs au cours des quelques millénaires qui nous ont précédés n'étant pas si courants... Faire une ethnologie des chambres et des lits dans lesquels déjà j'ai passé un peu plus de dix années de ma vie ne me paraît guère plus aisé, puisque comme vous j'y ai dormi, comme vous j'y ai rêvé et fait bien d'autres choses encore...

Le lit fonce sur ses rails de miel bleu
Libérant en transparence les animaux de la sculpture médié-
vale
[...] le lit brûle les signaux il ne fait qu'un de tous les
bocaux de poissons rouges
il lutte de vitesse avec le ciel changeant

rien de commun tu sais avec le petit chemin de fer
qui se love à Cordoba du Mexique pour que nous ne nous
    lassions pas de découvrir...
Non le lit à folles aiguillées ne se borne pas à dérouler la soie
    des lieux et des jours incomparables
il est le métier sur lequel se croisent les cycles et d'où sourd
    ce qu'on pressent sous le nom de musique des sphères
le lit brûle les signaux il ne fait qu'un de tous les bocaux de
    poissons rouges
et quand il va pour fouiller en sifflant le tunnel charnel, les
    murs s'écartent la vieille poudre d'or à ne plus voir se lève
    des registres d'état civil
enfin tout est repris par le mouvement de la mer
non le lit à folles aiguillées ne se borne pas à dérouler la soie
    des lieux et des jours incomparables.

Veillé par *Fata Morgana* et suivant André Breton *Sur la route de San Romano*, j'ai appris que « la poésie se fait dans un lit comme l'amour » et que « ses draps défaits sont l'aurore des choses ».

Comme lui, comme vous, j'ai connu les sommeils légers empoussiérés d'étoiles, j'ai connu ceux, hachés, des transports en commun, ceux, musicaux, des dortoirs de lycée; des sommeils de plomb au retour des champs, des sommeils agités des cités affolées; ceux, humides et enveloppants, de la forêt d'Amazonie, les sommeils ballonnés au retour des tavernes munichoises, les sommeils emmoustiqués de la toundra lapone et ceux, plus miséreux, des réserves indiennes... Aujourd'hui je m'éveille, et rien, je ne sais rien du sommeil des autres; comme aux savants désemparés les sommeils refusent de me livrer leur secret. Mes veilles se succèdent, mais le terrain, toujours, se dérobe à mes sens.

Dormir est une technique

Je pratique et j'affine ma « technique du dormir », acte traditionnel par excellence, que mes parents m'ont transmis selon la tradition; technique du corps, pour reprendre les mots de Marcel Mauss, « le premier et le plus naturel instrument de l'homme », dont j'ai tiré le mode d'emploi de l'éducation que j'ai reçue, de la société dans laquelle je vis et de la place que j'y occupe.

Dressé à imiter, la nuit, ceux qui m'entouraient, j'ai acquis des pratiques de repos, de couchage et de sommeil particulières, qui me différencient des femmes et des hommes de ces lointains ailleurs que j'ai pu fréquenter. Dormir sur un lit, sur une natte ou suspendu dans un hamac; avoir l'usage de l'oreiller mou, dur ou n'en point avoir, dormir couvert ou découvert, voilà quantités de pratiques qui sont à la fois des techniques du corps et qui sont profondes en retentissements et en effets biologiques. Autant que de manger et de respirer, nous avons besoin de repos, au risque de « tomber de sommeil », à moins – comme Mauss, qui avoue avoir pratiqué l'alpinisme dans sa jeunesse pour « éduquer son sang-froid » – de pouvoir « dormir debout sur le moindre replat au bord de l'abîme ». Après tout, l'Afrique nilotique et une partie de la région du Tchad, jusqu'au lac Tanganyika, est peuplée d'hommes qui aux champs se mettent en échassiers, appuyés ou non sur des perches, pour se reposer; postures apprises et adaptées à leur fonction de bergers-sentinelles dans la savane.

Nécessaire harmonie entre la forme de nos repos et celle de nos maisons, nous avons inventé des espaces et nous les avons animés par la précision de nos gestes quotidiens. Bougeant, travaillant, marchant ou encore immobiles, debout, assis ou étendus dans des lieux bâtis théoriquement à nos mesures, nous parcourons, chacun selon ses habitudes – *habitus* qui varie avec les civilisations, les

209

sociétés, les éducations, les convenances, les modes et les prestiges –, les distances intimes qui nous relient aux êtres et aux choses. Proches ou lointains, à droite ou à gauche, devant ou derrière, en haut ou en bas, occupés ou libres, nous savons l'utilisation et la place des lieux et des objets modelés selon des références communes à notre civilisation. Sécrété de l'intérieur, le désir de nous tailler l'espace que nous créons, nous le ressentons, à l'égal du vêtement que l'on porte, « trop grand ou trop petit ».

Normalisation

Nids aménagés au cœur de nos repères, les chambres sont les pièces où nous faisons des séjours intérieurs constants et prolongés. Hélas, si pour Georges Perec ces *Espèces d'espaces* suffisent « à ranimer, à ramener, à raviver les souvenirs les plus anodins comme les plus essentiels », notre société moderne s'enorgueillit de la normalisation de tout ce qui touche à l'homme. Définissant les « aires de services », les normes NF-D 83-101 et 83-102 donnent « les cotes minimum d'encombrement et de passage dans les pièces d'habitation, et les largeurs minimum des passages dans les dégagements [...] la cote 0,60 m apparaît comme unité de passage pour une personne ayant les mains libres. » Que faire? Nos rêves s'effondrent par mesure d'hygiène, « la surface de la chambre ne devra pas être inférieure à 9 m², elle pourra n'avoir que 2,50 m de hauteur sous plafond, la surface totale de la partie ouvrante des fenêtres ne sera pas inférieure au 1/6e de la surface de la pièce qui devra être pourvue d'un conduit de fumée ou d'un autre moyen d'aération permanent et ne pas être chauffée à plus de 16 à 18° centigrades ». Difficile de juger des normes des années cinquante, lorsqu'on sait qu'à l'époque, en France, plus de deux cent mille ouvriers agricoles couchaient encore dans des écuries ou des étables et qu'au sortir de la guerre, l'indigence sévissait plus que jamais dans les habitats urbains.

Ironie du sort, salles de bain, cabinets d'aisances et chauffage équipent aujourd'hui environ 60 p. 100 de nos intérieurs, mais l'espace de nos chambres s'est rétréci à 3,70 m^2 en moyenne en 1985, presque trois fois moins qu'il y a vingt ans. Paradoxalement, 13,3 p. 100 seulement des ménages s'estimaient « mal logés » en 1978 contre 15,2 p. 100 en 1973, à proportions inégales de 8 p. 100 en Alsace et de 18 p. 100 en Bretagne-Aquitaine. Quant au pourcentage de ménages désirant déménager, il se situe entre 9 p. 100 dans le Limousin et 31 p. 100 dans la région parisienne; désir de changement dans le premier cas peut-être, mais obligation due à des problèmes d'espace, de loyer, de charges et de taxes dans le second. Nos lieux de vie se rétrécissent comme une peau de chagrin, l'espace devenant celui du portefeuille et le paysage égal à la valeur des images des billets qu'il contient. A quoi bon nous avoir poussés à la conjugalité, à la famille, à l'intimité, si c'est pour retrouver nos corps pliés, pressés, tassés, humiliés dans des cages de béton où l'invivable fait concurrence à la solitude? Peut-être est-ce à force d'avoir pensé nos vies comme des institutions et réduit la famille à une simple organisation sociale. Se penchant sur *La Situation de l'homme*, Aldous Huxley s'est aperçu que les institutions ne dorment jamais, « elles vivent pour ainsi dire dans un état d'insomnie chronique [...]. Ce que l'Eglise comme l'Etat s'entendent à réaliser en tout cas, c'est monter ces monstrueux bois de lit que sont les Chambres des communes ou l'abbaye de Westminster. Des lits qui sont bien sûr également des sépulcres. »

Jamais l'art et la capacité de dormir chez l'homme n'ont été mieux servis que par le romancier d'origine égyptienne Albert Cossery, dans *Les Fainéants dans la vallée fertile*. Il y compare la fainéantise (1321, de *fais* et *néant*) à une

211

plante cultivée extrêmement rare et précieuse et oppose au cadet d'une famille, qui tente de travailler, son aîné défenseur de la tradition familiale et tenu pour un sage après sept années passées au lit, « ne se réveillant que pour manger et aller aux cabinets ». Un autre membre de la famille renoncera même à épouser la femme qu'il aime de peur qu'elle ne vienne troubler « un état de sommeil établi depuis l'éternité » et proposera à son oncle, dans sa résistance à toute action, de se faire engager à la radio : afin que ses soupirs aient une résonance mondiale... L'effort des hommes pour tenter de paresser, cette « paresse » que Jules Renard définissait comme « l'habitude prise de se reposer avant la fatigue » est titanesque! Mais nous n'aurons cesse de travailler que nous n'accomplissions l'extraordinaire mutation de pouvoir dormir sur nos deux oreilles...

Matelas navigue...

Le sommeil est plus sain lorsqu'il demeure conscient du mouvement de la terre, du passage des étoiles et de l'écoulement des fleuves, ce que les hygiénistes du XIXe siècle comprenaient peut-être encore puisqu'ils recommandaient de dormir la tête au nord, « orientation favorable à l'écoulement des courants magnétiques ». Nietzsche nous a prévenus : « Dormir n'est pas un petit tour de force, il faut y veiller tout le jour durant. » L'erreur fut fatale le jour où au lieu de nous pencher sur le sommeil nous nous sommes penchés sur le lit : à l'émerveillement fit place la peur, à la vigilance inventive des dieux fit place l'engourdissement confortable des hommes.

Les chiffres s'amusent à nous troubler l'esprit : imaginez qu'en France s'entassent sous nos corps fatigués soixante millions de matelas, sans compter ceux des hôtels, des hôpitaux, des lycées et des casernes! Soixante millions de matelas dont plus de la moitié, 54 p. 100 exactement, sont à deux places. (Ce qui permettrait, au cas où l'Europe tomberait subitement de sommeil, de coucher quatre-vingt-dix millions de personnes sur le territoire métropolitain...) Nos normes fixant à 90 cm sur 200 les lits individuels, 140 sur 200 les lits conjugaux et à 10 cm d'épaisseur en moyenne les matelas, je n'ose imaginer l'immensité du continent moelleux qui recouvre la terre et comprends mieux maintenant pourquoi tant de fleuves, tant de fossés, tant de trottoirs, tant d'océans sont peuplés de ces étranges mollusques laineux ou de ces plats et géants insectes multispires aux folles antennes boudinées.

Ces matelas ont marqué le prix Nobel 1974 de littérature Harry Martinson dans ses *Voyages sans but*; après une tempête atlantique, il raconte ses rencontres avec les matelas océaniques : « On est là, deux ou trois, à la lisse du bastingage, cherchant à deviner où il a été acheté, mais avant que l'on soit d'accord, il a disparu dans la brume. J'ai rencontré devant Tobago, aux Petites Antilles, un matelas en parfait état. Il était environné de petits requins et avait probablement été jeté d'un yacht de plaisance. Il était pourvu de ressorts en vraie baleine, superbement rayé; il s'avançait, tout sec et tout propre, sur la mer calme et ensoleillée. On aurait pu dormir dessus, tel qu'il flottait; c'était grand dommage de le laisser et peut-être contenait-il de l'argent caché? Un vieux matelot grec m'a raconté que les petits oiseaux de mer picorent toutes les puces des matelas en dérive, si bien qu'à son avis, ils n'étaient pas dangereux. Naturellement, ce n'est pas bien; moi, je n'ai jamais repêché de matelas et n'en repêcherai probablement jamais, mais j'ai vu des coolies en capturer avec leurs gaffes et les mettre à sécher au vent brûlant de Colombo. Cependant je n'oublierai jamais la superbe couche de Cléopâtre que je rencontrai devant Tobago. Non, mon avarice ne l'oubliera jamais. Des matelas. Des matelas! Des masses de matelas marins traînent sur les océans. Jetés

213

au rebut. Sur chacun d'eux un être humain a couché, le cœur languide. Nostalgie de la terre? Nostalgie de la mer? »

Si « c'est sur un grossier matelas dans la ville de Bruges » que l'écrivain suédois obtint « d'entrer dans l'ardent enfer du refroidissement », c'est sur des matelas à ressorts que 60 p. 100 des Français ont décidé de s'allonger en 1976, la mousse ne séduisant que 18 p. 100 d'imprudents et la laine, se perdant dans les fondements des vieux lits compagnards, ne berçant plus que 7 p. 100 de ruraux de plus de cinquante ans. Aux couples urbains de la quarantaine rugissante le ressort, aux jeunes ménages et aux adolescents la mousse de ces matelas dont 55 p. 100 seulement connaîtront la douceur des bois de lit et 37 p. 100 les simples sommiers sur pieds.

Autrefois, le nombre de matelas accumulés sur un sommier faisait le luxe et le confort de la literie. Aujourd'hui, la superposition des deux éléments, matelas et sommier, si elle n'est pas illogique n'est plus une nécessité absolue. Le langage des consommateurs de literie, forcés par les industriels du matelas, s'est affranchi et de la pudeur et du sacré qui l'entouraient pour devenir plus scientifique. La *rhéologie* (du grec *rheos*, « courant »), branche de la mécanique qui étudie le comportement de la matière en fonction de la viscosité, de l'élasticité et de la plasticité, sous le rapport des déformations et des contraintes, démontre que le corps doit être soutenu quand le muscle se relâche et utilise un langage anatomique adapté qui fait désormais fi des tabous : un matelas, cela s'essaie et se décortique; sa garniture doit répondre à « de bonnes conditions de douceur et de déformation momentanée sous l'effet de la pression et son élasticité, avoir une qualité suffisante d'absorption des efforts brusques et des pesées lourdes, sachant que les ressorts superbiconiques ensachés compensent la perte de souplesse des fibres de la face surthermique et que dormir sur le dos ou sur le côté ne présente pas les mêmes caractéristiques des degrés de fermeté pour le soutien de la tête, les sinuosités du corps étant plus accentuées en profil et l'emplacement de l'épaule plus difficile à loger »...

La clientèle « moderne » veut un matelas ferme qui lui soulage la colonne vertébrale, un lit vaste, bas, sain et aéré, pour accéder à la position de dilatation nécessaire à une reconstitution, la marque même de la literie contribuant (50 p. 100 des Français nomment aujourd'hui leur matelas par sa marque) à la ressusciter; juste retour de la logique clinique du lit, *klînê*, en grec ancien, voulant dire « lit »...

Marcel Noll, un des amis surréalistes de Michel Leiris qui voyageait avec lui dans ses *Nuits sans nuits*, ne fit pas une industrie de son unique exemplaire de « matelas de trente mètres de long qu'il emporte toujours dans ses déplacements », mais anticipait les statistiques qui aujourd'hui, en 1986, font ressortir que 42 p. 100 des couples français entre dix-huit et quarante-quatre ans préfèrent dormir dans de larges lits, de 150 à 160 cm, largeur certes ridicule à côté de celle du lit du poète, mais moins dangereuse, puisque son utilisateur risquait « de se perdre dans le long tunnel des draps », bien que moins utile : « En route, ce matelas sert de valise; Noll roule son bagage dedans et entoure le tout avec une courroie. »

Les occupations au lit

Rêves supportés et peuplés de matelas avec lesquels nous avons un peu le même type d'intimité miteuse que l'on a avec une bonne vieille paire de chaussures – nous les conservons quinze ans en moyenne –, cela n'empêcha pas, en 1976, 20 p. 100 des ménages français de s'offrir quatre millions cent mille de ces pièces neuves, dont on ne saura jamais dans quels sommeils elles ont versé avec eux. Les couples latins, confrontés aux problèmes dramatiques de la territorialité et de la guerre des sexes des ronchopathes (25 p. 100 d'hommes contre 15 p. 100 de femmes ronflent), malgré d'endémiques rêveries n'arrivent pas, comme dans les pays anglo-saxons, à se faire aux lits jumeaux séparés (3 p. 100 des vingt-cinq-quarante-quatre ans et 14 p. 100 des quarante-cinq-cinquante-neuf ans seulement s'y plient en France). Quant au lit rond, « lit idéal » pour beaucoup, trop de vaillants pionniers y ont perdu le nord pour qu'il s'installe vraiment dans nos chambres. Eternel anguleux, le lit, même pour Georges Perec, « est un espace rectangulaire, plus long que large, dans lequel, ou sur lequel, on se couche communément dans le sens de la longueur ». C'est aussi un meuble que chaque matin l'on refait en moins de trois minutes pour 31 p. 100 de nos compatriotes, 22 p. 100 parmi les plus âgés y passant plus de cinq minutes. Sans doute est-ce ce qui a incité un fabricant à donner le nom de « Sultan Fast » à un de ses lits de rêve.

Ce que l'on fait au lit, à part y dormir, c'est pour 63 p. 100, dont 84 p. 100 des couples de vingt-cinq à quarante-quatre ans, avant tout l'amour. Lire occupe 53 p. 100 d'alités, écouter de la musique 31 p. 100, regarder la télévision 26 p. 100, et pour 24 p. 100 qui acceptent de braver les miettes : prendre le petit déjeuner. La « télépholit » ne retient que 11 p. 100 d'étendus, dont 24 p. 100 ont entre dix-huit et vingt-quatre ans et 14 p. 100 sont des femmes. Enfin, quand vous saurez que 86 p. 100 des Français dont 91 p. 100 de femmes n'aiment pas avoir les pieds qui dépassent du lit, peut-être rejoindrez-vous les 60 p. 100 d'entre nous qui chaque soir voient avec terreur le règne de la couette s'étendre et émettent le souhait que ce n'est qu'une mode, refusant l'idée que le fonctionnel l'emporte définitivement dans nos chambres, comme il l'a déjà emporté dans nos habitudes alimentaires, au risque, un jour, de poser la question : pourquoi perdre son temps à dormir alors que l'on pourrait produire?

Pourquoi dormir?

Oui, pourquoi dormir? Les scientifiques ne nous rassurent pas sur ce sujet et l'insondable sommeil, auquel on commence à arracher quelques bribes de son mystère, s'amuse à nous rappeler que nos fatigues et nos nuits sont ce que nous en faisons et non ce qu'il en fait. Qui croit le soir se retirer en douce de la communauté humaine quand il va refaire ses forces dans son moderne antitombeau, au lieu de nous quitter s'agrège au groupe humain de la cité redevenue ce qu'elle était à l'origine : une association de dormeurs et de propriétaires de lits. Oser perdre sa vigilance, se « désintéresser », comme dit Bergson, implique pour le mammifère omnivore que nous sommes, qu'une communauté, aves ses gardes et ses molosses, veille sur lui les nuits durant et le laisse béat en son lit hypostase. En être arrivé à ce que 13 p. 100 des Français soient fatigués de trop dormir, pourcentage à peu près égal pour ceux atteints d'insomnies (on comptait en 1981 cinq millions d'insomniaques réguliers ou non, consommant cinquante millions de boîtes d'hypnotiques), signifie que nous avons totalement intégré l'idée éco-éthologique du « non-danger » ou, en termes neuro-physiologiques, que nous avons accepté de gommer les phénomènes d'« excitation du système d'éveil par les télérécepteurs » (ouïe, odorat, etc.).

Laissons à Homère l'idée que « le sommeil est le frère jumeau de la mort » et au XVIIIe siècle la pensée déjà plus proche de nous que le corps matériel subissait la « mort périodique » du sommeil, tandis que l'âme immatérielle lui échappait, pour rejoindre les scientifiques qui, aujourd'hui, s'entendent à reconnaître que ce sommeil n'est pas un phénomène continu semblable à lui-même tout au cours de la nuit. Electroencéphalogramme (EEG) pour mesurer l'activité cérébrale, électro-oculogramme (EOG) pour étudier les mouvements oculaires et électromyogramme (EMG) pour enregistrer l'activité musculaire ont permis de décrypter cinq stades bien différenciés : le sommeil s'ouvre sur une phase d'endormissement accompagnée de rêves très brefs, dit stade 1 ou « sommeil lent », suivi d'un « sommeil léger ». Le stade 3 constitue le « sommeil moyen » et le stade 4 le « sommeil profond ». Au cours de ces différents stades, l'organisme s'est progressivement mis en veilleuse avant de prendre une activité paradoxale, phase 5, où l'on peut constater des mouvements oculaires rapides avec disparition totale du tonus musculaire.

Ce sommeil paradoxal a fortement intrigué des chercheurs, comme le Pr Michel Jouvet et l'Américain William Dement; pour eux ce moment est celui du rêve, récemment décrété « troisième cycle » de l'activité cérébrale, les deux autres étant l'éveil et le sommeil. Ainsi donc, si le sommeil facilite le repos musculaire, il n'apporte rien au repos cérébral, le cerveau consommant plus d'oxygène pendant ce temps que lors de l'éveil... A partir des expériences faites jusqu'à maintenant sur les hommes par « suppression de sommeil » les scientifiques n'ont pu constater que de petits troubles, une certaine inattention ou bien une hypersexualité. En 1959, un disc-jockey de New York fit le pari de rester éveillé deux cents heures de suite. A la fin de son marathon il fut atteint d'une sorte de délire paranoïaque, mais son expérience ne servit à rien sur le plan strictement scientifique, le manque de sommeil n'étant pas une explication suffisante. La récente mise en évidence de peptides du sommeil et du rêve et la tentative actuelle d'isoler les molécules du sommeil, sachant que seulement huit mille des cinq milliards de neurones de notre cerveau nous ouvrent les voies du rêve, cet « orage cérébral », apporteront peut-être une réponse à la question de savoir si oui ou non nous avons besoin du sommeil pour vivre.

Quant à la thèse de Freud, qui remonte à Platon, voulant que « le rêve soit le gardien du sommeil », les neurophysiologistes, sans remettre le rêve en cause, ont prouvé l'inverse : « Le sommeil est le gardien du rêve. » Rêve et sexualité sont intimement mêlés, on sait que lorsque l'homme rêve, son sexe est en érection et que la femme, elle, a une érection clitoridienne, phénomène observé autant chez les bébés que chez les vieillards, « réflexe » que nous ne partageons pas avec les animaux, le sommeil paradoxal ne s'accompagnant pas chez eux de ce genre de manifestation. Dans un récent article, le Pr Jouvet avance même l'idée que l' « on ne rêve pas, on est rêvé par l'hérédité » et propose l'hypothèse que « la fonction du rêve est de maintenir l'hérédité psychologique, quelles que soient les choses apprises pendant la journée »... à moins que, comme le dauphin d'eau douce de l'Amazonie, chez qui « le rêve prend peut-être un autre masque », nous ne dormions jamais ou au contraire toujours, selon le principe du « sommeil alterné » : vingt minutes de sommeil pour le lobe droit du cerveau, vingt minutes de sommeil pour le lobe gauche! Je comprends mieux maintenant le ludique *dolphino* au bec rouge qui, pendant trois jours et trois nuits, accompagna notre pirogue sur le rio Miriti et le Caqueta durant un séjour en Amazonie; il n'avait pas le choix : soit il respirait et ne dormait pas, soit il dormait et ne respirait pas... Au fait, avais-je dormi, moi aussi?

Nuits varient

L'inertie du sommeil oblige l'homme à s'inventer des abris, mais ne l'oblige pas à dormir selon une attitude unique.

Sur la planète Terre, la nuit varie au point que sous

certaines latitudes certains jours n'ont pas de soleil couchant et certaines nuits pas de soleil levant. Les hommes sont alors obligés de dormir de jour en été et de travailler de nuit en hiver, nuit qui, comme au pôle, peut durer six mois, et succède à un jour d'égale longueur. La lutte contre le noir géographique et temporel a gagné du terrain avec l'électricité, mais, malgré notre désir, nous ne sommes pas devenus totalement nyctalopes. Comme les gens, il y a des peuples couche-tôt et des peuples couche-tard, de même pour le lever. Vous dire quand dorment les Espagnols me serait difficile, n'ayant jamais réussi à me coucher après eux ni à me lever avant eux. En revanche, leurs voisins portugais sont des couche-tôt, ce qui explique pourquoi les habitants de leurs ex-colonies brésiliennes et antillaises ne fassent pas la sieste, alors qu'elle serait bienvenue.

Marcel Mauss releva qu'il y avait des populations qui, pour dormir, se serraient en rond autour d'un feu, ou même sans, comme les Fuégiens qui, bien que vivant dans un climat très froid, n'étaient couverts que de leurs peaux de guanaco et ne savaient que se chauffer les pieds. On retrouve cette disposition en rayon autour du foyer sous le *tipi* (de *ti*, « habiter », et *pi*, « employé pour ») des Indiens Pawnees d'Amérique du Nord. Cette façon de se disposer pour dormir n'était pas propre à tous les Sioux, dont les couchettes faites de peaux de bison ou d'ours étendues sur des sommiers de joncs tressés, relevés en dossier à chaque extrémité, permettaient aux hommes de dormir tête-bêche, moyen pratique d'économiser l'espace d'une double couchette et de permettre aux dormeurs enveloppés dans des couvertures de se réchauffer tout en offrant aux corps un certain confort. Quand la famille était nombreuse sous le même tipi, on disposait ce genre de lits parallèlement à la paroi, ce qui formait une sorte de grande banquette circulaire. Seule la place d'honneur, réservée au chef, faisait face à la porte ovale du tipi. De nos jours, je puis vous dire, par expérience du terrain, que ces sortes de lits ont été remplacés par des morceaux de moquette récupérés dans les décharges de la société américaine, moquette souvent largement rembourrée et confortable, et que le traditionnel foyer creusé dans le sol et bordé de pierres a fait place à un de ces gros bidons cylindriques d'essence transformé en poêle que l'on bourre le soir. La forme ronde du tipi implique naturellement, lorsque l'on est nombreux, que l'on fasse cercle autour de la source de chaleur, comme les rayons d'une roue autour du moyeu. Seuls ont changé la qualité des peaux de couchage, qui de naturelles et chaleureuses sont devenues synthétiques, et les costumes des Indiens, plus proches de ceux des cow-boys, à la différence près qu'ils enlèvent leurs bottes pour dormir.

En Océanie, si l'on dort à même le sol, sur une natte, un lit de rondins ou une planche à pieds, selon que l'on est en Micronésie, en Polynésie, aux îles Salomon, à Madagascar ou en Malaisie, ce qui semble avoir frappé le plus Bengt Danielson, ethnologue d'origine suédoise attaché au confort du duvet, est « l'habitude de dormir la tête sur un petit tabouret [...]. Mais si l'on a passé une nuit sous les Tropiques, la tête enfouie dans un oreiller, on comprendra mieux l'intérêt qu'il y a à dormir à la manière polynésienne, la tête dégagée dans l'air et le vent ».

Repos africain

Constatations exactement inverses de celles de Danielson pour Jacqueline Roumeguère-Eberhardt, qui passa onze années chez les Masaïs au sud du Kenya et qui, dans son témoignage, a le mérite de poser non seulement le problème du couchage dès que nous sommes « déplacés », mais aussi de la mise en accusation constante du corps de l'ethnologue lorsqu'il est sur le terrain. Question souvent posée par les profanes mais que la science dédaigne, pensant, à tort, que cela n'influence pas le regard... « Je suis parvenue à renoncer à tout sauf à un petit oreiller de duvet que, durant les migrations, je portais sous le bras, n'osant l'accrocher aux peaux roulées sur mon dos; j'avais trop peur de perdre cet irremplaçable objet qui m'assurait de bonnes nuits, même lorsqu'elles étaient passées à même le sol sur une peau de bœuf déroulée dans les abris temporaires construits hâtivement avec des épineux. Les abris sont si petits que l'on ne peut y dormir qu'en chien de fusil. Il m'arriva du reste, par une nuit spécialement froide, d'être si engourdie par cette position qu'en étendant les jambes, ma couverture prit feu [...]. Au début la fumée provoquait en moi une sorte de bronchite chronique et mes yeux larmoyaient en permanence; puis au bout d'environ deux semaines, je m'y suis habituée [...]. Cette fumée a néanmoins l'avantage d'éloigner les mouches, si abondantes à l'extérieur des maisons, et de protéger des nombreux insectes [...] comme on dort à même des peaux de vaches disposées sur un lit de branchages, et que les Masaïs aiment s'enduire le corps d'ocre mêlé de graisse de mouton, les peaux s'imprègnent de ce mélange qui s'ajoute au parfum de la fumée ambiante. Toute personne qui s'assoit, même brièvement, sur une de ces peaux ressort embaumée de ces subtiles essences. »

Chez les Moundang, aux confins du Tchad et du Cameroun, qui, d'après Alfred Adler, « ne sont pas des vrais pasteurs et éleveurs », la maison, que l'auteur de *La Mort est le masque du roi* qualifie de ferme, constitue un ensemble où personnes et animaux domestiques vivent côte à côte et comprend autant de bâtiments à terrasse qu'il y a d'épouses. Le maître de maison marque la sienne d'un toit conique de chaume et possède, en plus de la peau de bœuf, « tapis » de repos traditionnel, un fauteuil pliant au montant de bois et au siège en cuir et, mobilier de prestige, une chaise longue européenne. Toutefois, l'élément fondamental de l'habitation moundang est la maison de la femme. Bâtiment de cinq ou six pièces dont la façade sud est flanquée d'une tour à coupole formant un grenier, c'est là que l'on trouve la chambre *pe-pae*, espace sombre dégagé entre deux pièces circulaires et presque entièrement fermées, l'ouverture vers le devant de la maison étant munie d'une vannerie pour en préserver l'intimité. Parfois un tout petit muret élevé sur le seuil du *pe-pae* souligne encore davantage la séparation entre la chambre et la pièce de réception qui donne sur l'extérieur. Si à la saison froide il arrive que la femme moundang étende sa natte dans le *wul-lii*, sorte de réserve où elle dépose ses objets les plus précieux, c'est dans le *pe-pae*, la vraie chambre à coucher de l'épouse, des fillettes et des bébés, qu'elle reçoit ses intimes et, signale Adler, « même ses amants ». On dit aussi que jadis un criminel pouvait toujours trouver refuge dans le *pe-pae*. Les veuves moundangs occupent une case à part où elles dorment seules, sur un lit, *kpémé*, taillé dans la section d'un tronc grossièrement équarri, le côté où repose la tête légèrement surélevé par une pierre calée sous le bois.

Le mobilier de repos des Africains, lits, sièges et chevets de type appui-tête et appui-dos, ne constitue pas, à l'inverse de nos lits, des objets de première nécessité, comme le sont pour eux les armes, les ustensiles de cuisine ou les instruments agricoles. Ils dorment souvent sur une peau étalée sur une natte, une jonchée de feuilles ou d'écorces tendres; un des objets de couchage les plus répandus en Afrique comme en Asie est l'appui-nuque, nécessaire aux sociétés où la coiffure est un art : l'appui-tête a pour fonction d'éviter les dégâts que le sommeil pourrait provoquer dans les cheveux artistiquement tressés, ornés de perles, de cauris, d'épingles diverses en métal, en bois ou en ivoire. Il peut aller d'une simple bûche au *diri* congolais, combinaison en un seul objet d'une boîte à fards et d'un appui-tête ouvragé. Les lits les plus répandus sont les *lits à poteaux*, dont la définition n'est pas le sommeil uniquement. Sur quatre pieds souvent sculptés et peints avec une large assise, reliés deux à deux par une barre de bois, on dispose quatre ou cinq rondins que l'on recouvre d'une natte la nuit et qui, durant la journée, servent d'estrade sur laquelle on entrepose les bassines de nourriture. L'appui-dos, le meuble africain le plus original, fait partie du mobilier de prestige réservé à la noblesse, aux chefs et aux notables. Chef-d'œuvre généralement réalisé dans une seule pièce de bois, la dignité qu'il confère à son possesseur fait la qualité de son repos.

En Afrique du Nord, nous retrouvons les matelas – de *matrah* qui, comme *baldaquin, divan, sofa* et *tabouret*, vient de l'arabe et signifie « chose jetée à terre ». Empilés pour servir de sièges ou roulés dans un coin pendant la journée, ils sont disposés le soir dans les pièces et répartis, dans la mesure du possible, selon les sexes. Lorsque l'espace le permet, les matelas sont de préférence disposés parallèle-ment et de manière à ce que les dormeurs soient face à la porte, plus souvent poussée que fermée. Si le lit conjugal a depuis quelques années fait son apparition dans les milieux aux revenus suffisants pour s'offrir cet objet et se réserver une pièce, la couche est partagée tant que les rapports sexuels des époux sont possibles. La suspension des rap-ports, qui entraîne le retour de la mère parmi ses filles, correspond généralement à la ménopause, le père arguant de sa vieillesse et de son prestige pour garder la chambre. Pour dormir, sauf exception ou habitude prise à l'étranger d'utiliser des draps, on se couvre d'une couverture; les hommes gardent slip, chemise ou maillot de corps, les femmes leurs dessous et la *gandoura* qu'elles portent habituellement à la maison. Quant à la posture, les hom-mes dorment sur le côté droit, en chien de fusil et les bras repliés sous la tête, habitude nomade d'augmenter le confort du couchage à la dure; les femmes, elles, s'allon-gent à plat sur le dos et ne doivent pas passer les bras

derrière la tête pour ne pas dévoiler leurs aisselles, interdit
à la connotation sexuelle évidente.

Sommeils de banquise

Je n'ai jamais passé qu'une seule journée en Laponie,
partant de France un mois de juin pour en revenir un mois
plus tard... La Laponie en plein dégel ne m'a offert que des
jours interminables, des bains de soleil de minuit et des
nuées de moustiques offensifs qu'une moustiquaire achetée
à New York avant un séjour en Amazonie (où elle fut
inutile) avait du mal à contenir. En ville, devant l'absence
de volets, le plus grand service qu'elle me rendit fut de
tamiser l'infernal et incessant soleil qui me jeta à la rue en
catastrophe à des 2 ou 3 heures du matin pour tenter
d'attraper un car prévu douze heures plus tad... Comme les
rennes, je n'ai trouvé la quiétude qu'en montagne, hors
d'atteinte des culicidés chargeants, piquants, pompants,
plongé dans l'opacité des petites huttes qui jalonnent les
sentiers éternellement lumineux. A défaut de peau de
renne, je déroulais mon sac de couchage sur les rameaux
feuillus de bouleau ou de saule que les utilisateurs du lieu
étaient chargés d'entretenir. Un vieux Lapon rencontré au
pied du Knabe-Kaise m'invita à dormir dans sa *kohte* et
m'expliqua en anglais que « la bonne hygiène exige que
l'on refasse la litière chaque samedi ».

Faire un lit lapon est un art incomparable : « On
commence au *passjo*, note Ernst Manker, où s'affrontent
les extrémités des deux premières rangées radiales de
branches. On jonche le sol du *luoito* de rangées radiales en
faisant le tour de la hutte, les extrémités des branches se
plaçant sous les sommets des branches de la rangée
suivante. Les grosses extrémités des branches des deux
dernières rangées se terminent à l'*uksa* où elles sont fixées
sous les troncs qui le délimitent. » Sur ce matelas végétal,

225

on étend, au moment de se coucher, une ou plusieurs peaux de rennes, « un coussin ou une blouse enroulée ou quelque autre objet doux se place sous la tête et on jette sur soi pour se couvrir des couvertures et des peaux de rennes suivant les besoins ». Manker note que dans le Nord, on utilise beaucoup un tissu acheté en Norvège, ressemblant à une couverture de cheval, appelé *rana*. En hiver, il n'est pas rare que ce tissu soit tendu entre les perches de la hutte pour mieux l'isoler du froid. Les Lapons du nord de la Suède utilisent parfois le *rakkas*, une sorte de baldaquin fait généralement d'une toile de lin ou de coton en forme de toit à mans et à un pignon, attachée au toit et aux côtés de façon à recouvrir la couche. Outre la protection contre le froid, le *rakkas* sert aussi à protéger l'intimité du couple durant l'interminable jour d'été. Au matin (?) le *rakkas* comme la literie sont aérés puis pliés et rangés sous une peau de renne, les poils vers l'intérieur : « Comme il est agréable de s'appuyer contre ce doux feutrage! » Le savent tous ceux qui sont jamais rentrés fatigués dans une telle *kohte* », me dit mon vieux Lapon.

N'ayant pas poussé mes explorations nocturnes de jour jusqu'à la banquise je laisse le soin à l'auteur des *Derniers Rois de Thulé* de narrer ses longues nuits esquimaudes : « L'Inouk dort, ne le troublez pas [...]. L'Esquimau dort beaucoup. Plus l'hiver que l'été – il hiberne comme l'ours –, écrit Jean Malaurie, mais au total beaucoup si l'on considère que la moitié de son existence se passe à sommeiller, à somnoler [...]. Paresse, marque de sagesse, c'est ainsi qu'une société se protège physiquement contre le harassement d'une vie dure. » A des journées continues de chasse, de soixante heures parfois, correspondent des temps de sommeil qui peuvent en hiver, dans la nuit polaire, atteindre douze à quinze heures consécutives. Jean Malaurie nous rapporte une de ces nuits dans un igloo de tourbe ou sur une plate-forme d'environ 1,40 m de profondeur, sur un tapis de broussailles doublé de foin et recouvert de peaux de phoque : « Les corps sont nus sous les peaux. Têtes tournées vers l'intérieur, pieds au mur, n'émergent que des mèches de cheveux blanchis par le givre, et quelques bras musclés et bruns. L'igloo froid s'éveillera vers 11 heures afin de bénéficier du soleil haut sur l'horizon [...] le père couché au milieu de l'*iglerk* – c'est sa place de jour et de nuit – dort sur le côté droit [...] a remué très peu durant son sommeil, mais il a été souvent agité par les rêves qu'il marmonnait. La femme est à sa droite près du mur où est placée, sur un trépied, la lampe à huile dont, avec des gestes quasi inconscients de vestale, elle surveille la flamme. Les enfants en bas âge sont entre eux deux. Le vieillard est relégué le long de l'autre mur le plus froid – celui du nord et au vent – avec l'adopté tardif s'il y en a un [...]. Frères et sœurs de sang dorment ensemble jusqu'à sept ou huit ans, couchant fréquemment face à face, jouant des mains et se tenant enlacés par les bras [...]. Première levée, la femme [...] s'assied en lotus, hiératique, le visage lourd et triste comme dans un rêve intérieur. Elle passe sa *kapatak* [veste de peau de renard], puis, détendant ses jambes, enfile sa petite culotte de renard. Posément elle noue alors son chignon [...] toujours assise elle atteint du bras ses longues bottes blanches dont le haut corollé de poils d'ours lui a servi d'oreiller [...]. Avec une racine, elle ravive les mèches de fleur de lin, une bonne demi-heure se passe où chacun jouit à sa manière de sa propre paresse. C'est le temps où l'Esquimau se voit, se mesure. Aussi jamais ne se lève-t-il brusquement. »

Paul-Emile Victor, dans *Boréal*, explique pourquoi les Esquimaux ne se réveillent jamais brutalement; croyant en trois sortes d'âmes, *adek*, dont l'une a son siège à la base du cou, « l'âme de la vie », l'autre dans le côté, sous le diaphragme, « l'âme du sommeil », et une multitude de petites âmes logeant dans les articulations, ils se doivent de les respecter en ne faisant jamais de mouvements brusques au réveil. Le sommeil est provoqué lorsque « l'âme du sommeil » quitte le corps et si l'on veut qu'elle le réintègre, il ne faut pas se lever brusquement. Les risques sont grands, pour ceux qui n'y prennent pas garde, de tenir des propos incohérents ou de se laisser aller à des actes violents; cela est, pour les Esquimaux, la preuve que « l'âme du sommeil », leur âme essentielle, n'a pas encore regagné son logement. A l'écoute de son rythme commandé par l'*adek*, l'Esquimau se sait le dernier gardien de la sagesse des hommes, peut-être est-ce à cause de la banquise qui, de tous les lits, est celui qui conserve le mieux ses gisants.

II

LA CHAMBRE-VILLAGE

Ma fille joue
Dans l'arbre aux coings
Et le hamac qui s'y balance
N'a rien d'un meuble de jardin
Il est amazonien.

Jacques MEUNIER,
Manifeste pour un minimum de poésie.

Hamac

Meuble essentiel des Indiens des Tropiques, excepté quelques tribus de l'Ouest brésilien, le *hamac*, « rectangle de toile ou filet que l'on suspend horizontalement par ses extrémités », avant son adoption par les Européens des colonies qui l'ont installé à bord des bateaux pour remplacer les inconfortables « crèches », est bien utilisé avant tout comme un lit. Il a valu à ceux qui s'en servaient le surnom de *cabeca-chata* (tête plate), ayant la réputation de serrer la tête pendant le sommeil. « Terme de relations », comme le dit Antoine de Furetière dans son *Dictionnaire, hamac*, sans doute emprunté au caraïbe *hamacu* par les Espagnols *(hamaca)*, nous est parvenu italianisé par l'intermédiaire des récits de voyage. Cité comme mot indigène en 1525, dans la *Relation du premier voyage autour du monde par*

Magellan de A. Pigafetta, qui le traduisit du latin sous la forme *amache*, il est écrit *amacca* en 1533, dans *Extraict ou Recueil des Isles nouvellement trouvées en le grand mer océan* de A. Fabre, traduit selon le même processus que dans l'ouvrage précédent.

En 1545, on peut lire *hamaca* dans *Histoire de la Terre Neuve du Péru en l'Inde occidentale* de J. Gohory, résumé d'un texte espagnol; en 1568, *hamacque* apparaît dans l'ouvrage de Fumée, *Histoire générale des Indes occidentales*, également traduit de l'espagnol, pour redevenir *hamat*, en 1640, dans la *Relation de l'establissement des Français depuis l'an 1635 en l'isle de la Martinique* de P. J. Bouton. La première mention de *hamac* dans l'orthographe que nous utilisons aujourd'hui daterait de 1659, dans *Les Desseins de son éminence de Richelieu pour l'Amérique* de A. Chevillard.

La confection du hamac requiert les techniques du filet ou du tissage : dressant une armature sommaire, deux poteaux fichés en terre tendent à l'horizontale les fibres de *tucum*, écorce de palmier ou de coton indigène, qui constituent la trame; les femmes ou les hommes croisent, nouent et entrelacent à intervalles réguliers les fils de coton qui composent la chaîne. Puis, tranchant un côté de la trame pour pouvoir sortir le hamac de son cadre, une cordelette tressée passée à chaque bout, ils le suspendent à des poutres du faîtage de la maison. Monter dans un hamac et s'y installer relève de la technique du bras en écharpe : le corps bien droit étendu en travers du hamac et non dans sa longueur.

Mariage et mort

Meuble personnel, comme le lit, le hamac, dans lequel peuvent aisément prendre place un homme et une femme, sert à symboliser le mariage chez les Indiens Urubu qu'a étudiés Francis Huxley : « Quand le cahouin est bu – parfois il y en a assez pour durer deux ou trois jours – le chef appelle le couple dans la cabane de danse au moment où le soleil atteint le zénith et installe les époux dans le même hamac. La mariée s'assied à gauche du marié, son bras droit posé autour du cou de son époux et sa main sur sa tête; le bras gauche de l'homme autour du cou de la femme et sa main sur la tête de celle-ci. Le chef prend alors un morceau de tissu rouge, avec lequel il enveloppe leurs têtes en disant : " A présent vous êtes mariés. " »

Chez les Urubu, lorsqu'un membre du groupe est décédé, on enveloppe le cadavre dans un hamac maintenu par des lianes et on le porte dans un coin de la *capoeria*. Après avoir creusé un trou d'environ 2 m de long sur 1 m 30 de large et 1 m 60 de profondeur, on plante à l'intérieur de cette tombe deux arbustes vigoureux et fraîchement abattus entre lesquels on accroche le hamac contenant le cadavre. Ensuite, on dépose à côté du mort la plupart de ses biens : son couteau préféré, ses arcs et ses flèches, une corbeille contenant de la farine de manioc, une calebasse remplie d'eau et, encore vivant, le chien favori du défunt, afin que celui-ci puisse continuer de chasser dans le ciel... Si jadis les Indiens construisaient au-dessus de la tombe une petite hutte en miniature, aujourd'hui, nombreuses sont les tribus qui, comme les Urubu, abandonnent la hutte où a été enterré un des leurs, parfois même l'incendient et vont en reconstruire une autre ailleurs.

Couvade

Si, pour Furet, « les Caraïbes utilisent le hamac pour se garantir des animaux farouches et des insectes », Furetière ajoute que « les Caraïbes sont si superstitieux qu'ils les travaillent en grande cérémonie. Ils mettent au bout du métier des paquets de cendre; faute de quoi ils croient que leur hamac ne durerait pas. S'ils avaient mangé des figues quand ils ont un hamac neuf, ils croient que cela le ferait pourrir; et ils n'osent manger d'un poisson croyant que cela serait cause que leur hamac serait bientôt percé ». L'ethnologie étant à l'époque de Furetière (1619-1688) inconnue, on ne peut lui tenir rigueur de l'ignorance d'un rite primordial chez les Indiens (comme chez nous) : la couvade, où les interdits dont il parle ne sont pas en relation directe avec le hamac, mais avec l'homme qui, pendant plusieurs jours de suite, y est étendu.

Extrêmement répandue dans les sociétés traditionnelles d'Amérique du Sud et dans le sud des Etats-Unis, la couvade a longtemps étonné les explorateurs puis les ethnologues qui ont eu des contacts avec les Indiens. Si aujourd'hui cette coutume, qui exigeait qu'un père se couche pour un certain temps au moment de la naissance de son enfant, a perdu de sa force, il n'en demeure pas moins, comme le note Alfred Métraux, que « d'une façon générale il n'est guère de société indigène d'Amérique du Sud où l'on n'ait pas signalé de restrictions et de prohibitions quant à l'activité, au régime alimentaire et à la vie sexuelle des parents à l'occasion d'une naissance ».

La couvade est signalée par Apollonius de Rhodes dans le Pont-Euxin deux cents ans avant notre ère; puis Diodore de Sicile mentionne ce rite à propos des Corses et Marco Polo en rapporte l'existence dans le Turkestan chinois. Mais il faut attendre le XVIIIᵉ siècle pour qu'un témoignage sur la couvade au Nouveau Monde soit rapporté par Wafer, dans ses *Voyages à la suite de Dampier*. Le terme même de « couvade » a été institué par l'anthropologue anglais E.B. Tylor en 1865 dans son ouvrage intitulé *Researches into the Early History of Mankind* à propos de la description de cette cérémonie chez les Indiens Caraïbes aux Antilles. Le terme semble avoir été emprunté à des folkloristes européens qui, comme Quatrefages de Breau dans ses *Souvenirs d'un naturaliste* ou A. Van Gennep dans son *Manuel de folklore français*, signalaient l'existence de la « couvade » ou *covada* chez les montagnards basques ou en Béarn comme une coutume « selon laquelle le mari prend dans le lit la place de l'accouchée, se fait soigner à sa place et joue ce rôle pendant un laps de temps variable ». Il semble que les anthropologues du siècle dernier aient eu quelque résistance sexiste à rendre compte de cet acte, certes paternel mais perçu symboliquement comme anti-viril. Les séances que rapportent les bulletins de la Société d'anthropologie à cette époque en sont témoins. A plusieurs reprises il est en effet signalé que, lors de discussions sur ce sujet, « le doute avait pénétré certains esprits, et que quelques autres même n'hésitaient pas à considérer le phénomène de la couvade comme le fruit de l'imagination ou de la crédulité des voyageurs »... Autres temps, autres pères et autres ethnologues, ce qui explique la floraison récente d'articles aux titres révélateurs eux aussi de leur époque comme *La couvade est un problème qui renaît; Temps de naître, temps d'être : la couvade; L'homme enceint...*, etc. « Faire la couvade » ne signifie pas que l'homme remplace la mère ou joue son rôle. Il s'agit pour lui de développer sa paternité, dans toute sa force, du moins ce sur quoi il l'a fondée depuis des siècles et de transmettre à l'enfant une dose d'essence vitale bien supérieure au simple engendrement. Claude Lévi-Strauss rappelle, dans *La Pensée sauvage*, à propos de cette cérémonie, qu'« il serait faux de dire que l'homme y prend la place de l'accouchée. Tantôt mari et femme sont astreints aux mêmes précautions parce qu'ils se confondent avec leur enfant qui, dans les semaines ou mois suivant la naissance, est exposé à de graves dangers. Tantôt, comme souvent en Amérique du Sud, le mari est tenu à des précautions plus grandes encore que sa femme, parce qu'en raison des théories indigènes sur la conception et la gestation, c'est plus particulièrement sa personne qui se confond avec celle de l'enfant. Ni dans l'une, ni dans l'autre hypothèse, le père ne joue le rôle de la mère : il joue le rôle de l'enfant ».

En Amérique centrale et en Amérique du Sud les exemples de couvade sont extrêmement nombreux et beaucoup plus impressionnants que précédemment. Un des premiers témoignages de la couvade dans ces régions a été rapporté par un Français, Voisin, juge de paix en Guyane qui, vers 1852, reçut un soir l'hospitalité dans un « cabaret d'Indiens galibi sur la Mana ». Il raconte que le lendemain matin il fut surpris d'apprendre que, derrière la cloison de feuilles qui le séparait de ses hôtes, un enfant était né. La mère, ajoute-t-il, n'avait poussé aucun cri. Il la vit dès le jour aller au bord du fleuve s'accroupir, faire sa toilette, prendre son nouveau-né, le lancer à plusieurs reprises au fond de l'eau pour le recevoir au moment où il remontait et l'essuyer avec ses mains. Mais là où son étonnement fut à son comble, c'est quand il vit le mari rester couché dans son hamac, se déclarer malade et recevoir avec le plus grand sérieux les soins que lui prodiguait sa femme. On peut comprendre l'étonnement de cet homme du XIXᵉ siècle devant cette étrange coutume et se féliciter qu'il n'ait pas assisté à la cérémonie que E.B. Tylor rapporte au sujet de la couvade chez les Indiens Caraïbes aux Antilles :

« Chez ces Indiens, après la naissance la mère retourne à son travail mais le père commence à se plaindre; il s'allonge dans son hamac et reçoit des visites exactement comme s'il était malade. Il est alors soumis à un régime qui guérirait de la goutte le plus *replai* des Français, se livrant à un jeûne strict dont pourtant il ne mourra pas. A mon grand étonnement il passait quelquefois les cinq premiers jours sans manger ni boire du tout; ne se remettant à boire de l'*oüycou*, une boisson aussi nourrissante que la bière, qu'au bout du dixième jour. A partir de là, il peut recommencer à manger du manioc et à boire, mais durant un mois encore il connaît certaines restrictions alimentaires. Par exemple, il ne doit manger que l'intérieur de la

234

galette de manioc de telle sorte qu'il ne reste que le bord, qui fait penser au bord d'un chapeau melon défoncé. Ces restes, il les attache au plafond à l'aide d'une ficelle, les réservant pour la grande fête. Au bout de quarante jours il invite ses meilleurs amis et ses parents qui, à peine arrivés et avant même de s'asseoir pour manger, lui écorchent la peau avec des dents d'agouti. Dégoulinant de sang, le malade imaginaire devient un vrai malade. Ceux qui lui ont déjà fait subir ce traitement prennent alors soixante ou quatre-vingts graines de piment ou de poivre indien et, après les avoir écrasées et mélangées avec de l'eau, lavent les blessures du pauvre père qui souffre autant que s'il avait été brûlé vif. Toutefois, s'il ne veut pas passer pour un couard ou un misérable, il ne doit émettre aucune plainte. Une fois cette cérémonie terminée, ses amis le portent jusqu'à son lit où il va rester étendu plusieurs jours pendant que ces derniers font la fête à ses dépens. Mais ce n'est pas tout, pendant six mois encore il ne doit manger ni oiseaux ni poisson. Le non-respect de ces interdits risquerait d'en faire pâtir l'enfant. Par exemple, si le père mangeait une tortue, l'enfant pourrait être sourd, sans cervelle, ou avoir les jambes torses comme cet animal; s'il mangeait un lamantin, l'enfant pourrait avoir des petits yeux tout ronds comme cette créature. » A cette liste A.L.J. Laborde ajoute en 1886 les constatations suivantes à propos de la couvade chez ces mêmes Indiens : « manger des perroquets risque de donner à l'enfant un long nez, du crabe de longues jambes... ».

Au Brésil, chez les Indiens Tupinamba, le père doit pendant les trois jours qui suivent la naissance éviter de jouer, de pêcher, de manger du sel et de travailler, jusqu'à ce que tombe le cordon ombilical, puis il place l'enfant dans un piège miniature, comme si c'était une proie, lui tire dessus avec un petit arc et une petite flèche et le recouvre d'un filet de pêche afin de faire de son fils un bon chasseur et un bon pêcheur. Dans la même tribu le père se couche dans son hamac en prenant précautionneusement son enfant dans ses bras comme s'il voulait éviter qu'il ne prenne froid. Il reçoit la visite de ses amis qui lui apportent des présents. Au moment où tombe le cordon ombilical, le père peut se relever mais ne doit faire aucun effort violent comme couper un arbre ou porter de lourdes charges.

La couvade a sans doute existé dans toutes les tribus tupi-guarini mais la littérature anthropologique reste incomplète à ce sujet. Alfred Métraux rapporte qu'après la naissance, les pères guarini attendent dans leur hamac que le cordon du nouveau-né tombe. Durant cette période, ils détendent leurs arcs, ne fabriquent pas de piège, ne chassent pas, ne confectionnent ni outils ni armes. Dans les tribus Caingua et Chiriguano le père ne se livre plus aujourd'hui qu'à un simple jeûne. Les Indiens Guarayu semblent, eux, très conservateurs puisqu'il arrive encore que de jeunes pères se tailladent la peau avec une dent d'agouti, se teignent les pieds et les articulations avec de l'*urucú* et restent dans leur hamac pendant trois jours. Il y a une croyance commune à propos de ces Indiens qui prétend que l'âme de l'enfant poursuit son père partout : si ce dernier se livre à une action trop violente, l'âme se rappelle à lui en lui causant quelque tort. C'est la raison pour laquelle chez les Palicular un nouveau père doit porter un arc et une flèche miniatures, de peur que l'esprit de l'enfant ne lui fasse rater sa chasse; et s'il est obligé d'aller dans les bois la nuit, il doit porter une écharpe sur l'épaule gauche.

Toujours au Brésil, chez les Bororo, le père et la mère observent quelques restrictions alimentaires et ne fument pas pendant une dizaine de jours après une naissance; ils prennent garde également de ne pas se coiffer, ni même de toucher leurs cheveux avec leurs mains au risque de les voir devenir tout blancs. Les pères Caraja restent chez eux pendant six jours : ils ne doivent pas manger de poisson ni de manioc et sont obligés, durant cette période, de se faire vomir chaque fois pour se laver l'estomac. Chez les Galibi, le père est soumis à quelques séances de flagellations et de scarifications afin de transmettre à l'enfant son courage vis-à-vis des épreuves. Les Acushi interdisent pendant un temps aux deux parents de se gratter avec leurs propres ongles, aussi utilisent-ils pour ce faire des nervures de palmiers.

En Bolivie, chez les Indiens Siriono, pendant les trois jours qui suivent l'accouchement, le père et la mère ne doivent pas quitter la maison sauf en cas de nécessités naturelles. Ils sont nourris par les membres de la famille élargie et l'enfant, quand il est éveillé, est nourri au sein. La première, la mère s'épile les sourcils, se coupe les cheveux devant et tire les autres en une seule ligne sur le dessus de la tête. Commence alors une douloureuse expérience accompagnée de grands cris. Le père et la mère sont tous deux scarifiés sur les jambes avec une dent de rat; ils sont décorés avec des motifs représentant un toucan ou un faucon, peints avec de l'*urucú* et parés de rubans de coton, également teints à l'*urucú*, qui sont passés autour de leurs jambes juste au-dessous des genoux et autour de leur cou. Après trois jours d'isolement, le père prend son arc et ses flèches, la mère met l'enfant dans une écharpe préalablement recouverte d'*urucú* et le couple gagne la forêt. Tout en se déplaçant, ils accomplissent un rite de purification en dispersant les cendres du dernier feu qu'ils transportent avec eux dans de petits paniers en palme. Pas très loin du camp, ils s'arrêtent, ramassent du bois pour le feu et rentrent chez eux. Là, ils allument un nouveau foyer et reprennent une vie normale.

Dans les tribus des versants est des Andes boliviennes, chez les Chiriguano et les Chane, une semi-couvade est pratiquée; le père reste quelques jours étendu et s'abstient de tout travail pénible. Dans les tribus des montagnes péruviennes et équatoriennes comme les Zaparo, les parents restent enfermés chez eux pendant dix jours et le père évite tout travail. Chez les Murata, le père reste quatre jours au lit. Chez les Awishira, ce sont les deux parents qui restent dans leur hamac pendant deux semaines et observent un jeûne. Chez les Indiens Bétoi à l'est de la Colombie, à la naissance d'un enfant le père se couche et sa femme veille sur lui. Une croyance assure que s'il se levait pour marcher il risquerait de marcher sur la tête de l'enfant, s'il coupait du bois, de le décapiter et s'il tirait une flèche sur un oiseau, d'atteindre le nouveau-né. Chez les Yarubo les parents s'abstiennent de manger du poisson, de la tortue et du crocodile pendant quelques mois. A la naissance et pendant dix jours le père reste allongé dans son hamac sans rien faire. Dans le Gran Chaco, au moment d'une naissance, un père se met au lit, se couvre de nattes et de peaux et observe un jeûne. Il doit éviter de fumer, de manger de la chair de *capybara*, de chevaucher longtemps au risque de se mettre en sueur, de goûter du miel et de traverser une rivière à la nage. Chez les Alacaluf la mère et le père observent un jeûne de deux jours et ce dernier porte sur la poitrine un bout du cordon ombilical pour préserver l'enfant d'une faiblesse éventuelle.

La conception, dans les sociétés traditionnelles et notamment chez les Indiens d'Amérique, n'est pas uniquement l'œuvre de la femme : elle dépend aussi de l'attitude du père social. L'acte même de procréer ne joue qu'un rôle secondaire dans la fonction symbolique qui incombe au père vis-à-vis de l'enfant. Transgresser la cérémonie de la couvade est nuisible non seulement pour le nouveau-né, mais également pour les parents. L'état de faiblesse d'un nourrisson semble être plus le reflet de l'attitude des parents – et plus particulièrement du père – en ce qui concerne les différents tabous. L'observance ou le non-respect de la couvade correspondent à l'équilibre ou au déséquilibre d'une communauté qui trouve sa cohésion, il ne faut pas l'oublier, dans les actes du quotidien souvent les plus discrets.

238

Helena Valero, qui passa vingt-deux années de sa vie chez les Indiens Yanaoma en forêt amazonienne dans la région de l'Orénoque, dans un chapitre intitulé « La femme cédée » met en évidence le rôle primordial que joue le hamac dans les sociétés indiennes, la répudiation se faisant par le renvoi du hamac avant celui de la femme. Une des épouses de Fousiwe étant introuvable, il ordonne à une autre femme : « Toi, prends son hamac, cherche dans tous les foyers sans te montrer; et dès que tu entendras sa voix, remets-lui son hamac, avec qui qu'elle soit. Que ce soit mon frère ou n'importe qui d'autre, consigne le hamac et dis à l'homme avec lequel elle se trouve : "Mon mari te remet le hamac de la femme afin qu'elle reste toujours avec toi, puisque vous avez plaisir à parler ensemble. Qu'elle ne revienne jamais plus." La femme défit le hamac, partit et trouva l'autre qui était en train de parler avec le jeune frère de Fousiwe, devant son foyer. La femme n'eut pas le courage de remettre le hamac, s'en retourna à sa place, ce qui déclencha la colère de son mari. L'incident réglé, l'homme envoya une autre de ses femmes apporter le hamac en lui expliquant le motif de cette démarche. "[...] tu vas aller lui porter le hamac afin qu'elle vive toujours là-bas. Mon frère ne trouvera peut-être pas d'autre femme et il sera donc content de vivre avec elle." » Napagnouma (nom yanoama d'Helena Valero) prit le hamac et alla jusqu'à l'endroit où se trouvait le frère du mari, en train de manger des bananes, couché dans le hamac. « "Voilà son hamac", lui dis-je, et, en regardant la femme, je continuai : "Le père de son fils t'envoie le hamac afin qu'elle vive toujours avec toi et ne revienne plus chez lui. Elle a laissé là-bas son paquet de poisson, et maintenant elle est ici, qu'elle y reste." La femme tenta de se défendre, prétextant qu'il n'était là que pour lui porter du bois, puis finalement se tut. L'homme devint sérieux et cria : " Je ne la veux pas. " Puis il jeta le hamac à terre et dit : " Rapporte-le-lui et dis-lui que je ne veux pas la femme. " Je ramassai le hamac et je répondis : " Non, à toi elle te plaît, si elle ne te plaisait pas tu ne serais pas resté à lui parler à voix basse, mais tu aurais dit : " Rentre tout de suite chez toi, car ton fils est en train de pleurer. " Je jetai alors le hamac sur la femme. »

Le hamac dans le cosmos

La place que prend le hamac où séjournent les habitants d'une de ces grandes maisons-villages de la forêt amazonienne n'est jamais due au hasard. La relation majeure qui réunit des familles indiennes sous un même toit est une relation d'alliance, chaque famille ayant systématiquement de chaque côté, pour voisins, des alliés dont la présence ne se justifie parfois qu'en regard du territoire sur lequel est construite la maison et qui ne durera que le temps d'existence de cette maison; un individu ou une famille peut donc occuper différentes positions dans les maisons entre lesquelles il nomadise. Robert Jaulin et Solange Pinton, qui ont séjourné de longs mois chez les Indiens Bari, plus connus sous le nom de Motilones, dont le territoire se trouve dans le bassin amazonien, à cheval sur la frontière séparant le Venezuela de la Colombie, et ont été les témoins de ces sociétés hautement « civilisées » avant leur clochardisation par « la paix blanche » – l'intrusion de la culture occidentale – nous ont livré une description idéale de la vie dans un *bohio*. Evoquant de l'extérieur une grande meule de paille ou un ananas coupé dans sa longueur, et de l'intérieur comme la carène d'un navire renversé, percée à chaque extrémité de deux portes et deux entrées en vis-à-vis sur les côtés, la maison bari, avec au centre les foyers et le bois de boucan pour chaque famille et sur le pourtour le « couloir aux hamacs », est inscrite dans l'univers, univers dont elle serait le centre. La manière dont les familles se déploient dans l'espace de cette maison et dont elles occupent son volume est tout autant verticale qu'horizontale. Les hamacs sont, eux-mêmes, accrochés à des hauteurs variables, chaque niveau indiquant tout à la fois l'âge, le sexe, les liens familiaux et les attaches symboliques qui lient les occupants autant entre eux qu'avec la maison-univers.

Liées plutôt à la terre, le jour les femmes dorment souvent sur des nattes, mais jamais les hommes. C'est aussi assises par terre, *uktura*, que les femmes préparent la cuisine; quant à leurs hamacs, qu'elles utilisent la nuit, ils sont suspendus à environ 80 cm du sol, au niveau dit *boshorora*. A 1 m, niveau *igbag-dara*, sont les hamacs des hommes. Au-dessus, sans que le niveau soit, semble-t-il, nommé, souvent par deux, dorment les enfants. Enfin, proche du toit, au niveau *badura*, le ciel, à presque 2 m, dorment les jeunes hommes célibataires qui accèdent à leurs hamacs en grimpant à la corde. Pour Solange Pinton, « l'éloignement des célibataires par rapport à la terre, principe certain de féminité, est lié à leur situation momen-tanée en marge de toute vie de reproduction ». A cette division quadripartite de la maison dans le sens vertical s'ajoute une division tripartite de la maison dans le sens horizontal. Chaque famille aurait sa place dans l'une des trois parties de la maison, est, centre ou ouest, en fonction de la classe à laquelle elle appartient (*isdora, agbara* ou *dura*), elle-même associée à l'ordre de succession qu'adop-tent les chefs de famille « sur le chemin ». On peut être premier, deuxième ou troisième sur le chemin. Les « pre-miers en chemin », ou *isdoashina*, s'établissent en principe à l'extrémité orientale de la maison, les seconds, *agba-rashina* ou *bokara*, suspendent leur hamac au milieu et les troisièmes, *duashina*, sont groupés dans le tiers occidental. La fonction d'*isdoashina* est souvent associée à celle de maître d'œuvre de la maison, dont le mythe raconte que c'est Cassoso, l'architecte de la maison d'origine, qui avant d'être tué aurait enseigné aux Bari la technique de construction de la « maison courbée ».

La poitrine du jaguar

J'ai pu juger de l'extraordinaire complexité des grandes maisons communautaires indiennes lors d'un séjour que j'ai effectué en 1980-1981 chez les Indiens Yukuna et Tanimuka, sur les bords du rio Miriti-Parana, un affluent du Caqueta à la frontière de la Colombie et du Brésil.

Lorsque, après plusieurs jours de pirogue, je suis arrivé chez les Yukuna, ma plus grande surprise fut qu'avant même de saluer les habitants de la *maloca*, les Indiens avec qui j'étais entrèrent dans la maison, déroulèrent leurs hamacs et les attachèrent à des poteaux situés à droite de la porte d'entrée. Ce n'est qu'une fois installés qu'ils allèrent saluer « le maître de la *maloca* », puis ses occupants. C'est à l'ethnologue colombien Martin von Hildebrand, qui a séjourné plus d'une dizaine d'années chez les Tanimuka, que l'on doit la compréhension, non seulement de l'architecture extraordinaire que sont les *maloca*, mais, comme chez les Bari, de tous les processus de savoir et des attitudes humaines que cela entraîne.

Loin d'être de simples abris, les *maloca* sont de véritables maisons dont la construction et la dimension requièrent, de la part du « maître de la *maloca* », autant de connaissances techniques que mythiques. Spécialisé dès l'enfance à cette tâche et ayant suivi un apprentissage spécifique jusqu'à l'âge de seize ans, le futur « maître de la *maloca* », le plus souvent le fils aîné du « maître » en exercice, apprend les fonctions du chef actuel : diriger les affaires, savoir et raconter les mythes en public, recevoir les visiteurs, organiser les cérémonies, enfin régler la vie quotidienne des habitants de sa future *maloca*, basée sur l'harmonie du groupe, et l'abondance de la nourriture.

Guide plus que chef, avant d'en être le « maître », le *fanaka* (en tanimuka) en est le concepteur et le constructeur, utilisant ses sorties en forêt pour examiner les lieux propices à l'érection d'une future *maloca*. Il repère un emplacement sablonneux, légèrement surélevé, à proximité d'une voie navigable et de terrains qui, une fois défrichés, seront cultivables dans un rayon d'une heure de marche au maximum de l'endroit choisi. Il invite alors sa famille élargie et des voisins proches à une *minga*, une ou plusieurs journées de défrichage qui, quelques semaines plus tard, et après un nettoyage par le feu, permettra de planter une *chagra*, un jardin, nécessaire à l'alimentation des futurs habitants de la *maloca*.

Quand vient le temps de la construction, le « maître », accompagné des chefs de famille qui habiteront la *maloca*, après avoir déterminé la position du soleil à l'aurore et au coucher, prépare quatre poteaux, *bota*, d'environ 8 m de haut, quatre perches de 4 m et deux lianes avec lesquelles il bâtira le carré central et sacré du bâtiment, carré qui par extension représente le centre du monde et que les Tanimuka appellent dans certains cas la « poitrine du jaguar » ou le « nombril du ciel ». Partant de ce carré, à une distance égale de 4 m des *bota* et orientés selon les points cardinaux, huit poteaux secondaires sont érigés, puis quatre autres qui, au nombre de douze, forment ce que les Indiens appellent les « jambes de la *maloca* ». De ces douze poteaux secondaires partiront des solives faites d'un bois fort et flexible, le *popay*, qui devront supporter les poutres du toit successivement posées au sud, au nord, à l'est et à l'ouest. De 10 m au faîtage, orienté est-ouest, le toit descend jusqu'à 50 ou 80 cm du sol à son extrémité, débordant largement la clôture de l'espace habité. Faite de poteaux légèrement espacés, la clôture empêche les animaux d'entrer mais permet à la lumière de pénétrer et aux

Indiens de se repérer, en fonction de l'éclairage, dans les différents moments de la journée.

Dressée une fois la *maloca* couverte, cette clôture, d'environ 20 m de diamètre, qui symbolise le boa, touche le toit tout autour à environ 1,50 m de haut et ne laisse que deux ouvertures : à l'est la porte principale, *kofereka*, au sud-ouest la porte domestique ou « féminine », *wanfoko-fea*. Cette symbolique, que les Indiens tentent de respecter à chaque fois qu'ils édifient une *maloca*, est une référence constante aux ancêtres qui jadis vivaient là où naît le soleil et où finissent les rivières. C'est de la *maloca* originelle, la souche du monde où se trouvaient les quatre ancêtres (les quatre poteaux) entourés du boa, couverte par l'épervier, avec, aux portes, les tigres d'eau d'où ils se sont échappés à travers les tourbillons, que les hommes sont sortis.

Chacun à sa place

Divisée en quartiers, la *maloca*, dont le centre est réservé au « maître », comprend une zone collective et une zone domestique, délimitées l'une de l'autre par les douze poteaux secondaires; c'est à l'est que les hommes rangent leurs armes et leurs outils, suspendent leurs hamacs et l'après-midi et le soir s'installent pour mâcher la coca, se raconter des histoires et se redire les mythes qui, dans leur répétition, abolissent le passé et le présent pour énoncer le futur...

A l'ouest sont les femmes, les enfants et les foyers sur lesquels elles font cuire la nourriture; c'est là aussi que sont conservés les ustensiles ménagers : paniers, râpes à manioc, casseroles, etc. Pour accéder à cet endroit, afin d'éviter d'avoir à passer près de la partie des hommes, elles utilisent l'ouverture pratiquée au sud-ouest de la palissade dont le nom de « trou » a une évidente connotation sexuelle et féminine. Les quartiers nord et sud sont polyvalents, ils servent à préparer aussi bien les repas pour les fêtes qu'à accueillir les hamacs des invités célibataires.

La position du corps et la suspension des hamacs indiquent la disposition de chacun des individus à l'égard des autres membres du groupe vivant dans la *maloca* ainsi que leurs relations familiales. Si, par exemple, un homme s'assoit vers le carré central, il exprime sa disponibilité, par contre, s'il est tourné vers le foyer – chaque famille a son propre foyer –, il signifie qu'il est absorbé par ses pensées ou par ses tâches familiales. Clairement délimités à l'intérieur de la *maloca* par l'occupation des familles qui y mangent et y dorment autour d'un même foyer, les espaces domestiques sont privés et impliquent une grande discrétion de ceux qui vivent autour; le voisin n'y pénétrera que s'il y a été invité par les occupants.

Pour le couchage, chaque chef de famille suspend son hamac entre deux poteaux secondaires, à la frontière du collectif et du privé, alors que sa femme et ses enfants attachent les leurs d'un côté à un poteau secondaire, de l'autre aux poteaux de la clôture, délimitant ainsi une sorte de triangle de camp familial, autour du foyer. Passé la puberté, les jeunes hommes iront rejoindre les autres célibataires masculins dans la partie est, en attendant de prendre, une fois mariés, leur place sur un côté dans le respect et l'équilibre des alliances.

Ethnocide

Las, l'Occident, ses mercenaires et ses missionnaires surgirent au cœur de la forêt, et les futurs chamans, les futurs maîtres chanteurs, les futurs orateurs, les futurs gardiens de l'amidon, les futurs gardiens de la coca et les futurs maîtres de *maloca* perdirent et leur éducation et leur savoir, et leurs grandes maisons et leurs familles, rejoignant plus ou moins sous la contrainte les internats des missions catholiques.

« Lorsque nous ne sommes plus libres de dormir dans une grande maison collective, toute confortable, faite de feuilles, et que, au nom du progrès, il nous faut vivre dans une petite maison, solitaire, faite de ciment, il est clair qu'il y a destruction de toute la structure sociale associée à cette maison collective », écrit l'ethnologue Robert Jaulin. En fait, il y a ethnocide; la destruction progressive et insidieuse des types de relations de résidence, de consommation et de production au nom d'une culture de progrès que supporterait une religion unique a entamé chez les Indiens d'Amazonie, et partout ailleurs où il y a une présence blanche, un processus de décivilisation et d'acculturation dont nous pouvons aujourd'hui mesurer les effets.

Les dégâts sont tels que je ne sais trop dans quel ordre procéder. De la production, je ne dirai que le temps passé dans les champs au profit des colons, empêchant les Indiens de préparer leurs propres champs; le remplacement des belles maisons communautaires par des baraques minables au sol de ciment et au faîte de tôle ondulée est sans doute une des perturbations les plus graves. Robert Jaulin a bien montré comment « la civilisation *motilone* peut se trouver détruite par la sédentarisation que des maisons en " dur " impliqueraient, par la brisure de ce jeu spécifiant tout à fait, dans une maison collective, un appartement à chaque ménage par la suppression des rôles très savamment impartis aux habitants d'un *bohio* alors qu'ils le construisent, rôles dont les fonctions sont en grande partie symboliques et qui visent à nouer ces habitants entre eux, comme les arbres se " tressent et forment le canevas de la toiture " ». De fait, les maisons érigées le plus souvent sur un terrain défriché au milieu d'une pelouse à l'anglaise (quand elle pousse), avec leur toit de tôle et leurs grandes ouvertures pour y laisser pénétrer « la lumière de Dieu » et surveiller la promiscuité des « sauvages » à convertir, sont exactement l'inverse de la maison-ombrelle, sombre et largement couverte, qui permettait à ses habitants de supporter les journées torrides, de s'y reposer dans une relative fraîcheur et surtout de vaquer à leurs affaires dans la discrétion la plus totale.

Les *Capucins* (nom espagnol des missionnaires), contre lesquels je ne porte pas de jugement en tant que représentants d'une religion, en tant que véhicules d'une civilisation, ont souvent commis, au nom du « progrès », des actes aberrants, comme d'introduire l'électricité dans des maisons aux fenêtres larges et grandes ouvertes sur la forêt équatoriale. On peut imaginer que le soir s'ajoutent à l'humide chaleur, aux odeurs inscrites dans le béton et à l'évident inconfort d'un sol dur des nuées d'insectes, dont les Indiens avaient su se défendre en érigeant leurs toits de palmes tressées ayant la propriété d'écarter certaines espèces; la propreté des lieux était maintenue par des balayages successifs et des interventions constantes de l'un ou l'autre membre du groupe pour enlever un détritus en grattant le sol meuble avec sa machette, l'emballer dans une feuille et le jeter à la lisière de la forêt. Autre atteinte à la cohésion familiale, le sol en béton fait disparaître le tissage traditionnel et les vêtements donnés aux Indiens dans les missions ne suppléent en rien à cette disparition, mais accélèrent leur clochardisation, nos vêtements occidentaux n'étant pas faits pour résister au climat, à l'environnement forestier ou à leurs travaux. La liste serait longue des inconvénients catastrophiques que notre technologie a introduits chez les « Autres »; ajoutons, pour revenir à notre chambre, et toujours selon l'insidieux cheminement de l'ethnocide, la lente progression du lit au pays des hamacs, relégués sous la charpente des maisons de type occidental, au toit plus haut que long, situation qui ne dérange nullement les jeunes, mais qui semble intimider les ménages plus âgés...

III

DU BRUIT
DANS LE VENTRE DE L'ÉLÉPHANT

> *Le murmure de la colombe,*
> *Bourgeons du cotonnier, bourgeons du moutardier,*
> *Le chant de la flûte* siphung;
> *Autant de ponts vers l'amour*
> *Disait ma mère.*

Nirmalprabah BARDOLOI,
Pont.

En Asie, de façon très marquée et évidente, même pour
un simple visiteur, la conception de l'habitat est liée aux
manières de penser et de croire, et dans bien des cas
détermine la gestuelle et les rapports quotidiens des habitants. Dans cette zone représentant à peu près la moitié de
la population mondiale, nombreuses sont, autour du sommeil et du couchage, les pratiques rituelles et corporelles
propres à écarter les risques de la nuit. La maison n'est pas
un simple abri pour dormir, c'est aussi un périmètre sacré
destiné à protéger les corps inertes et sans défense tant
vis-à-vis de l'extérieur que de l'intérieur. En Inde, où
chaque petit acte du quotidien se rattache à un dieu ou à
une déesse, les contrastes sont frappants entre la vie
mystique du brahmane, membre de la caste sacerdotale,
obsédé par les risques de pollution, et celle des membres

d'une tribu aborigène, *adivasi* en hindi, comme les Muria, plutôt préoccupés par la survie et l'unité de leur groupe.

Le coucher du brahmane

Pour les hindous, tous les soins du corps, qui renferme l'âme, se posent en termes de protection contre l'impureté, qui peut surgir aussi bien à l'occasion d'un repas, de la toilette que du sommeil. Jour et nuit constituent une opposition essentielle : on se nourrit, on voyage et on se baigne le jour, on dort ou on fait l'amour la nuit. C'est le jour que l'on se fait raser, face au nord ou à l'est et que l'on répond, face au nord, aux besoins naturels, réservant le sud pour ceux de la nuit. La suite des actions du brahmane avant son coucher, indiqué en vingt-troisième position dans les *Règlements que doit suivre le brahmane grahasta tous les jours de sa vie* rapportés par l'abbé Dubois, met en évidence la prise en compte constante de l'espace et du temps dans lesquels navigue le corps :

« 23. Après s'être acquitté de ces devoirs religieux, il retourne chez lui, prend son repas, en observant les règles ordinaires, et *il se couche peu de temps après avoir soupé*.

« Le brahmane doit purifier la place où il veut se coucher, en la frottant de bouse de vache, et faire en sorte que cette place ne soit exposée aux regards de personne.

« On ne doit jamais, pour se coucher, choisir une montagne, un cimetière, un temple, un lieu où l'on fait le poudja, un endroit consacré aux démons, l'ombrage d'un arbre, une terre labourée, une étable à vaches, la maison de son gourou, un endroit plus élevé que celui où serait placée la statue de quelque dieu, les endroits où il y a des cendres, des trous faits par les rats ou dans lesquels logent ordinairement les serpents. Qu'on se garde bien aussi de passer la nuit dans les maisons où les domestiques sont insolents, par crainte de quelque malheur. On met, du côté où repose la tête, un vase plein d'eau et une arme; on se frotte les pieds; on se lave deux fois la bouche, et on se couche. On ne doit jamais se coucher les pieds mouillés, ni dormir sous la poutre qui traverse le milieu de la maison.

« Il faut éviter de s'endormir le visage tourné à l'ouest ou au nord. Si l'on ne pouvait faire autrement, il y aurait encore moins d'inconvénients à être tourné du côté du nord que du côté de l'ouest.

« En se couchant, on offre ses adorations à la terre, à Vichnou, à *Nandy-Kichara*, l'un des démons préposés à la garde de Siva; et à l'oiseau garoudah, auquel on fait cette prière :

« " Illustre fils de Kachiapa et de Binata! vous êtes le roi des oiseaux, vous avez de belles ailes, un bec bien pointu; vous êtes l'ennemi des serpents : préservez-moi de leur venin. "

« Celui qui récitera cette prière, à son coucher, à son lever, et après ses ablutions, ne sera jamais mordu des serpents.

« Voici une autre prière de la plus grande efficacité, et qu'on devrait se faire une règle de dire toujours avant de se coucher. Elle porte le nom de *kalassa*, et elle est adressée aux démons, gardes de Siva. On doit, en la récitant, porter la main droite sur les différentes parties du corps, à mesure qu'on les nomme :

« " Que Bahirava me préserve la tête de tout accident; Bichana, le front, Bouta-Carma, les oreilles; Préta-Bahana, le visage; Bouta-Carta, les cuisses; les *Datys*, qui sont doués d'une force extraordinaire, les épaules; Kapalamy, qui porte à son cou un chapelet fait de crânes d'hommes, les mains; Chanta, la poitrine; Kétrica, le ventre, les lèvres et les deux côtés; Katrapala, le derrière du corps; Kétraga, le nombril; *Pattou*, les parties sexuelles; Chidda-Pattou, les chevilles, et Chouracara, le reste du corps, depuis la tête jusqu'aux pieds; Bidatta, le haut du corps, et Yama, toute la partie inférieure à partir du nombril! Que le feu, qui reçoit les hommages de tous les dieux, me garantisse de tout mal dans quelque endroit que je puisse me trouver! Que les femmes des démons veillent sur mes enfants, sur mes vaches, sur mes chevaux, sur mes éléphants! Que Vichnou veille sur mon pays! Que le Dieu qui veille sur toutes choses, veille aussi sur moi, surtout lorsque je me trouve dans des lieux qui ne sont sous la garde d'aucune divinité! "

« Celui qui récite cette prière chaque soir, en se couchant, ne sera exposé à aucun événement funeste : il suffit de la porter attachée à son bras, de l'écrire et de la lire, pour devenir riche et vivre heureux. »

« Dormir sur quatre pieds »

L'habitation indienne, généralement de plan rectangulaire, construite soit en « dur », *pakka*, soit en pisé, *kacca*, mélange de paille, de terre ou de bouse, au toit de chaume pour les plus pauvres et en tuiles rondes pour les autres, tire son originalité non pas de sa forme, mais des distinctions de l'espace et de sa distribution dans l'ensemble de l'habitat.

Organisée de manière à filtrer les connaissances et les visiteurs selon plusieurs paliers, on distingue au moins deux parties : le parloir (*véranda*, mot d'origine indienne), pièce fermée où l'on ne reçoit que les non-familiers; la cuisine et, lorsqu'elle existe, la chambre à laquelle seuls ont accès les membres de la famille et les parents. La cour, située soit devant, soit derrière la maison ou bien en son centre, est un des éléments essentiels de ces demeures qui jouent plus souvent le rôle de « maisons ombrelles » durant le jour, les nuits torrides du sud de l'Inde poussant ses habitants à déserter la maison et à s'installer dehors sur le trottoir, au pied d'un arbre et ce, non pas forcément sur le sol, mais sur un lit aisément transportable.

Réduit à sa plus simple expression, le mobilier indien se compose presque exclusivement des lits. Remarquablement uniforme dans toute l'Inde, le lit est composé d'un cadre de bois soutenu par quatre pieds, *carpai*, qui tire son nom du hindi, parfois quatre piquets plantés dans le sol sur lesquels est posé un cadre de coton ou de joncs. Les lits les plus élaborés sont tendus de ficelles ou de bandes de coton passées dans des trous permettant de les retendre. Le matelas, généralement absent dans le Sud, est très mince dans le Nord, enfin il n'y a pas de draps ainsi que nous l'entendons, mais un dessus-de-lit en cotonnade – en hiver une couverture – sur lequel on se couche dans ses vêtements de jour et dont on s'enveloppe de la tête aux pieds en se cachant le visage. Sur les lits, les hindous dorment, mais ne doivent ni y naître, ni y faire l'amour, ni y mourir, le contact avec le sol, la Terre Mère, étant nécessaire à tous ces actes.

La maison des enfants

Chez les Muria, une population tribale de l'ancien Etat de Bastar, dans le sud de l'Inde, une approche particulière de la nuit et l'idée que la sexualité joue un rôle de première importance dans la vie sociale de la tribu ont donné jour à une forme de dortoir particulier destiné aux enfants.

Probablement très ancien, le *ghotul* n'est pas seulement cette grande maison communautaire réservée aux fonctionnaires en tournée dans la province, ni uniquement un bâtiment destiné à conserver les traditions culturelles et protéger les filles de la tribu des séductions étrangères. Pour cette société qui a bâti sa morale sexuelle non plus sur le refoulement et les interdits, mais sur la domestication, voire la sublimation de cet « instinct », le *ghotul*, dortoir mixte pour enfants et jeunes gens, serait apparu, dit un vieux Muria, « parce que nous ne savions que faire de ces produits d'un vagin de mégère. Nous étions fatigués de régler leurs querelles et nous n'avions nul besoin d'entendre leur tapage. Alors nous leur avons dit : " Allez-vous-en jouer et passer votre temps ensemble. Vous pouvez faire ce que vous voulez pourvu que vous fassiez l'ouvrage que nous vous demandons : apporter le bois et l'eau, garder le bétail, soigner les nourrissons. " Au début, on leur a donné une place sous la véranda d'une maison, mais ils étaient trop nombreux et on n'avait pas la paix. C'est pourquoi finalement, afin qu'ils vivent loin de notre repos, ils ont eu leur maison à eux ».

Eviter la scène primitive

Poussant plus avant son enquête, Verrier Elwin, pasteur anglican qui renonça à sa qualité sacerdotale en 1938 pour se tourner vers l'ethnologie des aborigènes en Inde, finit par apprendre des Muria qu'il fréquenta trois années durant que la principale raison de l'institution du *ghotul* était due au fait que c'était pour les parents une faute que de dormir en présence de leurs enfants, passé six ou sept ans.

« La véritable raison d'être du *ghotul* est qu'il est coupable de dormir devant sa fille ou son fils, dit un chef du village de Jhakrii. Les enfants ne doivent jamais voir les parents dormir sur une seule natte, que ce soit le jour ou la nuit. Supposez qu'une petite fille rentre tard à la maison le soir, pour une raison quelconque, et qu'elle trouve ses parents se prenant mutuellement sur la natte, cela les rend furieux et en l'insultant ils lui disent : " N'avez-vous pas votre *ghotul* pour y vivre? Pourquoi voulez-vous venir ici? ". » Dans un autre village, à Malakot, Elwin rapporte les propos d'un homme précisant : « On garde seulement les jeunes enfants à la maison, tant qu'ils sont trop jeunes pour comprendre le plaisir et la douleur. De tout petits enfants peuvent dormir avec leur mère, mais ensuite ils doivent s'en aller quelque part ailleurs. Mais tout seuls, ils ont peur, aussi nous les envoyons dès que possible au *ghotul*. »

Ce désir d'empêcher les enfants d'assister à la « scène primitive » et cette idée que la gêne n'est pas seulement du côté des parents mais peut être préjudiciable aux enfants est confirmée dans ce dernier témoignage : « Le *ghotul* a été fait simplement pour empêcher les enfants d'épier leurs parents quand ils ont des rapports. Dès que garçons et filles comprennent ce que c'est, nous les envoyons au *ghotul*. C'est une grande honte d'épier ses parents à ce moment-là. Qu'est-ce qu'ils sont en train de faire, se dit le petit enfant qui s'étonne et se demande : " Pourquoi mon père renverse-t-il ma mère ainsi? " Nous les amenons au *ghotul* et ils ne posent plus de question. Mais moi, Muria, je demande : que font les enfants hindous et ceux des sahibs qui vivent dans une seule maison et qui n'ont pas de *ghotul*? »

Le ghotul

Le *ghotul* le plus commun dans les villages muria est un ensemble de bâtiments situé soit au centre du village, soit un peu à l'écart. Derrière une clôture de bois ou de pisé, une maison centrale avec une véranda assez profonde et une salle intérieure spacieuse. Sur les côtés, une case pour les réunions ou pour dormir lorsqu'il fait chaud et plusieurs abris. Pour pénétrer dans cette enceinte et dans ces maisons réservées aux jeunes, il y a une large porte et, pour en sortir discrètement, quelques petites portes secrètes que seuls connaissent les initiés et les amoureux. En matière d'ameublement, les sièges et les tabourets sont rares, mais dans de nombreux *ghotul* on trouve les *kutul*, longues et étroites pièces de bois pouvant servir de sièges ou d'oreillers. Certains sont sculptés de dessins géométriques, de figurations de garçons, de filles ou de représentations grossières du vagin et des seins. Dans l'enclos même du *ghotul*, on trouve généralement une provision de chaume pour réparer les fuites éventuelles des toits et, à l'extérieur, de grands tas de bois dont l'empilage en croix tient de l'œuvre d'art.

Les membres de ce « cercle de nuit » qu'est en fait le *ghotul* sont tous des jeunes célibataires des deux sexes, se nommant *chelik* pour les garçons et *matiari* pour les filles. L'autorité est assurée par les plus grands, que l'on nomme *sirda* pour les premiers et *belosa* pour les secondes. Dans le type dit « ancien » du *ghotul*, le *ghotul* d'origine, les jeunes filles et les jeunes gens avaient ensemble des liaisons plus ou moins longues qui ressemblaient parfois à de véritables mariages. Alors que dans la forme actuelle, les liaisons longues sont interdites, plus de trois jours passés avec le même partenaire entraînent des sanctions.

La réforme du *ghotul* tient à la volonté des parents de conserver l'ordre social et traditionnel du groupe. Les statistiques sont à cet égard saisissantes : Verrier Elwin, après l'examen de deux mille mariages, constate que mille huit cent vingt-quatre d'entre eux avaient été célébrés comme le voulait la tradition, suivant les désirs des parents, et cent seize seulement étaient des mariages irréguliers. Sur ces derniers, soixante-dix-sept, concernaient des *chelik* qui, ayant vécu dans un *ghotul* de type ancien, avaient épousé leurs « femmes du *ghotul* ». Le type moderne du *ghotul* n'aurait produit que trente-neuf mariages irréguliers. Cela signifie qu'environ un *chelik* sur dix serait entré en conflit avec ses parents en sortant du *ghotul* de « type ancien », alors que dans le « type moderne » il n'y en aurait qu'un sur trente-deux. Quant aux soixante-dix-sept qui épousèrent leurs « femmes du *ghotul* », neuf divorcèrent ultérieurement, soit une proportion de

11,6 p. 100 ce qui est très élevé dans une communauté restreinte.

Echec au divorce

Dans le *ghotul* moderne, tout est organisé pour éviter que ne se développent des « attachements » et pour éliminer la jalousie. Aucun *chelik* ne peut décider qu'une *matiari* est « sienne » afin de respecter l'idéal communautaire du groupe, c'est pour cela que l'on nomme parfois ce type de *ghotul* : *mundi-badalva*, « parce que vous y changez une fille pour une autre juste comme vous passez une bague d'un doigt à un autre ». Ceux qui couchent plus de trois fois ensemble ont un avertissement de la part du *sirda* et de la *belosa* et s'ils persistent sont punis. Devant toute démonstration de propriété d'un *chelik* vis-à-vis d'une fille en particulier, par exemple « si son visage se défait lorsqu'il la voit faire l'amour avec un autre, s'il paraît ennuyé à la voir se coucher avec un autre *chelik*, s'il est offensé parce qu'elle refuse de le masser et qu'elle va à un autre, ses compagnons lui rappellent avec force qu'elle n'est pas sa femme, qu'il n'a aucun droit sur elle, qu'elle est le *mâl*, la propriété de tout le *ghotul*, et que s'il continue à se montrer ainsi il sera puni ». La sanction pour ce type d'attitude n'est pas uniquement réservée aux garçons. A la question de savoir pourquoi le *ghotul mundi badalva* a remplacé le *ghotul* primitif, les Muria répondirent que « de cette façon ils ne seront pas perdus par l'amour. Car trop d'amour avant le mariage veut dire trop peu après ».

Cela signifie, en termes plus clairs, que, dans les communautés restreintes, les mariages irréguliers que provoquent la passion ou l'attachement des enfants entre eux bouleversent les vieilles alliances entre les familles, viennent contrarier le remboursement des anciennes dettes et créent des tensions qui ne favorisent pas la sécurité du foyer et par extension du village en son entier. Les « amoureux » du *ghotul* sont souvent obligés de s'enfuir afin d'échapper aux contraintes traditionnelles. Dans les villages où se sont répétés ces incidents de désobéissance, les *ghotul* de type ancien ont été modifiés, les règles internes restructurées et « modernisées ».

L'autre explication tient au fait que les Muria pensent que la conception ne se produit que si un même homme et une même femme demeurent longtemps ensemble et ont des relations sexuelles ininterrompues, sans qu'il y ait divergence de l'intérêt. Ce qui signifie que la grossesse, dans l'imaginaire muria, exige une concentration à la fois psychologique et physique dans la fidélité à un seul partenaire. Ainsi les règles modernes interviennent comme une mesure anticonceptionnelle. A vrai dire, les statistiques ne semblent pas donner raison à cette dernière méthode, les « accidents » étant aussi nombreux dans le type ancien du *ghotul* que dans le nouveau.

L'amour pour tous

Il ne faudrait en aucun cas penser, ni fantasmer, que les garçons et les filles se livrent chaque nuit à de nouvelles orgies ou se conduisent, ainsi que certains curés se sont imaginé la chose, comme « un troupeau de chèvres ». A ces propos de missionnaire, les jeunes Muria, plutôt que de rougir et de baisser le front, répondent : « Nous changeons de partenaires parce que nous voulons que tout le monde soit heureux; si un garçon et une fille étaient toujours ensemble comme s'ils étaient mari et femme, il y en aurait alors qui seraient plus heureux que d'autres; les meilleurs garçons et les meilleures filles seraient la propriété d'individus au lieu d'être la propriété du *ghotul*, et le reste serait misérable [...] garçons et filles s'aiment les uns les autres comme des frères aiment leurs sœurs, comme des parents aiment leurs enfants, comme des maris aiment leurs femmes. »

Comme dans toutes les maisons communautaires la vie est dans le *ghotul* strictement réglée, tout se déroule dans le cadre d'une extrême bienséance, ce qui exclut toute espèce de fornication malsaine. Cette « maison des jeunes », ainsi que la dénomme Verrier Elwin, renferme rarement plus d'une vingtaine de membres. Presque tous sont des proches parents ou issus du même clan et se connaissent depuis leur plus tendre enfance. Quant à la règle d'interdiction de passer plus de trois nuits avec le même partenaire, elle obéit à une rotation organisée par les grands et personne n'est à même, en général, de choisir son ou sa partenaire suivant sa volonté. Ce sont le *sirda* et la *belosa* qui, après s'être consultés, décident de la façon dont vont se constituer les couples et veillent à ce qu'un *chelik* ne passe pas trop de nuits avec la même *matiari*. Il ne faudrait pas penser non plus que les obligations étouffent toute spontanéité et tout plaisir pour les enfants de se retrouver ensemble.

Du bruit dans le ventre de l'éléphant

C'est seulement le soir qu'il y a « du bruit dans le ventre de l'éléphant », dit un proverbe muria, ce qui signifie que le *ghotul* est d'abord un établissement de nuit. D'habitude dans la journée, à l'exception des jours de fêtes, le *ghotul* est désert. Quelquefois on peut y voir une *matiari* qui balaie ou nettoie le plancher des bâtiments à la bouse de vache délayée dans l'eau pour le purifier. Ce n'est qu'en fin d'après-midi, après avoir dîné chez leurs parents, qu'arrivent les *chelik* avec leurs nattes de couchage sous le bras et, pour certains, un tambour. Les petits garçons doivent déposer leur tribut quotidien, un ou deux morceaux de bois, sur le tas placé à l'extérieur de l'enceinte. Les aînés se pressent autour du feu et commencent à se raconter les histoires de la journée, à fumer la pipe, à jouer de la flûte ou à se masser les jambes entre eux. Au coin du *ghotul*, dans une maison ou un espace réservé, se réunissent les *matiari*, attendant d'être au complet pour aller rejoindre les garçons près du feu. Là, les jeunes se racontent des histoires, font des quolibets, quelques couples s'égaillent, d'autres discutent, les plus jeunes jouent entre eux, d'autres dansent au son du tambour et de la flûte. Vers 10 heures du soir, l'ordre rituel s'instaure. Les novices saluent les plus anciens et une distribution de tabac et de pipes de feuilles a lieu. Les amendes sont payées en alcool et en tabac volés aux parents et la *belosa*, réunissant les filles, leur désigne le garçon dont elles ont à s'occuper.

Les frissons du peigne

Commence alors la séance de coiffure et de massage. Il arrive qu'un garçon s'endorme dans un coin, fourbu par sa journée de travail, la *matiari* le réveille, le fait asseoir, s'agenouille derrière lui pour le soutenir et commence à peigner ses cheveux. Cette séance de coiffure joue un rôle important dans la séduction. Les peignes, qui sont d'habitude offerts aux filles par les garçons, indiquent, selon leur couleur et l'art avec lequel ils sont fabriqués, l'intérêt que celui-ci porte à celle-ci. En retour, selon que la fille le porte ou pas dans sa coiffure, le garçon sait à quoi s'en tenir. La façon de peigner intervient elle aussi comme un « signe ». Il ne faut pas juger les coups violents que la *matiari* porte sur la tête de son *chelik*. Ce n'est que la technique *pitis pitis kiyâna*, dont l'objectif n'est pas de faire mal, mais de tuer les poux et d'enlever les croûtes. Ce même peigne peut servir à produire quelques frissons sur l'épine dorsale ou sur les bras.

Après ce premier contact commence le massage. Auparavant les épaules et les jambes sont ointes à l'aide des déchets huileux de la graine de *mahua* ou de *karengi*. D'abord énergiques, les gestes deviennent doux et dans certains cas extrêmement intimes. Les garçons, en bons adolescents qu'ils sont, s'observent l'un l'autre et s'encouragent mutuellement avec des phrases du style : « Prends-lui les seins! » « Ses seins sont-ils gros! » Etc. Lorsque le massage est terminé, généralement chacun sait à quoi s'en tenir sur la suite des événements. La *matiari* pose alors ses mains sur la tête du *chelik* et lui dit : *johar*. La plupart du temps, le massage a lieu à l'endroit même où les couples vont dormir. *Sirda* et *belosa* veillent à ce que chacun, les petits comme les grands, dorme bien côte à côte, quelquefois c'est un petit garçon avec une grande fille, d'autres fois un grand garçon avec une petite fille. Ainsi ils se maternent ou se « paternent », pendant que certains rendent torride la douceur de la nuit...

Jeux de séduction

Dans son essence même, la vie du *ghotul* doit être « comme la poésie, sensuelle et passionnée, elle doit se racheter de la dégénérescence par l'enthousiasme et une belle vitalité sexuelle ».

En fait, il semble que la vie au *ghotul* ait, comme l'on dit dans notre langue, une libido assez faible, surtout dans le type dit moderne qui repose avant tout sur la volonté de créer une unité à la place des amours exclusifs. Mais comme les enfants ont le génie et la force de détourner toute institution, quelle qu'elle soit, et que ce sont eux qui sont à l'origine de la construction et de la décoration de leur *ghotul*, cela signifie qu'il est conçu selon leur désir et que leur « désir », en retour, y trouve une source d'inspiration; quant aux règles à l'intérieur du *ghotul*, elles sont comme toute règle édictée par les adultes, inventées comme chacun le sait pour être transgressées.

Le décor même du *ghotul*, avec ses petites cases, quelques arbres, le feu, les flûtes, les tambours des garçons, les clochettes des filles, est en lui-même un stimulant romantique puissant. Le déroulement de la soirée est en fait une préparation aux rapports sexuels, la mise en place, dans le langage « psy », de « stimuli sensoriels afin de produire graduellement l'état physiologique de tumescence, avec son concomitant psychique d'amour et de désir, plus ou moins nécessaire à l'acte de l'appariement » (sic).

Laissons aux psychologues la propriété des définitions et rendons aux jeunes Muria corps et paroles.

Comme nous l'avons vu avec les séances de coiffure et de massage, ils éveillent d'abord le sens du toucher. Le baiser, moyen d'excitation sensoriel peu usité en Inde, la salive étant essentiellement polluante, apparaît parfois dans le *ghotul*, mais comme une mode passagère lancée par un de ses membres. Les garçons embrassent le visage et les seins de leur compagne d'un soir, mais jamais la bouche; quant à la pratique de la fellation, si sa description ne choque personne, il semble qu'elle ne soit pas très développée à l'intérieur du *ghotul*. Les odeurs interviennent souvent comme étant à la base de l'excitation, ainsi une fille dont les cheveux sentent le feu de bois est « excitante »! L'odeur d'étable correspond à une odeur de « santé » et de « propreté »! « Délicieuse, disent les *chelik*, est la fraîcheur de la forêt et de la colline à découvert, mais plus délicieuse encore est l'odeur de la respiration, de l'huile, de la terre mouillée, d'un soupçon d'urine, le tout mêlé à cette odeur amère et douce de la fumée. »

L'attrait des jeunes filles

L'attrait érotique des filles tient à la façon dont elles portent leurs vêtements, à leurs parures ainsi qu'à leurs épaules, car, comme disent les *chelik*, « la beauté d'une fille est dans ses seins, mais ses seins ne demeurent pas, seules ses épaules ne nous trahissent jamais ». Pour les filles, l'homme est séduisant non par la perfection de ses traits ou de son teint, mais grâce à sa vivacité et sa vigueur. « Si beau soit le visage, disent les *matiari*, il faut savoir s'il est bon travailleur. On détourne la vue si c'est un fainéant. »

Dans l'aspect général, ce sont les ornements qui importent : « Que le nez soit ce qu'il est, que les yeux soient ce qu'ils sont, que la bouche soit ce qu'elle est, c'est Dieu qui les a faits et ils seront ce qu'ils sont. Mais c'est nous qui fabriquons les ornements; et grâce à eux un *chelik* peut se faire aussi élégant qu'il le désire. » Un homme aura d'autant plus de femmes s'il fait lui-même ses instruments plutôt que de les acheter au bazar : « Un *chelik* qui peut battre du tambour en bois sait bien comment faire battre le cœur d'une fille amoureuse. »

Comment l'amour s'amorce

Dans la préparation de la tumescence, c'est la danse qui joue un très grand rôle. Un proverbe muria dit : « Si vous commencez par chanter *Rela*, vous finirez par satisfaire un désir. » *Chelik* et *matiari* dansent les uns pour les autres. Dans l'une de ces danses, les filles, courbées en avant, tiennent chacune à la main un bâton qui représente un pénis, avec des mouvements saccadés des fesses qui simulent l'acte sexuel. Les paroles chantées sont, elles aussi, très équivoques :

Petits, petits poils de crevette,
Très longue épine
Où est-il parti
le Radjah de Nandpurihar!

C'est généralement au moment d'un massage qu'un *chelik* et une *matiari* se mettent d'accord. Une jeune fille, pour instruire un jeune garçon, lui laisse caresser ses seins et la serrer dans ses bras. Puis elle ouvre et écarte ses jambes et fait coucher le jeune garçon sur ses seins. Elle lui montre comment dégager ses vêtements et elle introduit elle-même le pénis. La première fois, si le garçon ne sait ce qu'il doit faire, elle ne lui dit rien. Le lendemain matin, elle lui déclare : « Vous m'avez seulement étreinte l'autre nuit, et rien n'a été fait comme il le fallait. Je n'ai pas eu de plaisir. » Le garçon réplique : « Aujourd'hui, je suis vraiment prêt, je sais maintenant ce qu'il faut faire. »

Un devoir pour l'homme, un droit pour la femme

La relation sexuelle « normale » au *ghotul*, racontée ici par un vieux Muria, devrait se passer ainsi : « Ils se couchent ensemble sur la natte, il tient sa main sur ses seins, mais cela ne veut rien dire. Quand tout le monde dort, il fait le signe. Je ne puis dire quel est le signe, mais nous le connaissons tous. Elle dit " Allez-vous-en ", mais il sait qu'elle veut dire oui. Il se soulève et lui écarte les jambes. Elle défait aussitôt ses vêtements. Quand il est sur elle, elle met avec sa main son organe en place. Elle ne dit rien, ni lui. Ils sont complètement silencieux. Il doit peiner; si vous ne suez pas, si votre chaleur vous abandonne, vous n'êtes pas satisfait. Elle dit : " Poussez, poussez. " Elle ne le laissera pas partir avant d'être satisfaite. A la fin, le mot

Hai sort des lèvres. Ils ne sont plus ivres. Quand ça lui sort par les oreilles elle a son humeur apaisée. »

Il est rare que les chefs du *ghotul* interviennent dans les affaires des jeunes enfants, leur rôle étant avant tout de veiller à ce qu'ils reçoivent une éducation et une instruction sexuelle convenables. « Tel le jeune bœuf qu'on dresse à la charrue, ainsi s'instruit un jeune garçon. » Mais on ne juge pas concevable à l'intérieur du *ghotul* que les grands garçons aient des rapports avec une *matiari* tant qu'elle n'a pas eu ses premières règles. « Le bonheur véritable ne vient que lorsque tous les deux sont formés. Les gamins le font, mais sans la chute d'eau il n'y a qu'un petit plaisir; c'est comme manger un fruit vert : il n'y a aucune douceur. C'est comme le riz sans sel. » Plus imagée encore cette réflexion d'un *chelik* : « On ne doit pas piocher dans les champs d'une fille impubère, car votre *pulu* [bâton-pioche] peut s'endommager. »

Chez les Muria, et ceci leur est particulier, c'est la fille elle-même qui défait son vêtement pubien et un proverbe affirme que « quand il voit venir le pénis, le clitoris sourit ». La femme est considérée comme un être insatiable : « La femme est la terre, l'homme ne peut la labourer. » Dans l'Inde aborigène, le rapport sexuel est un devoir pour l'homme et un droit pour la femme, droit qui lui aurait été accordé en compensation des ennuis de la menstruation et des douleurs de l'enfantement.

Vagina dentata contre pénis

Pas plus que pour l'amour les Muria n'ont de vocable pour la luxure et le désir, les allusions à motif sexuel se faisant sans détour. De même, si leur connaissance des organes génitaux semble limitée, en compensation leur mythologie sexuelle est extrêmement vaste et complète. Semblant considérer les organes sexuels, mâles ou femelles, comme des êtres vivants menant pour leur compte une vie indépendante, les *adivasi*, avec un humour foisonnant, et sous des formes diverses, ont un grand nombre de légendes dont les plus célèbres, le *Vagina dentata* et l'*Origine du pénis* ne manquent pas de saveur :

« Il y a longtemps les vagins avaient le pouvoir de quitter les corps pendant que les propriétaires dormaient, pour aller se nourrir dans les champs. Ayant une dentition qui leur permettait de brouter, ils demeuraient toute la nuit à paître pour ne rentrer, rassasiés, qu'au petit matin. A la longue les habitants du village finirent par se demander qui pouvait bien venir la nuit manger leurs récoltes. Ils tendirent des pièges et attendirent. La nuit venue, lorsqu'ils vinrent pour manger, les vagins furent capturés et au petit matin les villageois n'eurent plus qu'à les recueillir dans un immense panier. Ils les enfermèrent dans une chambre secrète et allèrent rapporter l'affaire au Radjah qui condamna les vagins à être pendus.

« L'énoncé de cette sentence déclencha un grand effroi parmi les villageois, qui se demandaient comment ils allaient pouvoir vivre avec leurs femmes si on supprimait leurs organes. Ils décidèrent alors de retourner voir le Radjah pour solliciter son pardon, s'engageant à rembourser les dégâts causés aux propriétaires des champs dévastés. Le Radjah accorda son pardon, mais ajouta qu'avant tout il fallait briser et enlever les dents des vagins, promettant une récompense à quiconque exécuterait ce travail. Personne ne savait comment s'y prendre, lorsqu'à la fin un policier borgne, possédant un couteau né de son pénis, déclara qu'il se chargerait de l'opération. Sans plus attendre il se mit à la besogne, enleva toutes les dents, puis, avec un marteau et des clous, remit chaque vagin à sa place. De là vient l'origine du clitoris. Quant aux vagins, ils maudirent l'homme de les avoir ainsi rivés au corps et le transformèrent en cochon; malédiction dont on peut voir aujourd'hui encore les effets, le sexe du cochon ayant la forme d'un couteau. »

Pour ce qui est de l'origine du pénis, les Muria racontent : « Jadis il était si long que lorsqu'un homme sortait, il devait l'entourer autour de sa taille et le coincer, jusqu'au jour où un homme couché sortit son pénis par la fenêtre et enfonça le mur d'une maison située à cent mètres de là. Il pénétra la femme qui s'y trouvait, sortit par sa bouche, plongea sa tête dans une marmite, avala tout le souper et, en se retirant, tua la femme. Apprenant cela, les femmes se précipitèrent sur ce voisin sans gêne et dangereux pour lui couper la verge. Il n'eut pour toute défense que d'empoigner ce qu'il pouvait de son membre. Les femmes coupèrent le reste, ce qui explique que le pénis, aujourd'hui, n'a plus qu'une main de long. »

Des dortoirs dans le monde entier

Si le *ghotul* tient son originalité de ce qu'il est un dortoir mixte éducatif et réservé aux jeunes du village, s'il existe d'autres grandes maisons à caractère et à finalité semblables en Inde et dans les communautés de culture austro-asiatique, les « dortoirs », exception faite des types « caserne » qui concernent plus spécifiquement l'Occident, existent dans une grande partie des sociétés traditionnelles dans le monde. D'une manière générale, on parle souvent des « maisons des hommes », lieux tabous aux femmes et aux non-initiés, qui constituent dans bien des cas les centres sociaux, politiques et religieux de la vie publique des hommes de la communauté.

Que ce soit le *kwod* ou le *ravi* en Nouvelle-Guinée, où les hommes prennent leurs repas et passent leur temps et où dorment les jeunes gens, ou le *darimu kiwai* dans la région de Fly River, associé à des cérémonies d'initiation et d'instruction des jeunes gens, auxquels on enseigne leurs totems et les mystères de l'agriculture, le propre de ces grandes maisons réservées est d'être chargées d'une puissance magique accompagnant les hommes de la tribu partis au loin en expédition ou au combat.

Ti des îles Marquises, rendues célèbres par Herman Melville dans *Taïpi*, *bai* des îles Pelew, *sopo* chez les Battack de Sumatra, *loho* dans la région centrale des îles Célèbes, *romaluli* dans l'île Florès, *umalulik* à Timor, *palangkan* à Formose, *olag* « maisons des filles », chez les Igorot de Luzon dans l'archipel des Philippines, qui devient *pahajunan* pour les hommes, la liste est longue de ces dortoirs de villages auxquels il faudrait ajouter ceux d'Amérique, d'Afrique et, il n'y a pas très longtemps encore, d'Europe.

IV

L'ART DE LA CHAMBRE

> [...] Le soleil vint à se coucher à l'ouest, l'obscurité emplit la pièce de ses ombres. Il y avait une brise fraîche au-dehors. La neige tomba et ses flocons planaient. Mais la chambre était tranquille et close, et l'on n'y entendait pas le moindre bruit. Elle avait apprêté le lit, équipé d'objets du luxe le plus rare, dont un encensoir de bronze pour parfumer les couvertures. Elle fit tomber les rideaux de lit jusqu'au plancher. Les matelas et couvertures s'y entassaient, parsemés d'oreillers pointus. Elle se dévêtit de sa robe de dessus, ôta son vêtement de dessous, révélant son corps tout blanc, à la fine ossature et à la tendre chair.
>
> SSEU-MA SIANG-JOU (mort en 117 avant J.-C.),
> *D'une femme très belle.*

Pour les taoïstes l'univers est une maison où habitent les hommes. Le ciel en est le toit et la terre le plancher. Sous ce toit, dans les diverses pièces d'habitation, vivent les peuples qui se rassemblent autour d'un centre organisateur : le Peuple chinois. Cet ensemble est appelé *Ta Kia*, la Grande Famille, qui réalise la communauté de vie (ou du moins d'intérêts) de tous les descendants d'un même ancêtre. L'ancêtre, au-dessus du chef de famille, les yeux grands ouverts par la mort qui lui a procuré l'illumination, voit tout ce qui se trame dans les profondeurs de la maison et, des régions lumineuses où il se tient, préside à l'accroissement et à la prospérité des siens. Il ne demande rien d'autre, en échange de sa bénédiction, que l'hommage ponctuel de tous et, de son autel dressé au centre de la maison, réalité spirituelle sensible, il sent monter vers lui les couleurs, les parfums, les saveurs, les sons, les expressions de la tendresse et de la vénération, toutes choses qui entretiennent sa vie céleste.

Le site idéal

Temple autant que domicile, la maison chinoise, tout comme la vietnamienne ou la japonaise, abritait traditionnellement la famille vivante, mais aussi, pour ne pas dire surtout, les tablettes des ancêtres et, dans chaque recoin, quelques représentations des dieux domestiques.

Paysans ou citadins, riches ou pauvres, les Chinois semblent avoir toujours accordé une importance extrême à la demeure. Si c'est autour d'elle et de son image que le monde s'organise, inversement, elle est étroitement tributaire de son environnement. Pour déterminer les sites favorables, on fait appel à un géomancien, *fong-chouei Siencheng*. La géomancie chinoise consiste à déterminer l'organisation secrète d'un lieu, *Ti-li*, et l'influence que les éléments naturels – *fong-chouei*, « le vent et l'eau » – y exercent. Les facteurs bénéfiques ou maléfiques d'un site se calculent en fonction de la configuration du terrain, des images que les paysages évoquent et des correspondances qu'elles suggèrent avec certaines planètes bienfaisantes du ciel, ce ciel qui intervient dans tout ce qui se fait sur terre. C'est par la géomancie, révélateur des forces vitales cachées d'un paysage, que sont prescrits les travaux nécessaires à une protection efficace contre les influences pernicieuses latentes ou accidentelles du site : terrassements, murs, tours, canalisations, etc.

L'art des géomanciens, auquel tout récemment encore on faisait appel pour choisir l'emplacement d'une ville, d'un palais ou d'une simple maison, consiste à délimiter à l'aide du compas géomantique, *Lo-pan*, et des Nombres ou Emblèmes qui servent à « opposer » et à « assimiler », le lieu où le *Yin* et le *Yang* sont en harmonie. Principe féminin, le *Yin* évoque l'idée de temps froid et couvert, de ciel pluvieux; il s'applique à ce qui est intérieur, *nei*, et qualifiera par exemple la retraite sombre et froide où, pendant l'été, on conserve la glace. *Yang* est associé à l'ensoleillement et à la chaleur; il s'applique aux jours printaniers où la chaleur solaire commence à faire sentir sa force et aussi au dixième mois de l'année où débute la retraite hivernale. Forces contraires indispensables pour réaliser l'harmonie du ciel et de la terre, le *Yin* et le *Yang* signalent des aspects antithétiques et concrets du temps et de l'espace. *Yin* se dit des versants ombreux de l'ubac (nord de la montagne, sud de la rivière); *Yang*, des versants ensoleillés de l'adret (nord de la rivière, sud de la montagne). Le site idéal sera celui où les deux souffles opposés qui parcourent la terre – *Ts'ing hong*, le Dragon vert, à l'est (souffle bienfaisant), et *Pai hou*, le Tigre blanc, à l'ouest (souffle malfaisant) – se neutraliseront ou se rapprocheront autant que possible de la gueule et du tronc du Dragon.

L'examen du *Yin* et du *Yang* étant fait, la « bonne exposition » choisie, le dixième mois de l'année arrivé, qualifié de mois *yang* par le *Che King*, classique chinois dans lequel, outre les rituels, on trouve les principes de conduite, on commençait la construction, qui n'allait pas sans la pose d'une première pierre, *T'ai-chau-che kan tang* (« la pierre du T'ai-chan qui ose faire face »), chargée de contrarier les souffles mauvais, et sans certains rites de propitiation et de libations en l'honneur du Génie charpentier, Lou Pan Chefou; la demeure devant être achevée et inaugurée aux premiers jours du printemps.

Un toit

Au pays des contraires, c'est le bois qui a été élu pour la construction des maisons, bien qu'absent des plaines de lœss où est née la civilisation chinoise. Le grand traité d'architecture, le *Ying-tsao fa-she*, du XIIᵉ siècle, est essentiellement un traité des constructions en bois et le cliché classique pour désigner une construction majeure était « grande entreprise de terre et de bois ». Alors que la Chine regorge de pierre à bâtir, que la juxtaposition, dans la Chine du Yang-tseu et la Chine du Sud, des calcaires et de charbon facile à extraire permettait et permet de produire aisément chaux et ciment, qu'ailleurs l'abondance des granits, des ardoises, des grès, des argiles et du charbon pour les cuire donnait toute possibilité pour construire des édifices en « dur », cette civilisation, sauf exceptions locales, telle la brique, a toujours donné la préférence à des matériaux végétaux, introuvables dans les conditions naturelles.

Structurées par leur charpente, les maisons extrême-orientales – car la Chine n'est pas seule à avoir fait ce choix, de la pointe de Ca Mau à Hokkaido, les maisons rurales ont les mêmes caractères essentiels – ne sont qu'un toit reposant sur des colonnes supportant son armature. Les murs extérieurs en matériaux variés : planches, treillis en bambou, torchis sur clayonnage, adobes, pisé, brique cuite, ont seulement pour rôle d'enclore la maison. Dressées devant les murs, les colonnes de soutènement reposent sur des dés de pierre, afin d'éviter la remontée de l'humidité; les charpentes sont toutes bâties sur les mêmes principes : ni diagonales, ni structures en X, et se composent de colonnes verticales, d'entraits horizontaux, de poinçons verticaux et d'arbalétriers obliques donnant la pente du toit. Assemblées par tenons et mortaises, sans clous, ni vis, ni boulons, ni écrous, de telles charpentes avaient l'immense avantage d'être facilement démontables. Ce système permettait soit de vendre sa maison tout en gardant son terrain, soit, lors de risques de troubles et d'invasion, de démonter sa maison en toute hâte et d'immerger les poutres dans une mare afin d'échapper aux pillages (le bois étant rare) et surtout aux incendies.

Des charpentes « irrationnelles »

A côté de l'aspect pratique, l'aspect irrationnel, pour ne pas dire « civilisationnel », de telles charpentes tient à ce que les poutres, au lieu de travailler en extension, reçoivent souvent à la moitié de leur longueur un poinçon exerçant sur elles une poussée verticale et exigent de ce fait un diamètre assez important pour les poutres porteuses. Pierre Gourou propose une hypothèse pour expliquer cette disposition de la charpente chinoise : elle serait la transposition, pour la charpente en bois, des impératifs qui s'imposent à la charpente en bambou, bambous qui se prêtent mal, du fait de la difficulté à les assembler, à des structures en diagonale et en X. Jacques Pezeu-Massabuau confirme cette thèse des choix techniques irrationnels concernant la maison extrême-orientale en ajoutant : « Si la maison n'écoute pas toujours les offres de la nature pour ses matériaux, si elle les met en œuvre au moyen de procédés souvent inefficaces, elle refuse même parfois à ses habitants la protection que ceux-ci pourraient exiger d'elle et on multiplierait rapidement les exemples d'inadaptation aux agressions les plus violentes du milieu. Dépourvue d'éléments obliques, la maison coréenne résiste mal aux masses de neige qui s'accumulent sur sa toiture et il faudrait de même exorciser le mythe de la maison japonaise " légère " et s'écroulant ainsi sans mal sur la tête de ses occupants en cas de séisme. Munie au contraire d'une charpente massive reposant sur une ossature trop mince, non entrecroisée elle-même et simplement posée sur le sol, elle se déforme et s'effondre rapidement quand le feu ne l'a pas détruite auparavant. »

Des maisons protégées

S'élevant naturellement vers le toit, le regard se perd dans les perspectives de la charpente pour en découvrir toute la beauté et s'arrêter, dans les maisons les plus cossues, sur les arbalétriers et les poinçons magnifiquement sculptés et décorés. La maison est invisible du monde extérieur grâce à un mur et de multiples précautions sont prises pour écarter les risques d'influences néfastes. Pour pénétrer dans l'enclos, il faut franchir des portails en chicane, l'un vers l'est, l'autre vers le sud, et contourner le *yin p'ei*, « mur ombrageant », dernier écran qui dérobe les lieux privés au visiteur. Ce système en chicane est un moyen de défense plus magique que réel, les Chinois pensant que les forces négatives ne se propagent qu'en ligne droite; au cas où cela ne suffirait pas, la présence de chiens de pierre terrifiants et de sonnailles lugubres renforce la ceinture de défense et parfois, si l'angle d'une maison voisine « menace » la façade, on installe des miroirs magiques pour l'en écarter.

Autour du puits du ciel

Le plan type d'une maison de village est en forme de compartiment, développant trois pièces en profondeur et donnant généralement derrière sur le potager, la fosse à fumier et la porcherie. Passé la pièce de devant, la pièce centrale, pôle symbolique qui subsiste dans le plan de la grande maison urbaine, est un reste ou une ébauche de l'architecture des temples et des palais; elle comprend la cuisine et une partie ouverte avec une citerne, *t'ien-tsing*, le « puits du ciel ». Au fond du bâtiment, séparée(s) par de minces cloisons et, comme les autres pièces, sans plafond, la ou les chambres.

Le paysan dormait soit dans le coin sud-ouest, où étaient conservées les semences, sur de la paille, avec une motte de terre bien dure comme oreiller, ou sur une couche de jonc non tressé, soit sur des nattes de joncs superposés, dont certaines étaient décorées. Les plus riches possédaient un oreiller de corne.

Les maisons chinoises étaient mal éclairées; les fenêtres, peu nombreuses et de petites dimensions sur la façade sud, n'étaient parfois qu'un trou rond, fait d'un goulot de cruche cassée tendu de toile, ou une ouverture sans vitre ni volet, taillée dans le mur, munie de barreaux de bois que l'on obturait en hiver avec du papier. Mais quand il était urgent de voir ce qui se passait dehors, pour éviter d'ouvrir la porte au vent glacial, on trouait le papier avec un doigt mouillé...

La chambre à coucher, froide en hiver, mal aérée en été, puisque le mur du fond est totalement aveugle, obscure et encombrée de colonnes, au sol en terre battue, n'offre qu'un très médiocre confort. Mais, comme pour la charpente, il ne faut pas s'y tromper : ces caractéristiques sont moins le fruit de la pauvreté que des habitudes de vie, les conditions de couchage – excepté la présence de couvertures de soie à fleurs et de quelques coffres en bois précieux – ne changeant pas avec le niveau de fortune. A vrai dire, l'aspect extérieur des maisons chinoises varie énormément selon les régions. Dans le Nord, les murs, aux fondations de brique cuite recouvertes d'un lit de roseaux destinés à empêcher la remontée de l'humidité, sont de pisé ou d'adobes et, malgré les fondations – les eaux très alcalines

275

favorisent la pénétration du sel –, très souvent ruinés. Inconvénient mineur puisque le toit recouvert de chaume est indépendant des murs.

Le *Che King* nous apprend que le toit était si léger qu'un moineau avec son bec pouvait le trouer et que les plantes grimpantes, notamment les coloquintes, menaçaient de l'écraser.

Dans le Centre et le Sud, les maisons, plus solides que dans les régions septentrionales, ont un toit de tuiles et des murs, toujours indépendants, de brique cuite. Le Ho-nan et le Chen-si, pays de la « terre jaune », comptent le plus grand nombre de troglodytes du monde. Galeries et chambres, creusées facilement à la houe, ont l'avantage de ne pas être humides, d'être peu froides en hiver et plus fraîches en été. Au nord de la chaîne des Ts'in-ling et à proximité du bloc soulevé du Chan-si, lieu de contact tectonique, les tremblements de terre sont extrêmement fréquents et violents. Mais les secousses sismiques qui écrasent parfois les habitants en plein sommeil ne les ont pas découragés et des millions d'habitations troglodytiques existent encore dans cette région.

Le K'ang

Pour ce qui est du confort, les maisons paysannes au nord du Kiang-sou disposent d'un procédé de chauffage assez efficace : le *K'ang*. Comme l'*ondol* coréen qui chauffe intégralement le sol de la pièce principale par des conduits de fumée ménagés sous le plancher depuis le foyer de la cuisine, le *K'ang*, sorte de large banquette construite en briques crues chauffée par l'air chaud de la cuisine attenante, est tout à la fois un lit, un salon et un bureau chauffant. « Le *K'ang* est une mère », disent les paysannes du Nord, contentes de pouvoir échapper aux morsures du froid.

Créé pour économiser le combustible qui, pour une grande partie de la Chine, est à base des seuls chaumes, le *K'ang* présente l'inconvénient d'être hors d'usage au bout de trois ou quatre ans, ses briques sèches se fendillant et laissant passer la fumée. Construction indispensable pour résister aux durs hivers du Nord, son matériau relativement éphémère permet, après avoir réchauffé les habitants et avoir été démoli et réduit en poudre, d'engraisser les champs – les adobes saturés de suie donnant un excellent engrais riche en potasse, en phosphore et en azote. Les campagnes chinoises du Sud n'ignoraient pas l'usage de la chaufferette pour les mains et les pieds – une armature en bambou contenant un pot avec des braises – ni même des sièges chauffants – un cylindre de bois abritant un brasero d'argile. Ces sièges étaient surtout utilisés par les vieilles femmes, chargées par tous les temps de surveiller à l'extérieur les légumes en train de sécher et de les protéger de la voracité des porcs, des chiens et des volailles.

C'est en tout cas sur le *K'ang*, pièce maîtresse de la maison, tantôt atelier domestique, tantôt table, que les paysans passent le plus clair de leurs journées pendant la morte saison. Le soir, la literie, nattes, couvertures et matelas, y est déroulée et la douce chaleur montant de l'estrade berce les songes de la maisonnée.

La famille

Au début du XXe siècle, on distinguait trois types familiaux. La *famille étendue* était surtout représentée dans les milieux ruraux par des propriétaires terriens, des paysans aisés et moyennement aisés, tandis qu'elle se raréfiait chez les paysans pauvres et les ouvriers agricoles. Souvent, par suite d'éclatement, les fils aînés étant partis, laissant un seul frère pour entretenir les parents déjà âgés, la famille étendue ne se retrouvait que sous une forme élémentaire :

la *famille-souche*. Cette famille-souche ne comprenait pas plus de deux ménages, assurant simplement d'une génération à l'autre la permanence de la maisonnée, état intermédiaire dans l'ascension sociale comme dans la chute; c'était, à vrai dire, le type de famille le plus répandu chez les paysans, qu'ils fussent aisés au pauvres. A l'extrême opposé de cette famille idéale, on trouvait la *famille conjugale*, qui ne comptait qu'un couple avec ses enfants non mariés, auxquels pouvaient s'adjoindre parfois les frères et les sœurs non mariés. Cette famille est en fait le type familial le plus courant en Chine.

La vie familiale était dominée par les attitudes conventionnelles des membres de la maisonnée les uns envers les autres. Dans la famille conjugale, les rapports ne mettaient en présence que mari et femme, parents et enfants, aînés et cadets. Dans la famille-souche s'y ajoutait le rapport beaux-parents/bru ou gendre; rapports qui devenaient très complexes dans la famille étendue.

Les rapports entre mari et femme au sein de la famille conjugale étaient avant tout empreints d'une grande discrétion, il aurait été malséant de laisser paraître ses sentiments, à fortiori l'amour conjugal. Ne pouvant guère s'écarter des canons en usage dans la famille étendue, la famille idéale, le mari, s'il voulait être considéré comme un fils dévoué et un bon frère, vertus fondamentales, devait constamment montrer qu'il faisait plus de cas de sa famille d'origine que de sa femme. L'harmonie du ménage reposait entièrement sur la bonne entente avec les beaux-parents de la femme. Si le fils devait affecter l'indifférence à l'égard de son épouse, celle-ci, en retour, ne devait pas montrer son amour en dehors du secret des alcôves.

Elevée comme un objet d'échange matrimonial entre les maisonnées, la petite fille chinoise ne recevait pas la même éducation que ses frères. Confinée dès l'âge de sept ans dans le gynécée, on lui inculquait la douceur et la soumission et, dans les familles aisées, on lui bandait les pieds.

Préparée à l'étape décisive de sa vie : sa sortie de la maison paternelle et son entrée dans la maison du mari, toute son éducation visait à en faire une belle-fille agréable à ses beaux-parents.

Cérémonie de mariage

La surdétermination sociale du couple dans la Chine traditionnelle était, comme pour le choix du site et la construction de la maison, abondamment symbolisée par un cérémonial long et compliqué; le recours aux arrêts du destin et les détails chargés de signification ont du mal à masquer l'arbitraire du mariage.

Les familles qui ne pouvaient se permettre les frais d'un mariage habituel s'efforçaient d'acheter une petite fille qu'ils élevaient et qui, nubile, deviendrait l'épouse de leur fils. Il arrivait aussi que des familles n'aient pas de descendant mâle, on recourait alors à la formule du « mari-gendre », un garçon que l'on trouvait soit à l'intérieur de sa parenté, soit dans une famille extérieure pauvre, que l'on achetait et élevait selon les mêmes règles suivies pour se procurer une bru.

Pour un mariage traditionnel, après que la mère d'un garçon en âge de prendre femme s'était enquise des huit caractères cycliques de la ou des jeunes filles épousables et avait comparé les horoscopes des jeunes gens, la longue négociation entre les familles pouvait s'engager. Les tractations commerciales résolues, le jour venu, la jeune fille, dissimulée dans un palanquin, accompagnée d'un oncle, de ses frères ou de ses proches cousins, et d'un cortège bruyant, se présentait à la porte de la maison du mari. Recouverte d'un voile de satin rouge pour qu'elle ne puisse pas reconnaître son chemin, elle était conduite dans les pièces intérieures où, au passage elle recevait une pomme et enjambait une selle, symboles de paix. Avant de gagner la chambre nuptiale, le couple se présentait devant l'autel des ancêtres, parfois aussi le génie de la cuisine, pour les informer qu'une femme avait été introduite dans la maison dans les règles et qu'elle serait dorénavant l'une des leurs. Tandis que les parents du jeune homme prenaient place sur des chaises devant l'autel, une servante, de la maison leur offrait au nom de la mariée du thé sucré avec des dattes et du potiron, qui devaient les rendre favorables au mariage.

La chambre nuptiale

Enfin dans la chambre nuptiale, la mariée s'asseyait sur un lit de bois, le marié sur le lit de brique et, moment capital pour beaucoup de couples, levant le voile rouge de sa femme ils se voyaient face à face pour la première fois, partageaient une collation amenée par la mariée et une longue cérémonie de présentation-soumission à la parenté réunie se déroulait dans toute la maison. Peut-être profitaient-ils de ce moment pour se raconter une petite histoire concernant leur future cohabitation, comme celle-ci :

« Le cœur est une maison avec deux chambres à coucher. Dans l'une habite la souffrance et dans l'autre la joie. Il ne faut pas rire trop fort, sinon l'on réveille la peine dans la chambre voisine.

– Et la joie ! Est-ce qu'elle se réveille quand la peine est bruyante ?

– Non, la joie est dure d'oreille, elle n'entend pas la souffrance de la chambre voisine... »

De retour dans la chambre, les époux s'asseyaient côte à côte sur le *K'ang* et, après avoir ôté leurs habits de cérémonie, restaient la proie de la curiosité des invités et des voisins, qui venaient, eux aussi, découvrir la jeune fille inconnue. Le jeune couple était la cible d'un défoulement verbal où rien ne leur était épargné et que le garçon et la jeune fille, muets et dignes, devaient supporter. A côté, dans la grande salle, un banquet où hommes et femmes mangeaient séparément se déroulait, commencé parfois deux jours avant la célébration proprement dite. Au crépuscule on allumait les *Long Feng*, bougies de Dragon et de Phénix, symboles de la prospérité et, tard dans la nuit, après que les visiteurs s'étaient retirés de la chambre nuptiale, on apportait aux époux restés seuls des légumes et une bouteille de vin de riz, le vin de « l'entente ». Conclusion nécessaire à la cérémonie publique, les mariés se portaient un toast : ils étaient mari et femme et la nuit de noces pouvait commencer.

Le lit, une pièce à lui tout seul

Le lit était à lui tout seul une petite chambre. Un fragment du rouleau *Kou K'ai-tche* nous donne une idée de ce qu'était un châlit vers l'an 400 de notre ère. Il s'agissait d'une sorte de cage faite de panneaux de bois, dont la partie inférieure était en bois massif et la partie supérieure un treillis. L'ensemble du châlit, une estrade surélevée de bois laqué couverte d'une natte épaisse, était clos d'un grand paravent d'environ un mètre de haut s'ouvrant sur le devant du lit. Un grand et étroit banc de bois faisait toute la longueur du châlit, il servait à s'asseoir pour se déchausser et se dévêtir avant de monter dans le lit. Du ciel de lit pendaient des rideaux qui descendaient sur les quatre côtés et étaient retenus dans le bas par des « quadrupèdes à encens », *hsiang-chow*, brûleurs d'encens de parquet en forme d'animaux fabuleux, mi-lion, mi-dragon, qui, par leur aspect, devaient éloigner les mauvais souffles, parfumer et purifier les robes de ceux qui passaient à côté. Beaucoup plus qu'une simple couche, le lit est en vérité une petite pièce où, entre ses quatre montants en treillis de bois doublé de rideaux, se trouvent un portemanteau pour y suspendre les habits, une étagère avec un miroir et des articles de toilette. Le baldaquin, ainsi que l'écran du fond, était ordinairement brodé d'un motif de branches de prunus en fleur : prunus qui a fini par symboliser les plaisirs sexuels, puis les jeunes femmes. Plus tard, signale Van Gulik, on appellera *mei-tou*, « poison du prunus », les maladies vénériennes.

Le prunus est un symbole de fécondité et de pouvoir créateur à cause de ses branches noueuses qui, au printemps, alors qu'on les croirait sèches, produisent des brindilles fleuries, faisant penser à l'essence vitale opérant son renouveau après l'hiver.

Des ustensiles venaient améliorer le confort des dormeurs; ainsi l'« épouse de bambou », *tchou-fou-jen*, une armature cylindrique de bambou d'environ un mètre de long que l'on plaçait entre ses jambes au cours des chaudes nuits d'été pour atténuer les inconvénients d'une transpiration excessive. Cette « épouse de bambou » fut exportée aux Indes néerlandaises par des émigrants chinois, ainsi que dans le reste de l'Asie du Sud-Est où elle devint *dutchwife*, « épouse hollandaise ». *T'ang-p'o-tze*, « la vieille femme chaude » avait une autre utilité : c'était une bouillotte de cuivre que l'on remplissait d'eau chaude pour réchauffer le lit en hiver. Ses petites sœurs s'appelaient *Kiue-p'o-tze*, « vieilles femmes à pieds », qui servaient spécialement à réchauffer les pieds. Les « oreillers cornus », *Kiue-tchen*, oreillers en forme de demi-lune, dont les bouts pointaient comme une paire de cornes, étaient plutôt décoratifs. La majorité des appuis-tête étaient en bambou verni et précieusement décorés, de forme oblongue et dure, cylindrique ou carrée.

De la natte à la chaise

Sous les Song (960-1279), de grands changements vont se produire dans l'intérieur chinois. Alors que sous les T'ang (618-907), l'habitation bourgeoise consistait en petites salles ouvertes, compartimentées par des cloisons amovibles, la maison song fut divisée par des murs solides en pièces autonomes. La surface des murs ayant ainsi augmenté, le rouleau accroché devint un des éléments importants de la décoration intérieure. Le sol, auparavant en terre battue, fut dallé de pierres et couvert de tapis en hiver. Les gens n'ôtaient plus leurs chaussures pour pénétrer dans la maison et ne s'asseyaient plus par terre; on se servait désormais de tables hautes et de chaises en bois sculpté.

Le passage, attesté à l'époque T'ang, des paravents bas à des paravents plus hauts, du coffre de rangement à l'armoire confirme un changement de mode de vie qui se généralise. Le premier siège surélevé adopté dans les milieux de la Cour, appelé *huchuang*, « siège barbare », un pliant, semble remonter au règne de Ling-di (168-188), monarque dont le goût pour les modes barbares a suscité les critiques des historiens confucéens. Ce pliant, sur lequel on s'asseyait jambes pendantes à l'occidentale, se répandit d'abord chez les militaires et chez les nobles, à la chasse, en voyage, en règle générale à l'extérieur de la maison, là où il n'était pas commode de transporter une couche et dans des situations non officielles; la couche, trône des empereurs, restant le siège d'honneur et de prestige.

Au début du VIIe siècle, le pliant ne sera plus appelé « siège barbare » mais *jiaochuang*, « siège croisé »; nom qui met l'accent non plus sur l'origine quelque peu oubliée, mais sur la forme. En effet, le pliant, utilisé depuis quatre siècles, se généralise autant dans la maison qu'à l'extérieur. C'est à peu près à la même époque que la forme de la chaise à cadre rigide et du tabouret devient spécifiquement chinoise. Nous savons qu'en 823, l'empereur Muzong donne audience sur un trône appelé « grand siège cordé impérial », détail important révélant que désormais le trône impérial n'est plus la couche mais la chaise. Deux tombes décorées de l'époque T'ang, fouillées en 1959 et 1960, montrent, l'une, un personnage assis à l'occidentale, l'autre, des chaises et des tables figurées en haut-relief sur brique; cette dernière, datée entre 831 et 858, est d'autant plus intéressante que les propriétaires n'étaient pas des personnages de rang élevé; ce fait confirme que la chaise, sans doute réservée à la haute société au VIIIᵉ siècle, constitue, au milieu du IXᵉ siècle, un meuble que la classe moyenne considère de bon ton d'emporter dans sa vie d'ancêtre.

Le nouveau mobilier se standardise et se diversifie au Xᵉ siècle, pour aboutir à la floraison de formes des XIᵉ et XIIᵉ siècles, où le répertoire du mobilier chinois ultérieur apparaît déjà au complet. Au début du XIIᵉ siècle, un dossier arrondi est ajouté au pliant. Cette chaise pliante à dossier en sabot de cheval prolongé en accoudoirs constitue peut-être, avec la chaise à dossier incliné, la contribution majeure de la Chine à l'art de la chaise. Toutefois la natte ne sera jamais complètement abandonnée; remplacée par la chaise comme siège d'honneur, elle subsistera avec une note d'archaïsme et de raffinement comme lit de repos, de détente, utilisée par les lettrés soit dans le jardin, soit chez soi pour l'intimité et le loisir.

La joie suprême

L'acte sexuel se réduit en Chine à un seul mot : *K'in*, littéralement « être intime », c'est-à-dire relations internes. L'effet bienfaisant de l'acte, traduit par l'expression *ting-mo*, « calmer les veines », ou *ting-k'ing*, « calmer la passion », était donc reconnu par les anciens Chinois comme un régulateur de la circulation sanguine et une détente pour le système nerveux. Rien d'étonnant à ce qu'en ce temps-là on ait fait grand usage de manuels illustrés, véritables guides sexuels dénués de toute frivolité qui enseignaient au maître de maison l'art de vivre vieux et heureux en maintenant des rapports sexuels harmonieux avec ses femmes, et d'en obtenir une progéniture en bonne santé.

L'Essai poétique sur la joie suprême de l'union sexuelle du Ying et du Yang et du ciel et de la terre, de Po Hsing-kien (mort en 826), poète de l'époque T'ang, fournit une profusion de données sur la signification cosmique de l'acte sexuel, « suprême joie de l'homme à côté des hautes fonctions et honneurs de ce monde [qui] n'apportent que chagrin ». Dans cet essai, l'auteur, résolu à dire les joies du commerce sexuel, n'omet aucun détail et signale à l'avance que « s'il s'y présente quelques passages obscènes, c'est qu'ils étaient nécessaires pour dépeindre dans leur vérité les délices de l'union sexuelle ».

Au soir d'un lumineux jour de printemps sous les chandelles rouges, Po Hsing-kien, ainsi qu'il l'a annoncé dans le chapitre IV, décrit de façon crue et en guise de leçon pour les générations futures la nuit de noces : « [Le marié] sort son Oiseau cramoisi et détache le pantalon rouge de la mariée. Il soulève ses jambes d'une blancheur éclatante et palpe ses fesses pareilles au jade. La femme saisit d'une main la Tige de jade, et elle en est toute réjouie. L'homme suçote la langue de la femme et son esprit se trouble. Ensuite, de sa salive, il lui arrose entièrement la vulve, qu'elle lui donne joyeusement à labourer. La " couverture " a été forcée avant qu'elle ne s'en aperçût : il enfonce son membre d'un coup vigoureusement porté. Bientôt son " enfant ", ouvert, dégoutte d'une abondante semence. Après quoi ils essuient leurs parties avec les Six Ceintures, qui sont placées dans un panier. Désormais c'est un couple marié. Ce que l'on appelle l'union du Yin et du Yang continuera dorénavant sans interruption. »

Le principe mâle vaincu par le principe femelle, la joute sournoise entre les partenaires, qu'enflamment les sentiments de l'honneur familial et ceux, contraires, de l'honneur sexuel, prend fin, la vie du ménage est scellée.

La règle générale voulait que tout contact physique du mari et de la femme se limitât strictement au lit conjugal. Une fois levés de leur couche, ils devaient éviter tout contact direct ou indirect et prendre soin de ne pas se toucher les mains en se donnant quelque chose, ni de se servir de la même tasse ou du même plateau en mangeant et en buvant. Quant à l'intimité du lit conjugal, si l'amour était pratiqué comme un art, l'époux et l'épouse ne devaient pas s'appeler par leurs noms, règle valable non seulement pour le mari et son épouse principale, mais aussi pour toutes ses autres femmes et concubines.

La dame du gynécée

La mère de famille noble traite son mari de « seigneur », mais si elle doit être soumise et habile aux travaux des femmes, elle est avant tout la « dame » du gynécée. Sa puissance dépend du prestige de ses parents et de l'autorité qu'elle sait acquérir sur l'époux et sur les fils quand elle organise savamment leur vie sexuelle. Souvent beaucoup plus jeune que son mari, véritable servante du temps qu'elle était bru et femme, devenue veuve, elle règne sur la maisonnée. Toutefois, une femme n'acquiert et n'augmente son prestige et son pouvoir qu'en passant sa vie recluse dans le gynécée. Loin de la rue et soigneusement gardée par des eunuques, la demeure des femmes est inviolable par les hommes. Le *Li-ki* précise que les hommes n'y doivent point pénétrer, du moins en vêtements d'homme :

car il arrive qu'en se déguisant, des galants y soient reçus.

C'est pourtant en ce lieu si étroitement clos et surveillé que se nouaient ordinairement les intrigues et se préparaient les conjurations. Toujours est-il qu'une épouse, soucieuse de son prestige, faisait attention à ne sortir que voilée et accompagnée d'une duègne, qui veillait à ce qu'elle tienne le côté gauche de la route afin qu'aucun homme (qui marchait à droite) ne risque de la coudoyer; de nuit, elle avait soin de s'éclairer d'une lumière. Bref, l'important était de respecter l'étiquette, en d'autres termes de conserver la face, le reste ne regardant qu'elle et elle seule.

Marcel Granet rapporte l'histoire de la princesse Nan-tseu, que les paysans traitaient de truie parce qu'elle couchait avec son frère, son mari, « pour lui faire plaisir », l'ayant mandé à sa Cour. Cette princesse désira rencontrer Confucius, qui, malgré la réputation de cette femme, n'eut pas lieu d'être mécontent : « Nan-tseu l'accueillit, selon la coutume, « cachée derrière des tentures » et, à sa prosternation, répondit selon les rites, en saluant par deux fois, ainsi qu'il put en juger en entendant le son de jade de ses bracelets et de ses pendeloques. Confucius n'eut jamais à rougir de cette rencontre, la princesse ayant fait montre de « vertu, de modestie rituelle et de belle tenue ».

Le genre d'émotion que suscite la beauté comme la sexualité est marqué par l'amour que cette civilisation porte au végétal, les hommes déployant pour la femme les attentions d'un jardinier. On trouve dans le *Che-king* l'un des portraits les plus prestigieux d'une dame de la haute noblesse : « Quand Tchouang-kiang paraît avec ses doigts délicats comme des jeunes pousses, sa peau blanche comme du fard, son cou fin comme un ver, ses dents semblables aux graines de courge, son front large comme celui des cigales, ses sourcils pareils aux antennes des vers à soie, le poète crie aux gens de se retirer bien vite et de ne point lasser par leur présence l'heureux seigneur de cette belle femme à la taille imposante. »

L'Affaire de la chambre

« L'Art de la chambre à coucher », ou « l'Affaire de la chambre », qui « constitue la somme des émotions humaines, renferme la Voie suprême (*Tao*). Aussi les Saints Rois de l'Antiquité ont-ils réglé les plaisirs extérieurs de l'homme afin de refréner ses passions intérieures, et ont fait des règlements détaillés du commerce charnel. Un vieux document dit : " Les anciens ont créé le plaisir sexuel afin de régler par là toutes les affaires humaines. " Celui qui règle son plaisir sexuel, celui-là se sentira en paix et atteindra un grand âge. Si au contraire il s'abandonne à son plaisir au mépris des règles énoncées dans les traités susmentionnés, il tombera malade et lésera sa vie même ».

Cette note de l'éditeur de l'*Histoire dynastique des Han antérieurs*, au bas de la liste bibliographique de la section *Fang-tchong*, littéralement « à l'intérieur de la chambre à coucher », traduit le souci des Chinois, et plus particulièrement du chef de famille, de gouverner ses rapports avec les femmes de sa maison à l'aide des enseignements consignés dans les « manuels du sexe ». Ces livres existent depuis plus de deux mille ans en Chine et, d'après Robert Van Gulik, furent très étudiés jusque vers le XIIIᵉ siècle de notre ère, « période où la séparation des sexes n'avait rien de rigoureux et où on parlait et écrivait librement des rapports sexuels », affirme l'auteur de *La Vie sexuelle dans la Chine ancienne*. Par la suite, le puritanisme confucéen restreignit graduellement la circulation de cette sorte de littérature et, après l'avènement de la dynastie Ts'ing (1644), renforcé de divers facteurs politiques et affectifs, il aboutit à la « cachotterie sexuelle », qui ne cessera plus d'obséder les Chinois.

Les taoïstes reconnaissaient que la femme était plus vigoureuse sexuellement que l'homme, « comme l'eau sait être plus forte que le feu », et s'appliquaient à des techniques de rétention afin d'harmoniser *Yin* et *Yang* et de connaître les « cinq plaisirs célestes ». L'homme qui dispersait ses potentialités risquait de mourir avant son temps. Les esprits mis en accord, le « Pilier du Dragon céleste » et la « Fleur de pivoine éclose » parfaitement émus, selon un rythme croissant 3-5-7-9 des mouvements pénétrants, le mari tient bien son désir en bride tandis que la femme change de contenance...

« Alors ils enfilent leurs pantalons, ouvrent les coffres à fleurs et passent des robes nouvelles. Elle saisit son précieux miroir et se refait un maquillage, chausse ses souliers rouges et descend du lit incrusté d'argent. Avec un tendre sourire, d'une main mal raffermie, elle caresse son mari. La joie de ces moments-là, ils ne l'oublieront jamais, jusqu'à la fin de leurs jours. »

Les « trente positions »

D'une investigation attentive du maître Tong-hsuan, il ressort qu'il n'existe que trente positions principales pour consommer l'union sexuelle, dont quatre fondamentales : l'Union droite, l'Inaltérable Attachement, les Ouïes découvertes et la Corne de licorne; nous laissons au lecteur le soin d'en découvrir les profondes significations. Pour les autres positions, variantes multiples de nos unions de bipèdes, le mystère et la poésie planent derrière les images évoquées : le Dévidage de la soie, le Dragon qui s'enroule, le Poisson quatre yeux, le Couple d'hirondelle, l'Union du martin-pêcheur, les Canards mandarins, les Papillons voltigeants, les Canards volants renversés, le Pin aux branches basses, les Bambous près de l'autel où « le pic vigoureux pèse si fort sur la Ravine de cinabre qu'à la fin il fait son entrée sur la Terrasse Yang »; la Danse des deux phénix femelles, le Vol des mouettes, la Gambade des chevaux sauvages, le Cheval qui piaffe, le Tigre blanc qui bondit, la Cigale brune collée à un arbre, le Mégapode ou Oiseau de la jungle, Singes dans la troisième lune de printemps, Chiens courants au neuvième jour de l'automne, et Chat et Souris dans le même trou...

Les pieds bandés...

On ne saurait faire allusion à l'érotisme chinois sans parler de l'omniprésence de ces points blancs qui, à côté de la nudité des acteurs et de la crudité des détails, ressortent sur les peintures érotiques : les pieds bandés des femmes en forme de sabots d'animaux. Tout a été dit et écrit sur la souffrance des Chinoises, le fétichisme du pied et des chaussures et sur les façons de « prendre son pied »... Une petite mise au point concernant cet art domestique, pour ne pas dire cette mode, me paraît donc utile. La question est de savoir pourquoi ces souffrances cruelles ont été, à certaines époques de la Chine ancienne, infligées aux petites filles.

Le bandage des pieds consiste à recourber le gros orteil et à replier les quatre autres doigts contre la plante du pied. On augmente graduellement la pression du bandage jusqu'à obtenir un angle aigu du tarse et du métatarse. Le résultat est que le pied, dans le prolongement de la cheville, est réduit à une sorte de moignon que l'on enferme dans une chaussure exiguë. Quant à la cheville hypertrophiée, on la dissimule sous des jambières dont le style variera considérablement selon les siècles et les modes. Jambières et souliers sont les seuls vêtements que garde une femme nue, énigme pour les auteurs occidentaux qui se sont évertués à établir un rapport entre les pieds bandés et les parties intimes de la femme, affirmant que la démarche imposée par cette infirmité, outre sa connotation érotique, « l'animal blessé ne peut s'enfuir », provoquait un développement particulier du mont de Vénus et une grande vivacité des réflexes vaginaux; vision purement fantasmatique, qui n'a, bien entendu, rien de scientifique. D'autres ont pensé que les confucianistes favorisèrent cet usage, du fait qu'il restreignait les mouvements des femmes, les empêchait de s'écarter de la maison et renforçait la modestie féminine.

Dans la tradition chinoise, la coutume de bander les pieds remonterait à l'empereur Li Yu (937-978), deuxième souverain de la dynastie T'ang du Sud, qui fut, semble-t-il, un piètre politique mais l'un des plus grands poètes de l'amour. Les documents song, dynastie qui renversa et emprisonna l'empereur Li Yu, et yuan font état du bandage des pieds comme d'une coutume très répandue et bien établie. Par contre, on n'en trouve pas de trace à l'époque T'ang qui précéda le règne de Li Yu, ni dans les images antérieures. Pour expliquer l'origine de cet usage, les Chinois citaient l'histoire de Li Yu et de l'une de ses épouses favorites, Yao-niang. Li Yu avait construit pour elle une grande fleur de lotus, haute de plus de deux mètres. Afin que l'extrémité des pieds de cette femme ressemble aux cornes d'un croissant de lune, il les lui fit comprimer dans des bandes d'étoffe et la fit monter sur la fleur de lotus pour qu'elle exécute ses danses favorites. Ces « pointes », révolution dans l'art de la danse, furent si universellement admirées que toutes les dames imitèrent Yao-niang.

Il est permis de douter que la mode provienne de Yao-niang, toutefois les témoignages littéraires et archéologiques situent la naissance de la coutume de bander les pieds aux femmes de haute naissance dans cet intervalle d'une cinquantaine d'années qui sépare la dynastie T'ang de la dynastie Song; coutume qui ne tombera en désuétude qu'avec l'instauration de la République populaire de Chine en 1949... Il reste difficile néanmoins de déterminer pour quelle raison les pieds féminins ont joué un rôle si particulier dans la vie sexuelle des Chinois et pourquoi depuis plus de mille ans « les pieds pointus d'une petitesse excessive » ont figuré comme un article indispensable dans la liste des attributs d'une belle femme, jusqu'à devenir le symbole même de la féminité et le centre le plus puissant de son sex-appeal, plus puissant que le sexe lui-même, pourtant décrit et dessiné dans tous ses détails.

Tout ce que les artistes ont jamais dévoilé de cet attribut féminin se réduit à la représentation d'une femme qui commence à enrouler ou dérouler les bandelettes de son pied. De là, le tabou s'étendit aux pieds normaux des femmes qui, dans les représentations de l'acte sexuel, conservent toujours chaussettes et chaussures. Principal attrait sexuel depuis l'époque Ming (1368-1644), les préliminaires traditionnels se font par des attouchements de l'homme sur les pieds de la femme.

Quant aux préjudices que l'usage des pieds bandés pouvait causer à la santé des Chinoises, malgré des souffrances prolongées (plus vives sans doute, mais tout aussi absurdes que l'habitude qu'avaient les femmes en Occident de se ligoter cruellement la taille), il faut croire qu'ils paraissaient secondaires, si l'on se fie à l'indignation que souleva en 1664 l'interdiction pour les femmes mandchoues de se bander les pieds à l'instar des Chinoises; le maintien de la tradition, l'exigence de la mode et de la séduction, au prix de souffrances physiques, passant avant toute chose!

Dans la tradition aristocratique, la grossesse, loin de rapprocher les époux, les éloigne. Dès que l'embryon est parfaitement formé, *tch'eng*, trois mois avant l'accouchement, le mari et la femme se séparent jusqu'au troisième mois après la naissance, moment où l'enfant peut être présenté à son père; le fait de la paternité n'étant, en lui-même, générateur d'aucun lien. Ne pouvant assister à la délivrance, le père prend quand même part aux peines de la mère en s'en faisant apporter des nouvelles, en s'astreignant les derniers jours à jeûner et en se faisant représenter au moment de l'accouchement à la porte de sa femme par le maître de musique et le chef de cuisine, chargés de surveiller la mère, soumise à un certain nombre d'interdits concernant la nourriture et les airs qu'elle se fait jouer. Ce sont eux également qui observent les premiers gestes des nouveau-nés, plus particulièrement le chef de musique qui, à l'aide d'une sorte de diapason, détermine le ton sur lequel l'enfant pousse ses premiers cris. Toute la famille est aux aguets, la voix de l'enfant jouant un grand rôle pour son avenir. On raconte qu'en 604 avant J.-C., Tseu-wen de Tcheng ayant eu un fils dont la voix ressemblait à celle d'un loup, son frère aîné demanda que l'on mette à mort cet enfant. La voix pouvait aussi sauver un nouveau-né marqué d'un signe funeste et abandonné : en criant de bonne façon, il forçait la sympathie des gens qui l'entendaient au loin et la mère retournait le chercher et lui donnait un nom. Tel fut, dit-on, le sort de Heou-tsi, ancêtre des rois Tchéou.

Même dans le cas d'une naissance normale, l'enfant devait passer ses trois premiers jours sans nourriture et à même le sol; pour cet « esprit vital et ce souffle sans force », c'était seulement au contact de la Terre Mère que la vie pouvait se confirmer en lui.

D'après la théorie chinoise, les enfants qui viennent au monde n'ont encore qu'une âme inférieure, l'âme *p'o*, l'âme du sang : aussi bien est-il alors « nu, sans poils et rouge » (le rouge caractérise à la fois les nouveau-nés et les êtres sans poils). Le *Che-king* précise la façon dont les enfants sont liés à leur père et à leur mère; ils tiennent à celle-ci par le ventre et à celui-là par les poils; physiologiquement, les poils participent à la nature du souffle *k'i*, âme inférieure qui se manifeste par la criée du nouveau-né, prouvant sa vitalité.

Puis, première habilitation successorale, pour les garçons uniquement, on l'exposait sur le lit paternel et on tirait, emblème de virilité, des flèches dans toutes les directions pour disperser au loin les souillures de la naissance. L'enfant n'est en état de passer à une âme supérieure, *houen*, que lorsqu'il est capable de rire. Présenté au père qui le salue par un sourire, c'est lui qui lui apprend à rire et lui donne son nom personnel, *ming*, dont les rites montrent qu'il est identique à l'âme supérieure, à la destinée et à la vie même. Mais jamais aucune intimité ne s'établit entre le fils et son père; « lié à la façon dont un ami l'est à un ami », il restera jusqu'à sept ans dans le gynécée, en dehors de l'influence paternelle. Seul le fils aîné lui sera présenté dans les dix jours afin de renouveler le geste de la paumée, le père le touchant de la main droite et créant avec lui une parenté artificielle.

Trois mètres carrés

Qu'en est-il de la chambre à coucher dans la Chine du XXᵉ siècle, transformée dans ses structures par la Révolution et la création de la République populaire en 1949?

Nous basant sur des témoignages récents de voyageurs et de résidents en Chine, il semble que, pour obtenir un appartement en ville, il faille obligatoirement passer par le service gouvernemental du logement, 10 p. 100 seulement des habitations ayant encore un propriétaire privé. Or, pour demander un appartement, il faut fournir la surface de celui dans lequel on est installé et penser que si l'on est déjà doté de plus de 3 m^2 par personne, espace dont dispose un citadin chinois pour se loger, la demande légale devient inutile, puisqu'elle est supérieure aux normes, et ne sera pas prise en compte. On a alors recours à une petite affichette apposée sur un lampadaire, du style : « Cherche à échanger appartement deux pièces, 11,8 m^2, 125, rue Andingmen, contre logement proche de Qianmen, sur trajet trolleybus n° 7. »

La traductrice de Fox Butterfield, qui fut correspondante du *New York Times* à Pékin dans les années 1980, lui expliqua que, mariée depuis trois ans, elle continuait à vivre chez les parents et le frère de son mari dans une vieille maison sur cour de plain-pied, avec trois petites pièces dont une qu'elle avait construite avec son époux, « juste assez grande pour contenir le lit et un grand meuble à tiroirs », la cuisine et les w.-c. étant partagés avec des voisins. D'après l'agence de presse Chine nouvelle, 35 p. 100 des familles urbaines ont un « problème de logement », 5 ou 6 p. 100 n'ont pas de « logement décent ». Butterfield donne le cas d'un instituteur de quarante-cinq ans qui, ayant eu son appartement confisqué pendant la Révolution culturelle, dormait dans sa classe sur un bureau.

Certes, le gouvernement fait remarquer très justement que les communistes ont réussi à maintenir le prix des loyers à un niveau très bas, rendant les logements accessibles à tous, mais il oublie d'ajouter que la politique de construction n'est pas en rapport avec l'expansion démographique, pour une raison économico-dialectique évidente : les loyers sont si bas que cela ne rapporte rien au constructeur qu'est l'État et que cet « article de basse consommation » doit laisser la priorité aux constructions des bâtiments administratifs et à l'industrie lourde. Depuis 1979, les successeurs de Mao se sont efforcés de corriger cette erreur fondamentale et ont mis en train presque cent millions de mètres carrés de logements, soit un sixième de tout ce qui avait été construit depuis 1949.

Contre le luxe bourgeois

Obtient-on un appartement sur le papier que l'emménagement n'est pas forcément immédiat. Par exemple, un immeuble dit de luxe, construit pour les cadres et les savants travaillant à l'Académie des sciences ainsi que pour les Chinois d'outre-mer revenus volontairement en Chine, eut un an de retard dans sa livraison; les ouvriers du bâtiment s'étaient mis en grève, trouvant que l'intérieur des appartements était trop bourgeois avec leurs sols en granité, le papier peint sur les murs et la séparation en verre cathédrale entre la salle de séjour et le coin salle à manger. Quant aux meubles, pour se procurer les trois articles essentiels : un lit, une commode et une table souvent pliante, il faut un coupon spécial du gouvernement, qui n'est généralement accordé qu'aux jeunes mariés. Ce coupon de rationnement, conséquence d'une extrême pénurie du bois, doit être présenté avec le certificat de mariage au dos duquel est noté le nom du marchand de meubles, ce qui n'empêche pas, selon *Le Quotidien du peuple*, un délai d'attente de six mois.

En 1957, pour six cents millions d'habitants, le plan prévoyait quatre millions de mètres cubes de bois de menuiserie, permettant de réaliser quarante millions de meubles. En 1979, pour presque un milliard d'habitants, le plan ne prévoyait plus que deux millions de mètres cubes de bois de menuiserie, avec lesquels n'ont été produits que vingt millions de meubles, soit une diminution de production de 50 p. 100 en deux décennies. Ceux qui, n'étant pas jeunes mariés, à force de relations, de chance et de subtilité obtenaient l'adresse, et l'autorisation de faire la queue à un des magasins d'Etat devaient s'armer de patience et être sur place dès 6 heures du matin le jour d'une livraison, au risque de trouver porte close devant une boutique vide. Cette difficulté donne peut-être l'explication des bruits de marteau fréquents et assourdissants venant des appartements voisins; le bricolage d'un lit avec des planches et des ressorts récupérés à droite et à gauche étant monnaie courante quand on veut abandonner la natte pour un mobilier plus bourgeois.

Les économies d'énergie, dues à la rareté du mazout en Chine et l'absence, pour des raisons de sécurité évidentes, des *K'ang* traditionnels dans les immeubles, n'ajoutent rien au confort déjà très restreint. La consommation de l'eau chaude est planifiée pour chacun des habitants en fonction de leur sexe et le chauffage, quel que soit le temps, n'est autorisé qu'à partir du 15 novembre, alors qu'à cette époque, la température à Pékin descend fréquemment au-dessous de zéro.

Ce n'est certes pas à nous, Occidentaux nantis, de juger de la qualité de la vie d'une population de 1,2 milliard ni du système *bao-xiao* (littéralement : « mettre cela au compte des dépenses du bureau »), que l'on pourrait traduire par système D (débrouille). Ayant opté pour une histoire de l'humanité au repos, le *xiu-xi* nous apparaît comme l'un des rites les plus importants et les plus satisfaisants de la vie des Chinois depuis 1949, inscrit à l'article 49 de la Constitution sous la formule : « Ceux qui travaillent ont droit au *xiu-xi* ». La sieste, instituée pour les citadins, qui y consacrent deux heures en hiver et trois heures pendant les journées chaudes d'été, soulève toujours l'enthousiasme des travailleurs, qui la présentent comme une des grandes réalisations socialistes dans la société industrielle. Si les ouvriers dorment sur le tas à l'ombre d'un arbre ou à la chaleur d'une machine-outil, beaucoup

297

d'employés de bureau, lorsqu'ils n'ont pas équipé, comme au *Quotidien du peuple*, leur bureau avec un lit apporté de chez eux, dorment sur les *shafa* (de l'arabe *soffah*, l'un des rares mots que les Chinois aient empruntés à une langue étrangère).

La sexualité, nerf de la guerre

Nous n'avons guère de témoignages pour savoir si dans le privé, aux heures les plus chaudes de l'été, le *xiu-xi* se déroule de manière lascive ou non... On sait que pendant la décennie qu'a duré la Révolution culturelle, l'amour a été attaqué comme n'étant qu'« une conception sensuelle, inutile, décadente et bourgeoise » et banni de toute discussion publique; attitude qui est peut-être en train de changer, si l'on en croit les témoignages des journalistes sur des « petits livres jaunes » pornographiques qui circuleraient aujourd'hui sous le manteau, et la réédition semi-tolérée de l'œuvre érotique du *Jin Ping Mei Cihua*.

L'« art de la chambre à coucher » fut fortement ébranlé lors de la lutte armée qui dura près d'un quart de siècle entre Chinois du Kouo-min-tang et communistes.

Dès leurs premières tentatives pour mobiliser les paysans, les « collectivistes » furent accusés de vouloir introduire non seulement la collectivisation des terres, mais aussi celle des femmes, et lorsque Mao Tsé-Toung créa le soviet du Kiang-si, une revue de Nankin affirma qu'elle détenait des preuves absolues de la collectivisation des femmes par les « bandits rouges ». La propagande du Kouo-min-tang, le parti de Tchang Kaï-chek, s'efforça de faire croire aux Chinois que les communistes avaient instauré la liberté sexuelle puisqu'ils avaient banni les mots mêmes de mari et de femme pour adopter le terme unique d'« amant », *aijen*, pour désigner le couple. On fit aussi circuler des rumeurs selon lesquelles Mao, dans chaque village où il passait, exigeait une jeune vierge, propagande parfaitement organisée, que les avions de l'armée blanche développaient en lançant sur les villages des milliers de tracts mettant la population en garde contre le chaos sexuel qu'engendraient l'idéologie et les troupes communistes. La population crédule préférait souvent quitter les villages à l'approche des troupes « rouges », ce qui explique en partie les difficultés fréquentes de l'Armée rouge, marchant pendant de longs jours sans rencontrer personne. Enfin, parallèlement à la grande offensive de la cinquième campagne d'encerclement, qui devait venir à bout du soviet du Kiang-si (et qui provoqua la Longue Marche, en définitive victorieuse, des communistes), Tchang Kaï-chek lança en 1934 le « Mouvement de la vie nouvelle », exaltant les valeurs traditionnelles du confucianisme, mouvement qui constituait l'un des facteurs essentiels du succès de cette dernière campagne.

Mao et les femmes

Marié quatre fois, dont un premier mariage blanc arrangé par son père lorsqu'il avait treize ans avec une femme de six ans son aînée, Mao épouse en secondes noces Yang Kaihui, la fille de son professeur favori, mariage accéléré résultant d'une attirance intellectuelle, qui fut très vite suivi d'une grossesse. L'interprétation officielle est que Yang fut l'épouse préférée du président, mais qu'elle fut capturée et décapitée par le Kouo-min-tang. En réalité, à l'époque, Mao vivait avec He Zizhen, qui l'accompagna pendant la Longue Marche et qui, grièvement blessée, dut être transportée en civière. L'attention du Grand Timonier se porta alors vers une jeune et jolie comédienne de Chang-hai qui s'était aventurée jusqu'à Yanan, il expédia He Zizhen se faire soigner en URSS. A son retour en Chine, en 1939, elle vécut dans un hôpital psychiatrique jusqu'à sa mort récente et Mao épousa la comédienne, qui prit le nom de Tiang Qing, aujourd'hui « veuve Mao », dont on a pu apprécier le talent extraordinaire lors des procès de la « Bande des quatre ».

L'histoire amoureuse de Mao ne fait pas la Chine, même si elle y contribua, mais, tout comme les besoins qu'avait Napoléon de divorcer ont marqué le Code civil français, elle explique certains traits de la législation concernant le mariage dans la Chine d'aujourd'hui. Enfant du 4 mai 1919, comme l'on dit « enfant de 68 », que l'on a appelé la Révolution des lumières en Chine, Mao Tsé-toung se nourrit des lectures du *Xin Qingniam*, « la Nouvelle Jeunesse », revue iconoclaste marxo-occidentalisante, dirigée par Chen Duxiu, qui sera le grand maître du PCC et de Mao avant d'en devenir l'ennemi juré. L'un des grands thèmes du *Xin Qingniam* était le « problème des femmes », qui, sous ce vocable faussement anodin, englobait un certain nombre de sujets touchant aux fondements mêmes de la société chinoise confucéenne et patriarcale. Mao exprimait publiquement son refus de la sexualité (refus dû à sa haine farouche des « mariages arrangés ». Selon lui, l'union charnelle, au lieu d'être la recherche de l'harmonie du *Yin* et du *Yang*, était devenue une monstruosité qui « avilissait la femme et, par là même, aliénait l'homme »), devint un défenseur lyrique des droits des femmes. Dans la *Revue de la rivière Xiang*, qu'il créa dans le Hunan (article intitulé « La grande union des masses populaires » du début août 1919), appréhendant le problème des femmes dans la double optique de la guerre des sexes et du conflit qui oppose l'individu à la société, il lança un appel pour une grande union des femmes contre l'hégémonie masculine, accusant tous les hommes sans distinction, lui-même se plaçant dans le camp féminin : « Les hommes éhontés, les hommes méchants nous transforment en jouets en nous obligeant à nous prostituer indéfiniment à leur profit. Les hommes, ces diables qui détruisent la liberté de l'amour

[...]. Des temples dédiés aux femmes vertueuses sont disséminés partout, mais où sont les pagodes érigées en l'honneur des hommes chastes ? [...] A longueur de journée, les hommes parlent des " mères méritantes et des épouses fidèles ". Que cela signifie-t-il si ce n'est qu'on nous enseigne à nous prostituer indéfiniment à un même homme ? »

Quelques mois plus tard, à l'occasion d'un fait divers tragique et relativement fréquent dans la Chine traditionnelle – le suicide de Mlle Zhao, le 14 novembre 1919, contrainte d'épouser un homme qu'elle n'aimait pas –, Mao réaffirma sans ambiguïté la liberté d'aimer dans le cadre de l'égalité des sexes et ne publia pas moins de neuf articles sur cette question entre le 16 et le 30 novembre 1919 dans *Da Gong Bao*, un journal de Chang-hai. Dans ces articles passionnés et provocants, il condamnait le suicide, la doctrine du mariage prédestiné, la superstition dans son ensemble, les « coutumes féodales mangeuses d'hommes » et la « société aux dix mille mots ».

Il lui fallut attendre 1927, son retour au Hunan, pour découvrir d'une part le rôle révolutionnaire de la paysannerie chinoise, et d'autre part que le sexe était une force cosmique chargée de potentialité révolutionnaire que l'on pouvait capter pour servir la cause de la révolution sociale. Notons, dans son *Rapport sur le Hunan* : « [...] Au point de vue sexuel, les paysannes pauvres disposent de pas mal de liberté. Dans les villages, les relations triangulaires et multilatérales sont presque universelles parmi la paysannerie pauvre. » Il laisse entendre que cette liberté sexuelle des paysannes, s'ajoutant aux luttes politiques et économiques, pourrait tout à fait ébranler l'ensemble de l'idéologie et des institutions féodales et patriarcales et il appelle les paysans à renverser les temples dédiés aux femmes qui n'ont pas voulu survivre à leur mari ainsi que les arcs érigés en l'honneur des épouses chastes et des veuves fidèles.

Une femme pour chacun

Ce n'est qu'au début des années trente, dans le soviet établi au Kiang-si, que Mao dépassionna sa vision de la sexualité et du rôle des femmes pour la théoriser : replaçant la question sexuelle dans le contexte de la lutte des classes, il passa de la lutte pour l'égalité des sexes à la lutte pour l'égalité devant la sexualité. Il résuma, d'après ses fameuses *Enquêtes à la campagne*, en quelques chiffres secs mais significatifs la situation sexuelle dans le Kiang-si : 100 p. 100 des propriétaires fonciers et des paysans riches ont une femme et certains ont même des concubines, 90 p. 100 des paysans moyens ont une femme ainsi que 70 p. 100 des artisans et des paysans pauvres. Mais seulement 10 p. 100 du lumpenprolétariat et 1 p. 100 des ouvriers agricoles réussissent à avoir une femme.

Le décret publié à l'instigation de Mao par le gouvernement soviétique du Kiang-si en août 1930 pourrait faire sourire par sa naïveté et son ton, s'il ne s'agissait pas effectivement d'un des problèmes les plus cruciaux de millions d'individus privés de sexualité : « Que les hommes sans femme prennent la liberté de trouver une femme le plus rapidement possible, et que les femmes sans mari prennent la liberté de trouver un mari le plus rapidement possible. » L'expérience agraire menée dans le laboratoire expérimental qu'était le soviet du Kiang-si et la recherche de l'institution de nouveaux rapports entre homme et femme étaient les piliers sur lesquels les communistes chinois comptaient bâtir leur nouvelle société.

Mao était si fier de « sa » réforme que dans le rapport qu'il présenta au IIe congrès national des Soviets en 1939, il déclara que le système du mariage adopté par la République soviétique chinoise était « conforme à la nature humaine » et constituait « l'une des grandes victoires de l'histoire de l'humanité ».

Si la campagne *You laogong, you laopo* (« se procurer librement un mari, se procurer librement une femme ») était animée par des paysans qui venaient de découvrir, de façon souvent confuse, un droit qu'ils n'avaient jamais connu, Mao, tout en prônant une plus grande liberté sexuelle pour les masses, n'hésitait pas à prêcher ouvertement l'abstinence des « affaires de chambre » lorsque le besoin sexuel se trouvait en conflit avec la cause de la révolution. Dans son discours du IIᵉ congrès national des Soviets, le 27 janvier 1934, Mao déclarait : « Au nom des intérêts de notre pays et de notre classe, l'âge du mariage ne doit pas être fixé au-dessous de vingt ans pour les hommes et de dix-huit ans pour les femmes. Il faut comprendre que le mariage précoce est extrêmement nuisible. Camarades, un peu de patience ! Dans le passé, sous la domination des propriétaires et de la bourgeoisie, certains ouvriers et paysans pauvres ne pouvaient pas se marier à quarante-cinq ans. Pourquoi maintenant ne pourrait-on même pas attendre un an ou deux ? »

Cette décision fut d'un côté contestée par un grand nombre de cadres communistes, qui firent pression pour un abaissement de l'âge du mariage, et de l'autre par les paysans ; plus conservateurs que Mao ne le pensait, ils avaient peur que les jeunes filles, par cette éducation, ne soient détournées des tâches ménagères et n'entrent en conflit avec leurs beaux-parents ou ne demandent le divorce. Le PCC dut renforcer l'idée que l'honneur serait sauvegardé, les cadres féminins étant aussi des « mères méritantes, des épouses fidèles et des filles filiales », et le divorce fut limité. Ce mouvement en arrière était dans l'ordre des choses, compte tenu des exigences stratégiques, des réalités sociales du moment et du constat d'un essor démographique catastrophique.

Des 59 600 000 Chinois comptabilisés par le premier recensement de l'an 2 après J.-C. aux 412 000 000 de 1840, puis aux 540 000 000 de 1949 et aux 1 200 000 000 prévus d'ici à l'an 2000, le gouvernement voudrait voir la population se réduire à 700 000 000 afin de pouvoir, graduellement, mettre fin aux restrictions de tous ordres. La politique du contrôle des naissances est aujourd'hui en Chine le souci majeur.

Selon le *Quotidien de Qingdao*, un port situé au sud-est de Pékin : « Le problème est qu'actuellement certains camarades ne comprennent pas bien que la politique de limitation des naissances est difficile et de longue haleine. Ils pensent que, l'économie ayant fait de grands progrès, on peut avoir quelques enfants de plus. Surtout après l'autorisation du second enfant pour les parents d'enfant unique dans les campagnes, des cadres ont relâché leur pression. » Ce même quotidien, daté du mois de septembre 1986, annonce que la province du Shanxi reconnaît avoir « partiellement perdu le contrôle de la population » dans vingt-huit circonscriptions rurales. La réglementation avait en effet été assouplie depuis fin 1985 pour tenir compte de la profonde réticence des paysans à n'avoir qu'un enfant, surtout si c'était une fille, les infanticides de petites filles n'ayant toujours pas cessé dans certaines zones reculées.

La loi interdit aux femmes des villes de se marier avant vingt-cinq ans, et aux hommes avant vingt-huit ans, âge tardif, ce qui a pour effet théorique de réduire le taux de natalité ainsi que les problèmes du logement, mais qui ne résout pas ceux concernant la sexualité. Certains jeunes gens attendant l'âge autorisé pour se marier dorment ensemble dans l'appartement des parents de l'un ou de l'autre, selon l'arrangement dit *tchouli*, signifiant « assisté » ou « logé »... Cela explique pourquoi, malgré toutes les pressions officielles, on commence à trouver des cas de Chinoises, notamment des adolescentes, enceintes avant le mariage. Les comités de rue veillent pourtant au respect de la loi jusque dans la chambre à coucher, comités qui ont pour tâche de surveiller les Chinois chez eux et dont la discrétion ne semble pas être la qualité principale. Représentant les masses, car théoriquement nommés par elles, leur pouvoir sur le plan local est supérieur à celui de la police puisqu'ils peuvent, sans mandat, perquisitionner les logements, prenant par exemple prétexte du *hou-kou*, certificat d'enregistrement du ménage, à toute heure du jour et de la nuit. En ce qui concerne le contrôle des naissances, une représentante du comité local suit de près le cycle menstruel des femmes d'une rue et si elle s'aperçoit qu'une d'entre elles est enceinte alors qu'elle n'en avait pas le droit, elle lui demande de se faire avorter. En Chine, les couples qui acceptent de n'avoir qu'un seul enfant reçoivent une pension de cinq yuan par mois pour chacun des parents, soit 8 p. 100 du salaire moyen en ville, jusqu'à ce que l'enfant ait quatorze ans. L'enfant unique aura à l'âge scolaire le droit de choisir une bonne école et les parents auront en plus de la pension accès à un logement habituellement réservé aux familles de quatre personnes. Selon les objectifs du plan quinquennal, on estime que le nombre d'enfants par famille devrait d'ici à 1990 passer de 2,2 à 1,5, mais pour l'heure, et malgré le système de contrôle et d'encouragement à la dénatalité, il semble plutôt y avoir en Chine une remontée en flèche des naissances, que les spécialistes expliquent essentiellement par la relative prospérité que connaît actuellement ce pays.

Le baiser non, le sexe oui

Si à la campagne les possibilités d'isolement permettent aux couples légitimes et aux amants de « se cacher dans les petites pièces », en ville la pruderie ambiante et le manque cruel d'intimité (les célibataires ne peuvent avoir de logement à eux et il n'y a guère d'automobiles pour s'abriter) rejettent les jeunes couples dans les parcs, seuls endroits où ils puissent s'isoler quelque peu. Pour beaucoup de Chinois, embrasser une jeune femme, c'est la demander en mariage ou être bien près de le faire, car le baiser n'est pas considéré seulement comme immoral, mais aussi comme anti-hygiénique, ce qui fit écrire dans un article du *Quotidien des ouvriers* : « Adultes et enfants, nous devons tous nous débarrasser de l'habitude qu'est le baiser. »

Par ailleurs, les Chinois n'ont jamais été gênés par la notion occidentale de péché. La sexualité leur apparaît comme un besoin naturel, exactement comme manger, dormir ou déféquer; besoin auquel il faut, comme le dit le philosophe confucéen Mencius, « donner satisfaction à l'heure et au lieu qui conviennent ». L'expression « faire l'amour » pour qualifier l'acte sexuel à Hong Kong ou à Taiwan est en Chine populaire considérée comme une grossièreté. La presse communiste, quand elle veut mentionner les rapports sexuels, parle de « relations incorrectes entre les hommes et les femmes » ou de « relations entre les hommes et les femmes, menées de façon malpropre » – ce qui ne semble pas être le cas des citoyens utilisant l'argot, qui se servent d'un idéogramme évocateur composé du signe « pénétrer » et du signe « chair »...

Le bon mariage

Mais les besoins de la société communiste doivent avoir priorité sur la recherche de l'amour individuel vulgaire, mesquin et bourgeois, et un puritanisme rigide est de règle pour le contrôle de la société. En fait, les sentiments ont été remplacés par des notions très « anti-révolutionnaires », les dix conditions à l'heure actuelle d'un bon mariage en ville étant que l'époux soit capable de fournir le mobilier, d'éloigner ses parents, de donner les « trois choses qui vont avec » : une montre-bracelet, une machine à coudre et une bicyclette, de « porter de bons tissus pendant les quatre saisons », c'est-à-dire d'être bien habillé; d'avoir « les cinq extrémités en bonne forme », ce qui se traduit par une belle santé et un bel aspect physique, de ne pas avoir une parenté pauvre à charge, de gagner soixante-dix yuan par mois (salaire bien au-dessus de la moyenne), d'être « souple des huit manières », ce qui signifie être agréable et adroit, d'éviter l'alcool, et, enfin, les « dix parties » : obéir à son épouse en tout et pour tout!

V

LA DISCIPLINE DU TATAMI

> Aux pieds, les nattes de bois souple : le bambou, devenu élastique, épais, frais à la marche, et mettant un onduleux dans les petits pas hâtifs et traînards de tout le peuple, ici. Tout s'assourdit sur ces matelas jaune clair bordés de noir. Et l'on passe avec un autre plaisir à ces planchers lamés de bandes souples, serrées et libres comme des anches, et vibrantes, et bruissantes comme elles, dont jouent les orteils qui les font plier avec de petits cris... Un poète, ici, a comparé ce bruissement au chant du rossignol...
>
> Victor SEGALEN,
> « Le culte du bois », in *Briques et Tuiles*.

Pour la presque totalité des Japonais, du détroit de Soya jusqu'au-delà d'Okinawa, le cadre de la maison traditionnelle moule les gestes et les intentions de ceux qui l'habitent et les formes de la construction guident avec une souple rigueur le comportement et les attitudes de chacun.

Comme pour l'édification de la maison chinoise, le choix du site et l'orientation selon des procédés géomantiques sont, avec la prédominance du toit – *yane*, qui en japonais signifie « la racine de la maison » –, le bois et la surélévation de la construction sur de courts pilotis, la base des constructions au Japon. Si des différenciations existent entre les maisons rurales et urbaines, les premières offrant plus de diversité, sitôt franchi le seuil, que l'on soit à Hokkaidō, à Kyūshu ou à Tōkyō, on y trouvera invariablement l'entrée au sol de terre battue, le *doma*, où le regard se perd dans les poutraisons apparentes de l'avancée du toit; un couloir planchéié luisant et sombre, l'*itamoma*, surélevé de 20 à 50 cm, par lequel on accède, une fois repoussée une cloison légère, à la partie couverte, un salon aux nattes claires, le *tatami*, qui, la nuit, fait office de chambre à coucher, ouvrant en angle sur un jardin étroit, verdoyant et compliqué.

Le tatami

Le *tatami* est le symbole de la maison japonaise; fait de chaumes de riz datant d'un an au moins, réunis en bottes de 2 cm de diamètre, disposées en couches contrariées, liées au fil de chanvre, jusqu'à atteindre une épaisseur de 6 cm sur une longueur de 180 cm et une largeur de 90 cm, il est bordé sur ses côtés longs d'une étroite bande d'étoffe plus ou moins précieuse et généralement de couleur sombre. Sur ce bloc est tendue une natte mince, dure et brillante en *igusa, juncus effesus*. Si l'on en croit les rouleaux peints illustrant les anciennes chroniques nationales, cette natte serait le *tatami* original (le verbe *tatamu* signifiant « plier » fait allusion à une natte souple facile à rouler plutôt qu'au bloc répandu actuellement au sol). Jadis, pour travailler ou s'asseoir, les Japonais utilisaient soit des bottes de paille, soit des coussins faits de corde de paille roulée ou des nattes en paille de riz grossières, les *mushiro*, ou fines, les *goza*. Tous ces éléments ont en commun une caractéristique primordiale : être mobiles et pliants. La question est de savoir comment les *tatami* sont devenus ces blocs difficilement mobiles.

Dès l'époque du shōgunat de Kamakura (1192-1333), on signale des nattes obtenues par superposition de plusieurs couches de paille de riz cousues et formant un rectangle de taille standard correspondant à la surface occupée par deux personnes assises ou une seule allongée. Cette standardisation de 0,90 m × 1,80 m est un élément extrêmement important dans la généralisation du *tatami* comme revêtement fixe du sol et comme mesure habitable; longueur et largeur des pièces, avant de devenir celles de toute la maison, sont désignées par le nombre de nattes qu'elles contiennent, chaque natte étant une unité de surface immédiatement visible. Mais ce n'est que vers l'époque de Muromachi (1338-1573) qu'on commença d'en recouvrir totalement certaines pièces. Le *tatami* ne devint l'élément caractéristique de la maison que vers la fin du style *shoin* dans l'ensemble de l'habitat.

La bataille de la standardisation

L'uniformité et la standardisation de l'habitat japonais n'apparaissent qu'aux yeux des étrangers, car en vérité il existe une grande diversité dans l'arrangement intérieur des maisons, diversité qui ne tient pas à l'environnement écologique, dont nous avons souligné l'unicité, mais au cadre étroit d'une réglementation fondée essentiellement sur les différences de classe. La standardisation des constructions date de l'époque féodale et la raison fondamentale en était la volonté d'indiquer l'état de fortune de chacune des familles, exprimé selon leur revenu en riz et leur rang, dans la superficie des résidences et dans maints détails de construction, qui allaient de la longueur des poutres en passant par la décoration extérieure jusqu'aux types de bordure des *tatami*.

Jacques Pezeu-Massabuau, dans son étude sur la maison japonaise, explique qu'ainsi, rien qu'en parcourant les rues d'un quartier à Edo, on pouvait deviner le niveau exact de richesse de chacun selon l'apparence strictement codifiée de la porte, l'architecture et la superficie de la parcelle. Ces lois, contenues dans des recueils que le gouvernement publia dès le début du XVIIIᵉ siècle, s'adressaient donc à toutes les classes sociales : noblesse de Cour, *daimyō*, vassaux de rang inférieur, agriculteurs et marchands. Elles ne régissaient d'ailleurs pas seulement la construction des maisons, mais aussi les vêtements, jugés plus expressifs encore que l'habitation, pour lesquels, selon le rang, le sexe et l'âge, étaient prescrits la nature du tissu, la coupe, la forme des nœuds et les plis.

Le désir d'uniformiser les mesures de toutes les constructions du pays était donc contré par la féodalité, mais aussi par les bouleversements que l'usage du *tatami* comme mesure aurait apportés aux habitudes des charpentiers, mesurant selon l'ancien système de l'entrecolonnement, et aux circuits commerciaux, les seules régions productrices de *tatami* étant à l'ouest. C'est avec l'essor de la bourgeoisie, au XVIIIᵉ siècle, qui se fit construire des habitations plus grandes et racheta les résidences des seigneurs quittant les villes que, progressivement, les procédés de la construction aristocratique furent appliqués, d'abord à la maison urbaine ordinaire, puis à la maison rurale. Cette lente pénétration des formes de la grande architecture civile jusque dans les campagnes, opérée à la faveur d'un désir général d'ascension sociale, modifia, au prix d'inévitables dégradations, non seulement la maison traditionnelle dans son apparence et dans son aménagement, mais la vie même de ses habitants.

L'usage du *tatami*, qui, de tous les apports, est le plus tardif, se répandit donc au XVIIIᵉ siècle, avec des restrictions locales, comme par exemple l'interdiction, par un édit du seigneur de Fukushima dans la commune de Sōma, d'utiliser la natte fine qui le recouvre normalement. Dans les maisons les moins riches, et ce aujourd'hui encore, on n'utilise pas les *tatami* en temps ordinaire; stockés dans un coin, ils ne sont sortis qu'au Nouvel An et lors des funérailles.

Inconvénients des tatami

Le droit pour tous aux *tatami*, pour les raisons sociales que nous venons d'évoquer, présente un inconvénient majeur dans l'organisation du confort de la maison japonaise. Garnissant un plancher soigneusement assemblé, le pouvoir isolant des *tatami* est remarquable et supprime tout apport de fraîcheur au niveau du sol, pourtant surélevé pour laisser circuler l'air sous la maison durant la saison chaude et humide de l'été. Le plus étonnant est que l'idée théorique du confort qu'ont les Japonais ainsi que toute l'organisation de la maison sont centrées sur la volonté d'échapper à l'extraordinaire humidité du climat estival. Or, le *tatami*, généralement tiède et moite en cette saison, est rendu plus chaud encore par sa mollesse relative; quant au plafond, obstacle à la chaleur venue du toit lorsqu'il y a suffisamment d'air qui circule au-dessus, il risque, au moment où le soleil se couche et où s'atténue la circulation d'air transversale, de laisser descendre dans la maison les calories emprisonnées dans la toiture. Ceux qui ont vécu au Japon en été nous ont tous raconté les moments qu'ils ont passés à chercher le contact d'une paroi ou d'un sol plus frais la nuit venue et à guetter le moindre souffle sous ces plafonds bas qui procurent une légère sensation d'oppression. Tout est pourtant conçu pour combattre la chaleur et surtout l'humidité de l'air, dont les Japonais semblent particulièrement souffrir, en réalisant des conditions optima de ventilation « de façon à profiter de l'influence d'une vitesse d'air élevée sur le confort ». Jacques Pezeu-Massabuau attire l'attention sur le grand avantage des parois légères, « qui absorbent peu de chaleur solaire si elles sont bien abritées du rayonnement direct, alors qu'une construction " lourde ", même largement percée a une " mémoire " thermique redoutable ». Avec le système des cloisons coulissantes, il suffit en effet d'un simple geste pour que l'air circule et que la température à l'intérieur soit égale à celle de l'extérieur.

Toutefois, pour l'architecte, l'essentiel est de capter convenablement le vent, en orientant au vent dominant la façade principale, en surélevant le niveau habité autant que possible et en donnant aux orifices de sortie une ouverture totale égale au moins à une fois et demie ceux par où l'air pénètre dans la maison. Or, la maison japonaise procède d'injonctions apparemment indépendantes du milieu naturel et de croyances sur la valeur bénéfique de certaines directions, sa façade principale étant toujours tournée vers le sud. En été, par bonheur, les façades est et ouest sont les plus ensoleillées, le sud l'étant presque aussi peu que le nord, à cause de la hauteur du soleil à midi et grâce à l'abri de la véranda. Mais le toit et la réflexion de la terre s'opposent à la fraîcheur, réflexion sensible lorsque l'on se tient à moins de deux mètres du bord de la véranda devant laquelle sont traditionnellement disposés du sable et des pierres qui emmagasinent la chaleur. Quant aux pilotis, s'ils empêchent l'humidité de stagner sous le plancher et d'en pourrir les solives, trop bas, ils n'exercent sur l'ambiance écologique qu'une action limitée à laquelle contribuent les *tatami* pour les raisons que nous venons de voir.

Ainsi, en dépit de ses apparences « tropicales », si elle offre une bonne protection contre les pluies et les problèmes de pourrissement internes à sa structure, la maison traditionnelle japonaise n'apporte pas à ceux qui l'habitent une protection suffisante contre certains éléments du climat estival.

Chambres froides

Si la chaleur est un véritable problème pour les Japonais, leur résistance au froid apparaît tout à fait exceptionnelle et explique en partie la précarité des moyens qu'ils utilisent pour s'en préserver. Sur la façade orientale, au Japon, où l'hiver est sec et ensoleillé, la véranda, lorsqu'elle est en verre, joue un rôle important dans le réchauffement diurne de la maison, mais, lorsqu'elle est recouverte du papier translucide traditionnel, *shōgi*, qui n'emmagasine pas la chaleur, elle n'a d'intérêt que la nuit, le papier retenant mieux la chaleur la nuit que le verre. Quant aux systèmes de chauffage, si individuellement ils sont efficaces, les précautions à prendre dans ces maisons de bois sont telles que leur utilisation est limitée. Leur efficacité suppose, de la part de celui qui désire se réchauffer, une certaine inactivité : le brasero immobilise les mains, l'âtre ou le *totatsu*, les pieds. A vrai dire, dès que l'on s'éloigne du rayonnement très relatif des sources de chaleur, on retrouve un air ambiant proche de la température extérieure. Au Japon, des rivages sibériens de Hokkaidō jusqu'aux approches du tropique à Okinawa, l'air intérieur de la maison se trouve pratiquement en toute saison à la température extérieure; aucune forme construite d'adaptation, tels l'*ondol* coréen ou le K'*ang* chinois, ne vient corriger les intenses variations thermiques entre les saisons de ce pays.

Le souci majeur étant d'éventer la maison pendant les périodes humides et chaudes, la « prise des vents », à effet positif en été, devient un problème en hiver. Heureusement la direction de ces vents n'est pas la même en été et en hiver : soufflant du sud en été à Tokyo, de l'ouest à Osaka, c'est le vent du nord qui domine en hiver dans ces deux villes et il est vrai que très souvent le mur nord est soigneusement fermé, et ce, non seulement dans la zone septentrionale où souffle un vent glacé de ce côté durant l'hiver, mais aussi dans les latitudes plus méridionales. Cette paroi au nord, véritable fond de la maison où se trouvent d'habitude les lieux où l'on couche, est souvent entièrement fermée de placards et quelquefois même d'une cloison en maçonnerie.

On comprendra qu'en plus de protections techniques spécifiques à la maison lors des grands froids, les hommes et les femmes enfilent des couches nombreuses et variées de sous-vêtements que vient recouvrir le kimono. Quant aux pieds, relativement peu enveloppés, ramenés sous le corps en position assise, c'est ainsi qu'ils se réchauffent.

Jacques Pezeu-Massabuau met en relief la profonde inégalité que l'inconfort de la maison entraîne entre les hommes et les femmes dans les familles traditionnelles en hiver. Tandis que le mari, que ce soit à la campagne ou en ville, travaille généralement à l'extérieur de la maison pour ne rentrer que le soir chez lui afin d'y prendre son bain et se cantonner au brasero et au *kokatsu* avant d'aller dormir, la femme passe la journée presque entièrement à la maison, dans l'*oku*, littéralement le « fond » (une femme mariée s'appelle une *okusan*), et dans la cuisine, généralement orientée au nord et au nord-est, la pièce la plus froide en hiver.

Ainsi l'ambiance écologique de la maison japonaise, en dépit de l'apparente indifférence de ses habitants, présente un certain nombre d'inconvénients : air ambiant froid en hiver, feux ouverts à haute température, à rayonnement faible, entraînant de grands risques d'incendie et dégageant des gaz toxiques (Co), dans des pièces rendues insalubres, où l'on est poussé à se calfeutrer au maximum. Le résultat de tout cela est que les statistiques sur la mortalité hivernale atteignent au Japon un taux inégalé dans les autres pays : 39 p. 100 des décès entre le 1er décembre et le 31 mars. Cette nette surmortalité des saisons froides renforce les critiques faites sur l'inadaptation de l'habitat

316

et met en évidence le procès fait, non pas par nous, mais par les usagers eux-mêmes et les spécialistes en matière de confort.

La prise du bain

C'est vers 5 heures de l'après-midi que la famille se retrouve à la maison. La première chose que fait le maître de maison est de prendre un bain. Ce bain n'a pas grand-chose à voir avec ce qui, chez nous, n'est qu'un acte hygiénique; très chaud, décontractant, relaxant, le *furo* a un rôle primordial en hiver d'accumulation de calories dans le corps et permet à celle ou celui qui s'y plonge, comme le sauna finnois, de demeurer pratiquement insensible au froid pendant deux ou trois heures, c'est-à-dire le temps que l'on passe à manger et à parler avant de se coucher.

Les formes secondaires de l'activité volcanique, toujours nombreuses au Japon et plus particulièrement dans la moitié septentrionale de Honshū où les bains se répandirent d'abord, sont peut-être à l'origine de l'habitude japonaise de prendre des bains presque brûlants et surtout de cette technique particulière de réchauffement de la peau plutôt que de l'air ambiant de la maison. Le mot *furo*, qui, primitivement, semble avoir désigné le bain de vapeur, confirmerait cette hypothèse : on revêtait jadis une chemise de lin uniquement réservée à cet usage, rituel qui a disparu à partir de Meiji, époque où le bain individuel en même temps que les puits privés commencèrent de se répandre, et, aujourd'hui, toutes les maisons individuelles ont leur *furo*, parfois dans le *doma*, parfois dans une cabane distincte de la maison à cause des risques d'incendie.

Le bain de nombril

Pour ce qui est de l'acte de nettoyage, il a lieu dans un endroit distinct, le *nagashi*, situé dans un renfoncement de la cuisine au sol recouvert d'un caillebotis de bambou qu'éclaire une fenêtre haute. A côté se trouve une jarre ou un seau en bois plein d'eau chaude dans lequel on puise avec une cuillère de bois. Le peu d'eau utilisé et la toilette minimale, « mouiller les parties sexuelles », que décrivent les femmes de Kimmuroshi, ou *heso-buro*, « bain de nombril », qu'on trouve dans le Kansai, s'expliquent, dans de nombreux villages de montagne ou du littoral, par le manque d'eau et de combustible; pénurie que les habitants compensaient en utilisant l'aspersion plutôt que le trempage du corps pour se laver, aspersion qui, aujourd'hui encore au Japon, est un geste habituel.

La discipline du tatami

Le corps réchauffé par le bain brûlant, on revêt alors son *yukata*, « sortie de bain », et, une fois sec, le *nemaki*, « robe de nuit », que par les grands froids les Japonais doublent d'un *tanzen*, sorte de robe de chambre ouatée.

L'usage du *tatami* suppose une éducation préalable du corps et l'apprentissage rigoureux de gestes précis. La position assise sur les talons, transmise au Japon par la Chine via la Corée et le bouddhisme, aurait été codifiée et ritualisée sous les Zhou occidentaux (Xe-VIIIe siècles avant J.-C.), qui en auraient fait la seule position correcte, bienséante et civilisée, laissant aux peuples et aux non-Chinois la position assise, jambes étendues, ou accroupie. Même si cette position est antérieure à la généralisation du *tatami*, ce n'est guère que sur celui-ci que certains gestes qu'il commandait ont pu se propager et se généraliser dans l'ensemble du pays.

Une telle discipline contient de toute évidence des éléments esthétiques, qu'expriment les attitudes requises par le théâtre nõ et le kabuki et propose, en demandant à la personne ainsi agenouillée sur les talons, de fixer les yeux à environ un mètre du sol, une appréhension particulière du monde extérieur.

La maison est un guide

La maison japonaise enseigne une certaine conception de l'espace, définie par la place que le corps doit y occuper et les contraintes qu'elle lui impose. Cette véritable éducation des gestes s'observe dans l'exercice de la vie quotidienne, rigoureusement standardisée, et révèle l'extraordinaire adéquation entre le corps et la maison qui l'abrite. Véritable école de la maîtrise de soi, l'habitat japonais facilite à l'évidence l'auto-effacement de chacun et son insertion dans le groupe, dans la mesure où l'importance qui est accordée aux techniques corporelles se fonde elle-même sur la croyance que l'esprit est supérieur au corps et que celui-ci peut être poussé à un point inimaginable de fatigue sans dommage réel pour l'individu. Guide silencieux mais strict des comportements individuels et collectifs, cette maison contient des enseignements sur les relations de l'art et de la technique et sur une certaine conception de l'espace et du temps, qui joue un rôle de première importance dans les attitudes mentales de ses habitants.

L'impossible isolement

La nuit, des volets coulissants sont tirés sur les parties qui ne sont pas protégées, les ouvertures de la façade donnant sur la rue sont fermées de très fins linteaux, *kôshi*, disposés parallèlement, ou de lattis de bambous verticaux ou en quart de cercle, *inuyarai*, dissimulant l'angle formé par le sol de la rue et la paroi et indiquant le souci sans doute très ancien de protéger la base des murs des animaux (*inuyarai*, composé de *inu* : « chien ») ainsi que le besoin quasi obsessionnel d'échapper aux regards indiscrets. Ce souci sûrement légitime de préserver l'intimité de la maisonnée contraste avec la conception essentiellement « ouverte » de l'aménagement de l'espace matériel. A l'intérieur, les seules limites sont en fait celles que tracent les diverses obligations collectives, limites symboliques dont ne peut s'extraire l'individu et qui expliquent aussi peut-être en partie la faible distinction qui est faite par les Japonais entre l'intérieur et l'extérieur. Circuler dans la rue en kimono d'intérieur et en socques, voire en sous-vêtements, n'a rien de choquant. Quant à l'isolement, outre l'absence de clefs et de portes « en dur » à l'intérieur de la maison, il est pratiquement impossible; il met en évidence que chacun doit, à tout instant, demeurer virtuellement à la disposition du groupe. La facilité avec laquelle on invite au Japon les gens à passer la nuit chez soi sans que cela constitue ni un événement ni un dérangement renforce l'idée organique du groupe que rien ne peut entamer, basée sur l'existence très forte et très profonde des obligations mutuelles héritées de l'époque féodale.

Le cérémonial du coucher, même dans le Japon moderne, est très éloigné du nôtre. Grâce au nombre très restreint de meubles, tables légères et basses, coussins servant de sièges, *zabutou*, les rangements se faisant dans des placards dressés le long des murs pleins, et à l'extrême légèreté des *fusuma*, cloisons mobiles en papier, les pièces de la maison et leur fonction sont facilement transformables. La chambre à coucher n'existe donc que grâce au jeu des cloisons et durant la nuit, lorsque l'on déplie les *futon* sur le *tatami*. Si jadis une place d'honneur, le *tokonoma*, une petite estrade réservée aux amis après avoir été l'emplacement du *daimyo*, le seigneur féodal, existait dans la maison, aujourd'hui c'est la quasi-totalité du *tatami* qui s'offre au couchage. De cette période, les « grandes maisons » n'ont conservé que les petites armoires alors destinées à recevoir les têtes des ennemis vaincus par le *daimyo*...

Les *futon*, édredons fabriqués depuis la fin du Moyen Age grâce à l'importation des cotonnades de Chine, furent, semble-t-il, à l'origine des placards qui les cachaient pendant la journée. Literie indispensable qui, par extension, signifie tout aussi bien le mince matelas sur lequel depuis quelques années on étend une grande serviette de bain que la couette, curieusement enveloppée dans une housse laissant visible sur le dessus un grand carré du précieux édredon. Pour la tête, toujours orientée au nord, si l'oreiller a fait son apparition, traditionnellement il s'agissait plutôt d'un appui-nuque, fort petit, simple cylindre de vannerie, de crin ou de bourre, et pour les femmes une sorte de trépied en bois ou en porcelaine, destiné, comme dans les sociétés antiques, à éviter d'avoir à défaire chaque soir et à refaire chaque matin une coiffure compliquée.

Allongé sur le *tatami*, sommier incorporé définitivement

à l'architecture, remède souverain pour les maux de dos, assurent les voyageurs, l'habitude est de ne jamais dormir dans le noir. Jusqu'à l'époque Meiji (1868-1912), la seule source de lumière dans la maison était l'âtre, des torches en pin ou des bougies de résine pour les plus pauvres et des lampes à huile de poisson pour l'aristocratie – jusqu'au XVIIIe siècle, où elle fut remplacée par de l'huile de colza, aux odeurs moins tenaces – qui furent en faveur jusqu'à l'apparition de l'électricité, dans les années précédant la Première Guerre mondiale. L'introduction de l'électricité et l'utilisation rendue possible des petites veilleuses individuelles ont provoqué un changement radical des façons de dormir, rendant possible la dispersion des dormeurs à l'intérieur de la maison, et, par extension, des façons de penser des Japonais.

Le plancher des rossignols

La nuit est, pour les Japonais, un moment dangereux; aux fantômes et aux revenants s'ajoute la crainte de voir surgir un ou plusieurs ennemis, aussi les *samouraï* ou les *hatamoto*, guerriers véritables, qui devaient constamment rester en état d'alerte, dormaient-ils avec leur sabre tout près de leur *futon*. Pour remédier aux risques des attaques ou des visites nocturnes, les charpentiers étaient passés maîtres dans la fabrication des parquets chantants. Alarme raffinée, le « plancher des rossignols », que seuls pouvaient s'offrir les plus riches, était une véritable œuvre d'art : il devait grincer légèrement sous les pas d'un homme, selon une forme mélodique, et avertir le dormeur du type de visite qui lui était faite lorsqu'il ne pouvait la distinguer dans la nuit sombre !

Les cloisons de papier visent seulement à assurer une isolation visuelle, le silence à l'intérieur de l'habitation n'étant ni souhaitable, ni envisageable. Par la nature même de leurs demeures, les Japonais sont habitués depuis leur petite enfance à évoluer sans contrainte au milieu des bruits les plus divers, provenant aussi bien de l'intérieur que de l'extérieur. Sans même tendre l'oreille, les propos et les gestes de chacun sont connus de tous et conditionnent l'harmonie de la vie de famille, tout en assurant un contrôle de chacun de ses membres et un respect constant de l'autre. Cette perméabilité n'est pas que sonore, elle se fait aussi cruellement sentir lorsqu'il s'agit des odeurs qui, malgré l'éloignement des lieux d'aisances, lieux semi-sacrés de conservation plutôt que d'évacuation pour des raisons autant culturelles qu'agriculturelles, n'arrivent pas à se faire oublier...

Estampes japonaises

L'érotisme japonais, vécu encore aujourd'hui par tout un peuple, demeure inséparable d'une mythologie familière trempée dans la légende de la création du monde : la première île surgit, sous forme d'une éclaboussure, de la lance pénétrant le grand cloaque. Izanagi et Izanami se servirent alors du pénis géant, fiché dans le ventre de la Terre, pour descendre ici-bas, tout en s'amusant, chacun dans un sens, à tourner autour jusqu'à ce qu'ils se rencontrent et engendrent, pour commencer, d'autres îles. Mais lorsque, après maintes grossesses, Izanami accoucha du dieu du Feu, elle mourut, le sexe brûlé par son dernier enfant. *L'Empire des sens* et la référence occidentale aux torrides « estampes japonaises », célèbres pour le raffinement du trait et le réalisme quelque peu spéculaire de l'anatomie et de la physiologie intimes des protagonistes, contrastent avec les rapports si policés de la vie quotidienne au Japon. L'amour ou son expression était toujours malvenu et chassé des rapports conjugaux. Autant de règles séparent traditionnellement les époux : défense de s'asseoir à côté de son mari ou de sa femme, gêne à trahir ses sentiments en public et devant les autres membres de la famille, etc. L'art de plaire et de se faire aimer fut dévolu, à l'époque Edo (1600-1867), aux fameuses *geishas*, dont la vocation est plus de distraire les hommes que de satisfaire leur désir sexuel. Ce sont les *oirans*, courtisanes, pensionnaires des « maisons vertes » – ayant reçu une éducation en tout point semblable à celle des *geishas*, hormis sa finalité –, qui le plus souvent sont les héroïnes des livres de chevet et les modèles, à l'approche du XVIIIe siècle, d'artistes comme Utamaro et Hokusai. Illustrateurs des *Douze Heures des maisons vertes*, du *Chant de l'oreiller*, et des *Jeunes Pousses de pins*, ils inspirèrent à Edmond de Goncourt quelques descriptions lyriques sur la « furie des copulations, comme encolérées », et à son ami Rosny jeune, conquis à son tour, la découverte des « affinités innombrables de l'art avec l'érotisme » et peut-être aussi des quarante-huit positions prescrites dans *l'Oreiller de Yoshiwara*, le quartier des plaisirs à Edo, aujourd'hui Tokyo, que l'empereur fit fermer en 1957 après trois siècles de règne absolu sur les sens...

EPILOGUE

Carte des veilles, carte des siestes, des couchers, des levers, coût énergétique du sommeil, techniques modernes pour combattre le froid ou les moustiques, types de luttes contre l'obscurité, aucun de ces thèmes n'a pu prendre place dans ce livre. Il m'a manqué du temps (trop de nuits à dormir), de l'argent (trop de soirées à en dépenser) et peut-être aussi des renseignements (trop de témoins comateux). Qu'importe, la chambre à coucher n'a pas fini de nous livrer ses secrets et le sommeil, son allié, de nous captiver. Je n'ai fait qu'entrouvrir la porte...

C'est au cours d'un long voyage que je l'ai rencontrée. Il m'a fallu l'Amazonie pour m'habituer à sa présence et apprécier ses services. Certes je la connaissais, mais jamais je n'avais osé lui adresser la parole, l'eût-elle fait, que je ne l'aurais pas entendue. Jamais non plus je ne l'avais autorisée à m'accompagner là où j'allais. Pourtant, petit à petit, loin des téléphones, des rendez-vous, des amphithéâtres, je découvris ses qualités, ses exigences. Elle se révéla être une compagne insatiable, me poussant sans cesse à ne rien faire d'autre que ce que j'avais à faire au bon moment. Attentive à l'extrême, elle se souciait de tous mes petits riens et m'apprit que je n'arriverais à vivre et à trouver le bonheur que par la façon que j'aurais d'être l'hôte de moi-même.

Je me souviens, après une nuit de danse et de boisson

dans la grande *maloca*, alors que je récupérais mollement dans mon hamac, elle s'amusa à me surprendre à l'orée d'un somme. Me caressant tendrement, amoureusement, elle m'insuffla sa force. J'adore la douceur avec laquelle elle m'envahit tout entier et sa façon tendre de m'emboîter le pas, le corps, la tête...

C'est elle qui me console à chaque effort fourni; combien de fois m'a-t-elle aidé à résister, m'a-t-elle poussé à n'accepter que de vivre, à n'être qu'un être pour rien et à ne pas me soucier d'autre chose que de ma propre quiétude? Sans doute lui ai-je été trop souvent infidèle, mais qu'importe, magnanime, c'est elle qui me mène et je la suis, je vais là où elle veut. Oh, nous allons rarement très loin, un lit suffit à nos transports... Tu es la seule, sache-le, qui véritablement me préoccupe et je ne puis oublier que c'est pour toi, rien que pour toi, qu'hommes et femmes travaillent sans répit et que j'ai fait ce livre. Oui, ce n'est que pour toi que nous nous hâtons de finir nos tâches. Tu es mon urgence, tu es notre urgence, Paresse.

Il a fallu du temps et payer le prix de l'effort des hommes pour que je me décide à regarder de près les lieux de leurs repos; du temps pour découvrir ce tiers endormi de l'histoire de l'humanité. Pourquoi avons-nous bâti des maisons, aménagé des couches, domestiqué le feu, pourquoi? Pour nous livrer à nos rites favoris qui, en dépit des morales, restent le sommeil et ce que l'on nomme l'amour. Au fond des antiques *kamara*, chambres noires où s'élaborent les blancs de la mémoire, l'humanité s'oublie à rêver son hérédité animale. C'est en ces lieux propices que, désarmés, dévêtus, désintéressés, conscience à l'orée du sommeil, nous apprenons les gestes des gisants.

BIBLIOGRAPHIE

I

VERTICALE

1. Nos premières couches

ABELANET Jean, *Signes sans paroles*, Paris, Hachette, 1986.

Ancien et Nouveau Testament, version d'Ostervald, Paris, 1904.

ARNAUD Daniel, *Le Proche-Orient ancien, de l'invention de l'écriture à l'hellénisation*, Paris, Bordas, 1970.

DANCHIN F. C. et DUCATEZ, *Mémorable Aventure de Kaar-Ohline au rouge nez*, Paris, 1945.

DAUMAS François, *La Vie dans l'Egypte ancienne*, Paris, PUF, 1968.

ELIADE Mircea, *Histoire des croyances et des idées religieuses*, Paris, Payot, 1978.

ERMAN A. et RANKEH., *La Civilisation égyptienne*, Paris, Payot, 1963.

HAMY E. T., *Notes sur le chevet des anciens Egyptiens*, Paris. 1883.

LEROI-GOURHAN André, *Les Chasseurs de la préhistoire*, Paris, A. M. Métailié, 1983.

– *Le Fil du temps*, Paris, Fayard, 1983.

LACARRIÈRE Jacques, *En cheminant avec Hérodote*, Paris, Seghers, 1981.

MASPERO Georges, *Les Contes populaires de l'Egypte ancienne*, Paris, 1915.

MONTET Pierre, *La Vie quotidienne en Egypte au temps des Ramsès*, Paris, Hachette, 1946.

Nougier Louis-René, *Premiers Eveils de l'homme*, Paris, Lieu Commun, 1984.

Oppenheim Léo, *La Mésopotamie, portrait d'une civilisation*, Paris, NRF, 1970.

Rosny Aîné, *Romans préhistoriques*, Paris, Laffont, 1985.

2. Les civilisations du lit

Aristophane, *Lysistrata*, Paris, les Belles Lettres, 1958.

– *Les Guêpes*, Livre de Poche, 1965.

Bayet Jean, *Histoire politique et psychologique de la religion romaine*, Paris, Payot, 1969.

Carcopino Jérôme, *La Vie quotidienne à Rome à l'apogée de l'empire*, Paris, Hachette, 1939.

Duby G. et Wallon A., *Histoire de la France rurale des origines à 1340*, t. I, Paris, Seuil, 1975.

Eger Jean-Claude, *Le Sommeil et la Mort dans la Grèce antique*, Paris, Sicard, 1966.

Etienne Robert, *La Vie quotidienne à Pompéi*, Paris, Hachette, 1977.

Flacelière Robert, *La Vie quotidienne en Grèce au siècle de Périclès (450 à 350 av. J.-C.)*, Paris, Hachette, 1973.

Haudricourt A.G., « Les Moteurs animés en agriculture, Esquisse de l'histoire de leur emploi à travers les âges », in *Revue de botanique appliquée et d'agriculture tropicale*, Paris, 1940, t. 20, nos 230-231.

Le Glay, *La Religion romaine*, Paris, Armand Colin, 1971.

Pognon Edmond, *La Grèce, sa littérature, son génie, son histoire*, Paris, Club bibliophile, 1959.

Veyne Paul, « l'Homosexualité à Rome », in *Sexualités occidentales, Communications*, Paris, Seuil, 1982, no 35.

– « l'Empire romain », in *Histoire de la vie privée*, t. I, Paris, Seuil, 1985.

3. A L'OMBRE DES DONJONS

BARTHÉLEMY Dominique, « Les Aménagements de l'espace privé aux XI⁰ et XIII⁰ siècles », in *Histoire de la vie privée*, t. II, Paris, Seuil, 1985.

BLOCH Marc, *La Société féodale*, Paris, Albin Michel.

BRANDENBURG A. et HEITZ C., « Mérovingiens », in *Encyclopaedia universalis* vol. 10, Paris, 1973.

COMTE Suzanne, *La Vie en France au Moyen Age*, Paris, Minerva, 1981.

DELUMEAU Jean, *Le Péché et la Peur, la culpabilisation en Occident*, Paris, 1984.

DUBY Georges, « Situations de la solitude XI⁰-XII⁰ siècle », in *Histoire de la vie privée*, t. II, Paris, Seuil, 1985.

ENLART Camille, *L'Architecture civile et militaire*, Paris, Picard, 1904.

FOURQUIN, « La Nuit barbare », in *Histoire de la France rurale*, t. II, Paris, Seuil, 1975.

HUBERT Henri, *Les Celtes et l'expansion celtique jusqu'à l'époque de La Tène et la civilisation celtique*, Paris, Albin Michel, 1974.

LEVRON Jacques, *Le Château fort et la vie au Moyen Age*, Paris, Fayard, 1963.

Le roman de la rose, Guillaume de Lorris, Jean de Meung, Paris, NRF, 1984.

LE ROY LADURIE Emmanuel, *Montaillou, village occitan*, Paris, NRF, 1975.

Le Ménagier de Paris, (XIV⁰ siècle), Paris, 1846.

Les Mille et Une Nuits, Paris, Garnier, 1960.

PIRENNE Henri, « Le Char à bœufs des derniers Mérovingiens », in *Mélanges à Paul Thomas*, Bruges, 1930.

PLATT Colin, *Atlas de l'homme médiéval*, Paris, Seuil, 1981.

RICHARD Jean, *Saint Louis*, Paris, Marabout, 1986.

ROUCHE Michel, « Haut Moyen Age occidental », in *Histoire de la vie privée*, Paris, Seuil, 1985.

TRISTAN et YSEULT, Paris, Livre de Poche.

VIOLLET-LE-DUC. *Dictionnaire raisonné de l'architecture française du XI⁰ au XVI⁰ siècle*, 10 vol., Paris, 1868.

4. Le temps des sentiments

ALBERTI L.B., *I Libri della famigilia*, Turin, Terrenti, 1969.

ARIÈS Philippe, *L'Enfant et la vie familiale sous l'Ancien Régime*, Paris, Seuil, 1973.

– *L'Homme devant la mort*, Paris, Seuil, 1977.

BOLOGNE Jean-Claude, *Histoire de la pudeur*, Paris, Olivier Orban, 1986.

CONTAMINE Philippe, « Les Aménagements de l'espace privé, XIV\ :sup[e]-XV\ :sup[e] siècle », in *Histoire de la vie privée*, t. II, Paris, Seuil, 1985.

DELUMEAU Jean, *Naissance et affirmation de la Réforme*, Paris, PUF, 1968.

FEBVRE Lucien, *Le Problème de l'incroyance au XVI\ :sup[e] siècle*, Paris, Albin Michel, 1968.

FLANDRIN Jean-Louis, *Familles, parenté, maison, sexualité dans l'ancienne société*, Paris, Seuil.

– *Les Amours paysannes (XVI\ :sup[e]- XIX\ :sup[e])*, Paris, Julliard, 1975.

– *Le Sexe et l'Occident, évolution, attitudes et comportements*, Paris, Seuil, 1981.

GOHIN Ferdinand, *Œuvres poétiques d'Héroët*, Paris, 1909.

LABÉ Louise, *Œuvres*, Paris-Genève, Ressources, 1981.

LA RONCIÈRE Charles de, « La Vie privée des notables toscans au seuil de la Renaissance », in *Histoire de la vie privée*, Paris, Seuil, 1985.

LEFRANC Abel, *Rabelais*, Paris, Albin Michel, 1953.

MONTAIGNE, Essais, Paris, Livre de Poche.

RABELAIS, Œuvres complètes, Paris, Seuil, 1973.

ROSSIAUD Jacques, « Prostitution, sexualité, société dans les villes françaises au XV\ :sup[e] siècle », in *Sexualités occidentales, Communications*, Paris, Seuil, 1982, n° 35.

VIGARELLO Georges, *Le Propre et le Sale, l'Hygiène du corps depuis le Moyen Age*, Paris, Seuil, 1985.

5. TOUT AUTOUR DE LA CHAMBRE

AUMONT Roger, *Le Style Louis XIV*, Paris, Larousse, sd.

BARTHES Roland, *Sade, Fourier, Loyola*, Paris, Seuil, 1977.

BENEDICTI J., *La Somme des péchez et le reméde d'iceux comprenant tous les cas de conscience et de résolution des doubtes...*, Paris, 1601.

BLUCHE François, *La Vie quotidienne au temps de Louis XIV*, Paris, Hachette, 1980.

DARMON Pierre, *Le Tribunal de l'impuissance*, Paris, Seuil, 1979.

DU COLOMBIER Pierre, *Le Style Henri IV-Louis XIII*, Paris, Larousse, sd.

ELIAS Norbert, *La Société de Cour*, Paris, Calmann-Lévy, 1974.

FLANDRIN Jean-Louis, « La Vie sexuelle des gens mariés dans l'ancienne société », in *Sexualités occidentales, Communications*, Paris, Seuil, 1982, n° 35.

FOUCAULT Michel, *La Volonté de savoir*, Paris, NRF, 1976.

GUERRAND Roger-Henri, *Les Lieux, histoire des commodités*, Paris, la Découverte, 1985.

GOUBERT Pierre, *L'Avènement du Roi-Soleil, 1661*, Paris, Julliard, 1967.

GUILLOU Edouard, *Versailles, le palais du Roi-Soleil*, Paris, Plon, 1963.

LAMBTON Lucinda, *Chambers of Delight*, Londres, 1983.

LA PORTE Pierre de, *Mémoires contenant plusieurs particularités des règnes de Louis XIII et de Louis XIV*, Paris, 1939.

LAGET M. et MOREL M.-F., *Entrer dans la vie, naissances et enfances dans la France traditionnelle*, Paris, Julliard, 1978.

LORENZONI Pietro, *L'Érotisme français*, Paris, Solar, 1948.

MAISTRE Xavier de, *Voyage autour de ma chambre*, Paris, José Corti, 1984.

MARION, *Dictionnaire des institutions de la France aux XVII et XVIII siècles*, Paris, 1923.

MÉTHIVIER Hubert, *Le Siècle de Louis XIV*, Paris, PUF, 1968.

MEYER Jean, *La Vie quotidienne en France au temps de la Régence*, Paris, Hachette, 1979.

REINHAREZ C., « Bonne nuit, les petits, ou les rituels du coucher », in *Dialogue*, n° 82.

TAVENEAUX René, *La Vie quotidienne au temps des jansénistes*, Paris, Hachette, 1973.

TARCZYLO Théodore, *Sexe et liberté au siècle des Lumières*, Paris, Presses de la Renaissance, 1983.

6. LE CULTE DE LA CHAMBRE

ANDERSEN, *La Princesse au petit pois*, Paris, Livre de Poche, 1963.

BOGROS Dr., *A travers le Morvan*, Château-Chinon, Dudragne-Bordet, 1883.

BOILEAU abbé, *Histoire des flagellants*, dossier de Claude-Louis Combet, Paris, Jérôme Millon, 1986.

BRULEY Joseph, *Le Morvan cœur de la France*, Paris, la Morvandelle, 1966.

BURGESS Anthony, *Sur le lit*, Paris, Denoël, 1982.

CÉLESTE Patrick, « La Chambre à coucher et l'histoire de son architecture dans les immeubles à loyer », in *Dialogue*, n° 82.

CHASTENET DE PUYSÉGUR A.M.J., *Les fous, les insensés, les maniaques et les frénétiques ne seraient-ils que des somnambules désordonnés?*, Paris, J.G. Dentre, 1812, repro. Analectes.

CHÂTELAIN-COURTOIS Martine, *Les Mots du vin et de l'ivresse*, Paris, Belin, 1984.

CLAVERIE E. et LAMAISON P., *L'Impossible Mariage, violence et parenté en Gévaudan*, XVIIᵉ, XVIIIᵉ *siècles*, Paris, Hachette, 1982.

CORBIN Jacques, *Le Miasme et la Jonquille*, Paris, Aubier-Montaigne, 1982.

CULIOLI G.X., *La Terre des seigneurs, un siècle de la vie d'une famille corse*, Paris, Lieu Commun, 1986.

DAUZAT Albert, *Le Village et le Paysan*, Paris, NRF, 1941.

DAVID M. et DELRIEU A.-M., *Aux sources des chansons populaires*, Paris, Belin, 1984.

DEFFONTAINES Pierre, *L'Homme et sa maison*, Paris, NRF, 1972.

DIDEROT Denis, *Regrests sur ma vieille robe de chambre*, Paris, NRF, 1951.

DOYON Jacques, *La Recluse*, Paris, Laffont, 1984.

DUPIN, *Le Morvan*, 1853.

336

FREEDMAN Henry, *Les Fantaisies sexuelles des animaux et les nôtres*, Paris, Stock, 1980.

GARI Margit, *Le Vinaigre et le Fiel*, Paris, Plon, 1983.

GAIGNEBET Claude, *Le Carnaval*, Paris, Payot, 1974.

GUILLAUMIN Émile, *La Vie d'un simple, mémoires d'un métayer*, Paris, Nelson, 1935.

HAVARD H., *Dictionnaire de l'ameublement et de la décoration*, sd.

HAUDRICOURT A.G., *L'Homme et la Charrue*, Paris, NRF, 1955.
– *L'Homme, le pou et la puce, Ethnozoologie*, Paris, 1975.

HÉLIAS Pierre-Jakez, *Le Cheval d'orgueil*, Paris, Plon, 1975.

HERZLICH C. et PIERRET J., *Malades d'hier, malades d'aujourd'hui*, Paris, Payot, 1984.

HUYSMANS J.K., *A rebours*, Paris, Garnier-Flammarion, 1978.

JEANNE DES ANGES (sœur), *Autobiographie d'une hystérique possédée*, Paris, Jérôme Millon, 1985.

LACROIX J. et VIARD J., *L'Homme et son corps*, Marseille, CNRS, 1985.

LE CLÈRE, *La Vie quotidienne dans les bagnes*, Paris, Hachette, 1973.

LHOSTE Jean, *Des insectes et des hommes*, Paris, Fayard, 1979.

LOUX F. et RICHARD P., *Sagesses du corps*, Paris, Maisonneuve et Larose, 1978.

LOUX Françoise, *Le Corps dans la clef des songes*, Marseille, CNRS, 1985.

MARTIN-FUGIER Anne, *La Place des bonnes, la domesticité féminine à Paris en 1900*, Paris, Grasset, 1979.

NAVAILLES Jean-Pierre, *La Famille ouvrière*, Paris, Champ Vallon, 1985.

OLIVIER Lucie, *Reconnaître les styles régionaux*, Paris, Ch. Massin, sd.

PEPYS Samuel, *Journal (1660-1669)*, Paris, NRF, 1948.

PEZEU-MASSABUAU Jacques, *La Maison, espace social*, Paris, PUF, 1983.

PROPP Vladimir, *Les Racines historiques des contes merveilleux*, Paris, NRF, 1983.

RAMBAUD Placide, *Société rurale et urbanisation*, Paris, Seuil, 1969.

SÉGALEN Martine, *Mari et femme dans la société paysanne*, Paris, Flammarion, 1980.

THUILLIER Guy, *L'Imaginaire quotidien au XIXᵉ siècle*, Paris, Economica, 1985.

TROYAT Henri, *La Vie quotidienne au temps des derniers tsars*, Paris, Hachette, 1959.

VARAGNAC A., *Civilisation traditionnelle et genres de vie*, Paris, Albin Michel, 1948.

VAN GENNEP, *Manuel de folklore français*, Paris, Chemin vert, 1983.

VERDIER Yvonne, *Façons de dire, façons de faire*, Paris, NRF, 1979.

WESTPHALEN de, *Petit dictionnaire des traditions messines*, Metz, 1934.

WRIGHT Lawrence, *Warm and Snug, the History of the Bed*, Norwich, 1962.

ZELDIN Theodore, *Histoire des passions françaises, 1848-1945*, Paris, Seuil, 1981.

II. HORIZONTALE

1. CHAMBRES D'AUJOURD'HUI

ADLER Alfred, *La mort est le masque du roi*, Paris, Payot, 1982.

BRETON André, *Fata Morgana*, Paris, NRF, 1948.

BOULWARE Marcus, *Ne ronfle plus, s'il te plaît! Nouvelles réponses à un vieux problème*, Paris, 1978.

CHOUARD C. H., *Vaincre le ronflement et retrouver la forme*, Paris, Ramsay, 1986.

Consommation des ménages en 1985, INSEE, Séries de la Comptabilité nationale, 1985.

COSSERY Albert, *Les Fainéants dans la vallée fertile*, Paris, Folio, 1964.

CRESSWELL Robert, *Les Concepts de la maison : les peuples non industriels*, Zodiac, 7, 1960.

DEFFONTAINES Pierre, *Enquête sur l'habitation rurale en France*, SDN, 1939.

– « Introduction à une géographie du sommeil et de la nuit », in *Géographie générale*, Paris, NRF, 1966.

– *L'Homme et sa maison*, Paris, NRF, 1972.

DEMANGEON A. et WEILER A., *Les Maisons des hommes,* Paris, Bourrelier, 1937.

DÉMENT W. C. et GUILLEMAULT C., « Les Troubles du sommeil », in *La Recherche*, 1974, n° 42.

GUETTA Pierre, « Les Français et leur lit », SOFRES, in *Dialogue*, n° 82.

HUXLEY Aldous, *The Human Situation*, Londres, sd.

JOUVET Michel, « Le Rêve », in *La Recherche*, juin 1974, n° 46.

JUIN Hubert, *Le Lit dans l'art*, Paris, 1980.

KELEN Jacqueline, *Sommeils, la matinée des autres*, ORTF, 12 juin 1982.

LEIRIS Michel, *Nuits sans nuit et quelques jours sans jour*, Paris, NRF, 1961.

– « Le lit en questions » CIRES, in *Maison et Jardin*, novembre 1986.

– *Lits, Usines nationales de literie*, le Pré-Saint-Gervais, 1918-1939.

MALAURIE Jean, *Les Derniers Rois de Thulé*, Paris, Plon, 1976.

MANKER Ernst, *Les Lapons des montagnes suédoises*, Paris, NRF, 1954.

MARCHAND et FELDER C., *Les Conditions de logement des ménages dans les régions, en 1973*, INSEE.

MARTINSON Harry, *Voyage sans but*, Paris, Stock, 1976.

MATHIEU Jocelyne, « Essai de typologie : les lits », in *Ethnologie française,* 1978.

MAUSS Marcel, « Les Techniques du corps », in *Journal de psychologie*, XXXII, 1936.

MERPILLAT Marcel, *Lits et Décors*, Paris, 1963.

MICHAUX Henri, *Façons d'endormi, façons d'éveillé*, Paris, NRF, 1969.

– *Mobilier de repos et de parade*, musée de Genève, août 1965.

NEYMANN Hubert, « La Taxe d'habitation : un nouvel éclairage », in *Economie et Statistique*, n° 174, février 1985.

PEREC Georges, *Espèces d'espaces*, Paris, Galilée, 1974.

– *Un homme qui dort*, Paris, Denoël, 1967.

RÉGENT Claude, « Les dauphins ne dorment que d'un œil » in *Le Monde*, mercredi 5 novembre 1986.

RAPOPORT Amos, *Pour une anthropologie de la maison*, Dunod, 1972.

ROUMEGUÈRE-EBERHARDT Jacqueline, *Les Masai*, Paris, Berger-Levrault, 1985.

THÉVENIN R. et COZE P., *Mœurs et Histoire des Peaux-Rouges*, Paris, Payot.

VICTOR Paul-Émile, *Boréal*, Paris, Grasset, 1938.

2. LA CHAMBRE-VILLAGE

BIOCCA Ettore, *Yanoama*, Paris, Plon, 1968.

CLASTRES Pierre, *Chronique des Indiens Guayaki*, Paris, Plon, 1972.

– *Recherches d'anthropologie politique*, Paris, Seuil, 1980.

HILDEBRAND Martin von, *Cosmologie et mythologie tanimuka*, thèse de troisième cycle, Université Paris 7, 1979.

HUXLEY Francis, *Aimables Sauvages*, Paris, Plon, 1960.

JAULIN Robert, *La Paix blanche, introduction à l'ethnocide*, Paris, Seuil, 1970.

– *Gens du soi, gens de l'autre*, Paris, UGE, 1973.

– *La Décivilisation*, Bruxelles, Complexe, 1974.

LERY Jean de, *En la terre du Brésil*, Paris, 1957.

LIZOT Jacques, *Le Cercle des feux*, Paris, Seuil, 1976.

PEAL S. E., *The Communal Barracks of Primitive Races*, JASB, vol. LXI, 1893.

PINTON Solange, « Les Travaux et les Jours », in *Gens du soi, gens de l'autre*, Paris, UGE, 1973.

POUILLON Jean, « Manières de table, manières de lit, manières de langage », in *Revue de psychanalyse* n° 6, 1972.

RIVIÈRE P., *La couvade est un problème qui renaît*, Londres, 1974.

MÉTRAUX Alfred, *Les Indiens de l'Amérique du Sud*, Paris, A. M. Métailié, 1982.

MENGET Patrick, « Temps de naître, temps d'être », in *La Fonction symbolique*, Paris, NRF, 1979.

MEUNIER J., *Manifeste pour un minimum de poésie*, Lachenal et Ritter, 1987.

MEUNIER J. et SAVARIN A.-M., *Le Chant du Silbaco, massacre en Amazonie*, Paris, Editions spéciales, 1969.

Mythes et croyances du monde entier, Paris, Lidis Brépols, 1985.

NORDENSKIOLD E., *La moustiquaire est-elle indigène en Amérique du Sud*, Paris, Société des américanistes, 1922.

3, 4 et 5. INDE, CHINE, JAPON

BUSQUET G. et DELACAMPAGNE C., *Les Aborigènes de l'Inde*, Paris, Arthaud, 1981.

BUTTERFIELD Fox, *La Chine*, Paris, Presses de la Cité, 1982.

CHI-HSI-HU, « Mao Tsé-Toung, la révolution et la question sexuelle », in *Tel Quel*, n° 59, 1974.

DUBOIS abbé, *Mœurs, institutions et cérémonies des peuples de l'Inde*, Paris, Métailié, 1985.

DUNZHEN Liu, *La Maison chinoise*, Paris, Berger-Levrault, 1980.

ELWIN Verrier, *Maisons des jeunes chez les Muria*, Paris, NRF, 1959.

GOUROU Pierre, *La Terre et l'Homme en Extrême-Orient*, Paris, Flammarion, 1972.

GERNET Jacques, *La Vie quotidienne en Chine à la veille de l'invasion mongole, 1250-1276*, Paris, Hachette, 1959.

– *La Pensée chinoise*, Paris, Albin Michel, 1968.

– *La Civilisation chinoise*, Paris, Albin Michel, 1968.

HERRENSCHMIDT Olivier, « L'Inde et le sous-continent indien », in *Ethnologie régionale*, Paris, NRF, 1978.

JAN Michel, *La Vie chinoise*, Paris, PUF, 1976.

Jin Ping Mei Cihua, Paris, NRF, 1985.

LARRE Claude, *Mao et la vieille Chine*, Paris, Epi, 1972.

LEMOINE Jacques, *L'Asie orientale, Ethnologie régionale*, Paris, NRF, 1978.

KRISTEVA Julia, *Des Chinoises*, Paris, Des femmes, 1974.

MAO TSÉ-TOUNG, *Œuvres choisies*.

PÉZEU-MASSABUAU Jacques, *La Maison japonaise*, Paris, Orientaliste de France, 1981.

SEGALEN Victor, *Briques et Tuiles*, Montpellier, Fata Morgana, 1975.

SMEDT Marc de, *L'Érotisme chinois*, Paris, Solar, 1984.
SNOW Edgar, *Étoile rouge sur la Chine*, Paris, Stock, 1965.
SOULIÉ Bernard, *L'Érotisme japonais*, Paris, Solar, 1984.
VAN GULIK Robert, *La Vie sexuelle dans la Chine ancienne*, Paris, NRF, 1971.

I

VERTICALE

346

II

HORIZONTALE

Dans Le Livre de Poche

Extraits du catalogue « Biblio/essais »

Anne Martin-Fugier
La Bourgeoise

Élégante, paradante, rayonnante : la bourgeoise. Femme-épouse et femme-mère, vouée au service du mari et à l'éducation des enfants... Sa vie est-elle sinécure ou enfer ? Bonheur ou tristesse ? Et elle, la bourgeoise, est-elle femme d'hier ou d'aujourd'hui ? Dans un texte alerte, à l'information rigoureuse et précise, où l'anecdote et le récit croustillant illustrent toujours les faits présentés, Anne Martin-Fugier se livre à une étonnante radiographie de la société bourgeoise. D'où il ressort que depuis un siècle, malgré l'évolution des mœurs, le modèle de la femme n'a pas tellement changé.

Anne Martin-Fugier
La place des bonnes
La domesticité féminine en 1900

Fantasmes, rêves, désirs : l'inconscient bourgeois tel qu'en lui-même. *La place des bonnes* est, sur la société bourgeoise, l'un des plus formidables documents issus de la nouvelle génération des historiens.

Jean Baudrillard
Les Stratégies fatales

A rebours des idées reçues, des dogmes et des idéologies, une radiographie saisissante des sociétés contemporaines. *Les Stratégies fatales* ou la chronique du monde moderne. L'amour, la séduction, le plaisir, l'obscène... Jean Baudrillard explore quelques-uns des chemins de l'actualité.

Stephen Jay Gould

La Mal-mesure de l'homme

Qu'est-ce que l'intelligence? Qui peut en parler? Comment? Une fresque exceptionnelle de Stephen Jay Gould. Du XIXᵉ siècle à nos jours, les théories scientifiques passées au peigne fin de la critique. Où l'on découvre quelques-uns des fondements du racisme et du sexisme... Pour en finir avec les idées reçues.

Revue « L'Homme »

Anthropologie : état des lieux

L'anthropologie dans tous ses états. A l'heure des grandes mutations du savoir, une discipline en pleine expansion examine ses rapports avec les sciences d'aujourd'hui : psychanalyse, histoire, sociologie, biologie, mathématiques... Un bilan de recherches qui dessine une nouvelle image de l'homme et des sociétés. Fondamental pour comprendre les enjeux de la pensée contemporaine.

Catherine Clément

Claude Lévi-Strauss

La traversée de l'œuvre du plus grand anthropologue contemporain. Catherine Clément suit ici les traces d'un travail sans équivalent. Pour entendre les leçons de la « pensée sauvage ». Des *Structures élémentaires de la parenté* à *La Potière jalouse* : Lévi-Strauss passé au peigne fin de l'analyse.

Angèle Kremer-Marietti

Michel Foucault, archéologie et généalogie

Lectures de Michel Foucault. Son œuvre explorée, analysée, expliquée. De la pensée du pouvoir des premiers textes, à la morale sexuelle esquissée dans les derniers, tout le travail du philosophe mis en lumière par l'une de nos meilleures historiennes des idées. Un outil indispensable pour comprendre la réflexion contemporaine.

Edgar Morin

L'Esprit du temps

L'Esprit du temps, ou la première radiographie de notre société en proie aux convulsions de la modernité. Edgar Morin analyse mythes, rêves et croyances de cette seconde moitié de siècle. Un grand livre de sociologie.

Edgar Morin

La Métamorphose de Plozevet,
commune en France

Premier travail de sociologie qui cerne avec une précision clinique ce qu'a été l'irruption de la modernité dans la société française. Ce livre, novateur par son objet et par son approche multidisciplinaire, est devenu le texte programmatique de ce que Morin nomme « la sociologie du présent ».

Jacques Attali

Histoires du temps

Une généalogie de nos appareils à mesurer le temps : de la clepsydre à l'horloge astronomique. Où l'on apprend que les transformations des moyens de comptage de la durée révèlent les grandes fractures sociales et caractérisent « la trajectoire de chaque civilisation ».

Jacques Attali

Les Trois Mondes

L'économie contemporaine et la crise. Après avoir vécu dans le monde de la *régulation,* puis dans celui de la *production,* nous sommes entrés dans celui de l'*organisation.*

Jacques Attali

Bruits

« Le monde ne se lit pas, il s'écoute. » Jacques Attali se livre à un étonnant exercice : percer à jour les mystères de l'histoire des sociétés grâce à la compréhension de l'histoire de leur musique. Comment la maîtrise des sons explique la structure du pouvoir.

IMPRIMÉ EN FRANCE PAR BRODARD ET TAUPIN
Usine de La Flèche (Sarthe).
LIBRAIRIE GÉNÉRALE FRANÇAISE - 6, rue Pierre-Sarrazin - 75006 Paris.
ISBN : 2 - 253 - 05274 - 4   ♠ 42/4116/2